17,50

Hij houdt niet van me, hij houdt van me

Claudia Carroll

Hij houdt niet van me, hij houdt van me

Vertaald door Inge Vlaspolder

Vassallucci Amsterdam 2004

Oorspronkelijke titel: *He Loves Me Not, He Loves Me*
Oorspronkelijke uitgave: Transworld
© Claudia Carroll, 2004
© Vertaling uit het Engels: Inge Vlaspolder
© Nederlandse uitgave: Vassallucci, Amsterdam 2004
Vormgeving omslag: DPS, Amsterdam
Foto omslag: © The Image Bank
ISBN 90 5000 573 X
NUR 302
www.vassallucci.nl

Voor Anne en Claude, die totaal niet lijken
op de ouders in dit boek.

Hoofdstuk een

Portia stond in de ijskoude salon van Davenport Hall en luisterde naar de jammerklacht van haar moeder. Het was geen vrijdag, maar wel de dertiende en hoewel ze niet bijgelovig was, was ze dat nu wel. Was dit een nachtmerrie of werkelijkheid? 'Het kan toch niet waar zijn, lieverd. Het kan gewoon niet waar zijn!' jammerde Lucasta voor de zoveelste keer die ochtend. 'Hoe kan hij nu zomaar ineens na een huwelijk van zesendertig jaar de benen nemen! En dan te bedenken dat hij mij heeft verlaten... MIJ! Ik was op mijn eerste societybal in 1966 de mooiste van het bal en toen je vader mij kreeg zei iedereen dat hij zich de gelukkigste man op aarde mocht prijzen...' Bij de gedachte aan haar vervlogen jeugd en schoonheid kreeg ze weer een hysterische aanval. 'Ik heb inderdaad gezegd dat hij moest oprotten, maar hoe kon ik nu weten dat die schoft het echt zou doen? Nooit deed die waardeloze klootzak wat ik vroeg en nou ineens wel!'

Portia zuchtte diep en troostte haar moeder die op de chaise longue lag. Het licht van de uitbundig schijnende zon – ongewoon voor de maand maart – viel door het enorme erkerraam naar binnen. De kamer baadde in het zonlicht, maar moeder noch dochter voelde daar iets van, want het was in de salon altijd steenkoud.

Voor een buitenstaander waren ze een vreemd stel. Lady Davenport was pas halverwege de vijftig, maar zag er als gevolg van te veel gin-tonics veel ouder uit. Zo te zien was ze sinds haar eerste societybal niet meer bij de kapper geweest, want het eens door iedereen bewonderde lange haar dat tot haar middel reikte, was nu grijs en zat vol klitten. Met haar eeuwige kaplaarzen, marineblauwe geruite waxcoat en een aantal dikke truien over elkaar leek ze op een kloon van Barbara Woodhouse. En toch kon je zien dat ze, hoewel het rode gezicht nu opgezet was van het huilen, vroeger een 'statige vrouw' geweest moest zijn.

Haar oudste dochter Portia daarentegen was intens bleek. Ze was lang en dun en droeg het lichtbruine haar in een strakke paardenstaart. Vandaag was ze bleker dan ooit. Niet omdat ze zo geschokt was, maar omdat ze zich zorgen maakte, ernstige zorgen. Ze gaf haar moeder een handvol tissues en liet haar verontruste blik door de kamer glijden. Ze keek naar de vieze ramen met de gebroken ruiten, naar de hoge plafonds met de ornamenten die al in geen eeuwen geschilderd waren en nu onder het spinrag zaten, naar het versleten Perzische kleed op de vloer dat een uur in de wind stonk omdat er generaties katten op hadden geslapen, en naar de grote, kale, lichte plekken op de muren waar eens de schilderijen van de Davenports hadden gehangen.

De kunstverzameling van de familie Davenport was in de tijd van Portia's grootvader tamelijk beroemd en een van de meest indrukwekkende van het land. Portia herinnerde zich dat ze als kind een Gainsborough en een Reynolds aan de muur had zien hangen. Dat het beroemde doeken waren, had ze nooit geweten, tot ze op school een van de schilderijen op de omslag van een geschiedenisboek had herkend. Hé, had ze gedacht, dat hangt bij ons thuis.

En nu was alles weg. Ver onder de marktwaarde verkocht om de gokschulden van haar vader te betalen. Portia zuchtte diep. Het had geen zin om bij het verleden stil te staan, gedane zaken namen immers geen keer. Ze keek naar buiten en zag in de verte haar jongere zusje Daisy op haar lievelingsmerrie in wilde galop over het landgoed vliegen. Arm kind, dacht Portia, terwijl ze haar moeder liefdevol troostte. Voor haar was het nog erger, want Daisy was werkelijk op haar vader gesteld.

Portia vermoedde dat Lord Jack Davenport intussen halverwege Las Vegas was. Vanwege zijn gokverslaving stond hij bekend als Blackjack en hij deed altijd alles in stijl. Dus had hij niet alleen zijn vrouw en dochters zonder een cent achtergelaten, maar als klap op de vuurpijl ook nog Sarah Kelly meegenomen die in de stallen op het landgoed werkte. En Sarah Kelly was negentien...

***

Het is zoals altijd allemaal mijn eigen stomme schuld, dacht Daisy terwijl ze tegen de wind in langs de rozentuin galoppeerde. Ik heb die stomme sloerie met haar dikke enkels vorige zomer aangenomen, maar ik heb haar heel duidelijk verteld wat haar taken waren. Het was de bedoeling dat ze tijdens het drukke toeristenseizoen de stallen zou uitmesten en niet dat ze er met papa vandoor zou gaan. Dikke tranen rolden over Daisy's wangen. Hoe kon hij ons dit aandoen? Hoe kon hij er met die paardenstrontruimster vandoor gaan? Ze galoppeerde langs de verwaarloosde tennisbanen met de vergane netten en langs de boomgaard naar de omringende heuvels die ook bij het landgoed hoorden. Als Daisy zo van streek was, was er maar één plek waar ze heen wilde.

Davenport Hall beschikte over een manege, ooit een kleine bron van inkomsten die de familie hard nodig had. Het idee was dat toeristen een dagje konden doorbrengen in Davenport Hall ('een adembenemend staaltje van georgiaanse architectuur in het hart van graafschap Kildare' zoals de pocherige en tamelijk misleidende tekst in de Bord Fáilte brochure luidde). Degenen die wilden, konden een buitenrit maken door de bosrijke omgeving van de Hall, voorbij de rivier Kilcullen met haar natuurlijke zalmfuik en helemaal tot het mausoleum, een schitterend neoklassiek monument waar negen generaties Davenports begraven lagen.

Het was niet verwonderlijk dat een vreemdeling die een dagje op dit landgoed doorbracht de indruk kreeg dat de familie Davenport zeer welgesteld was. Het landgoed was enorm uitgestrekt en het monumentale landhuis zag er vanbuiten zo imposant uit dat je zou denken dat er iemand van koninklijken bloede woonde. Het stamde uit de achttiende eeuw en was door Charles Gandon voor zijn oude drinkmaatje, de eerste Lord Davenport, ontworpen. Davenport Hall, dat ooit als het mooiste huis in de provincie Leinster werd beschouwd, beschikte over acht enorme ontvangstkamers, een balzaal, een bibliotheek, een portrettengalerij waar Edward vii en zijn Ierse maîtresse volgens de legende ooit met kaarten een fortuin hadden verloren, en telde niet minder dan zestien slaapkamers. Op het eerste gezicht zou je denken dat alleen de winnaar van de Staatsloterij of Michael Flatley zich kon permitteren hier te wonen. Tot je de voordeur opendeed en zag in welke vreselijke staat Davenport Hall verkeerde.

De misleide en onfortuinlijke toerist die de eens zo indrukwekkende ontvangsthal betrad, werd meteen overvallen door een ijzige koude. Het was er zo koud dat het zelfs hartje winter buiten vaak warmer was dan binnen. Daisy wikkelde zich dan ook regelmatig in een deken en zei dat ze even naar buiten ging om te ontdooien. De Davenports hadden geen cent te makken en konden de kosten van de renovatie van het ouderwetse verwarmingssysteem van de Hall niet betalen. En als de onfortuinlijke toerist eenmaal was geacclimatiseerd, kreeg hij of zij de volgende onaangename verrassing te verwerken, namelijk de stank. Een werkelijk weerzinwekkende combinatie van kattenpis en vocht, alleen geschikt voor mensen met doorzettingsvermogen. Als bezoekers daarbij de pech hadden dat het toevallig regende, moesten ze ook nog de plassen op de vloer ontwijken die het gevolg waren van de gapende gaten in het plafond. Portia had enkele jaren geleden een tweede hypotheek op de Hall genomen om het dak te laten repareren, maar zoals gebruikelijk was Blackjack er met het geld van de bank vandoor gegaan en had het er in één uur bij de Curragh paardenrennen doorheen gejaagd.

De gele salon waar Lady Lucasta en Portia nu zaten, was waarschijnlijk het enige gastvrije vertrek in het huis. Daar brandde tenminste altijd de haard en als je boven op de kolossale stenen schouw ging zitten, was het mogelijk een sprankje warmte te voelen. En dat was precies wat Portia deed toen de deur openvloog.

'Godallemachtig, mevrouw Flanagan, waarom klopt u nooit?' riep Lucasta.

'Ach, windt u zich toch niet zo op,' antwoordde mevrouw Flanagan met een vreselijk plat accent. 'Ik dacht dat jullie wel trek zouden hebben in een koppie thee.' In haar mondhoek bungelde een peuk met een gevaarlijk lange askegel.

'Dank u, mevrouw Flanagan, dat is heel aardig van u,' zei Portia. 'Kom mama, thee met suiker is goed tegen de schrik.'

'Ach, lazer toch op. Mevrouw Flanagan, geef mij maar een sterke gin-tonic, met heel weinig tonic,' zei Lady Lucasta.

'Ik dacht dat het daar nog een beetje te vroeg voor was, zelfs voor u,' zei mevrouw Flanagan die naar het dressoir in de hoek van de kamer waggelde. De schat, dacht Portia. Zij was de enige die zich niet van de wijs liet brengen.

'U weet best dat u stukken beter af bent zonder die ouwe zak,' vervolgde mevrouw Flanagan terwijl ze de gin royaal met tonic aanvulde.

'Blackjack was een geweldige echtgenoot,' zei Lucasta stijfjes. 'Ik zei weinig tonic.' Hoe verdrietig, ellendig en verlaten ze zich ook voelde, ze hield mevrouw Flanagan scherp in de gaten. Dat haar echtgenoot haar had verlaten, was al erg genoeg, maar een waterige gin was nog erger.

'Nou, dat moet u dan maar zelf weten,' antwoordde mevrouw Flanagan. 'Maar ik kan die vent niet uitstaan. Waardeloze zak. En hij heeft de ballen verstand van paarden. Hebben jullie Sarah Kelly dan niet uitgelegd dat ze de stront naar de mesthoop moest brengen en dat het niet de bedoeling was dat ze met die stronthoop naar Las Vegas zou gaan... o JEZUS!' schreeuwde ze toen ze over een van Lucasta's schurftige katten struikelde. 'Ik zweer dat ik ze een dezer dagen allemaal verzuip. Ze bezorgen me nog eens een hartaanval,' gromde ze en gaf Lucasta haar gin-tonic.

'Mevrouw Flanagan, met de kleine Gnasher moet u echt voorzichtig zijn,' zei Lady Lucasta. Ze pakte de kat op en streelde hem. 'In een vorig leven was hij de sjah van Perzië.'

Mevrouw Flanagan geloofde niet in reïncarnatie en mompelde wat. Ze had zich nooit snel laten intimideren door haar adellijke werkgevers en zette Lucasta regelmatig op haar plaats, maar vandaag niet. Ze overhandigde Portia haar thee en zei op vriendelijke toon: 'Hoe gaat het nou met je, lieverd?'

'Eerlijk gezegd maak ik me het meest zorgen om Daisy, mevrouw Flanagan. Zij was altijd papa's lieveling,' zei Portia, die keek of er dode spinnen in het gebarsten porseleinen kopje dreven en toen voorzichtig roerde. Voor deze ene keer (bij wijze van uitzondering) had mevrouw Flanagan het mooie theeservies te voorschijn gehaald. Blijkbaar vond ze het uit elkaar vallen van de familie een mooie gelegenheid om het Royal Doulton-servies uit de kast te halen. 'En u weet hoe emotioneel ze kan zijn.'

'O, praat me er niet van. Weet je nog die keer dat een van haar paarden moest worden afgemaakt? Ze was er zo kapot van dat ik dacht dat ze slachtofferhulp nodig had, het arme kind. En toen zij en die vent uit elkaar gingen, hoe heet hij ook alweer?'

'Sean Murphy,' antwoordde Portia. Sean was de plaatselijke vee-arts en de enige begerenswaardige vrijgezel in de wijde omtrek. Een paar maanden geleden had Daisy heel kort iets met hem gehad.

'Ja, leuke vent om te zien, maar ik heb nog nooit iemand zo van streek gezien als Daisy toen het voorbij was. Mijn god, je zou denken dat ze jaren getrouwd waren geweest, terwijl Daisy maar een paar weken met hem is omgegaan.'

'Nou, dit is in elk geval veel erger,' antwoordde Portia bedaard.

'Als die kleine slet nu hier was, zou ik haar achter het behang plak-ken,' vervolgde mevrouw Flanagan hatelijk. 'Ik heb Sarah Kelly nooit gemogen. Iemand met een kettinkje tussen haar oorbel en neuspiercing is niet te vertrouwen. Wat dacht ze, dat iemand haar neus zou stelen of zo?'

'Ik denk dat ik Daisy maar eens ga zoeken, mevrouw Flanagan.' Portia wilde niet onbeleefd zijn, maar er zou in het dorp al genoeg geroddeld worden zonder dat mevrouw Flanagan de geruchten aan-wakkerde.

'Ach, natuurlijk lieverd, ga maar,' antwoordde mevrouw Flanagan een beetje opgelaten. Portia was wel de laatste persoon in de wereld die ze wilde beledigen. Portia was heel goed voor haar en het was fijn om voor haar te werken.

'Ik zie u vanavond tijdens het eten,' zei Portia tegen haar moeder en kuste haar op haar wang. 'Het laat zich raden waar Daisy is.'

Mevrouw Flanagan keek Portia na toen ze kalm, beheerst en met opgeheven hoofd door de halfvergane terrasdeuren naar buiten liep, en haar hart brak.

Portia had gedacht dat de wandeling haar goed zou doen, maar dat was niet zo. Haar hoofdpijn zakte niet. Ze maakte zich vreselijk veel zorgen. Niet omdat ze haar vader hoogstwaarschijnlijk niet meer in levenden lijve zou terugzien, maar omdat ze geen idee had wat ze nu moesten doen. Waar moesten ze van leven? Blackjack was zo vriendelijk geweest hen volkomen kaal te plukken en elke cent mee te nemen die Portia in de afgelopen jaren moeizaam bijeen had gespaard. En nu moest ze op haar vijfendertigste een poging doen om dit veel te grote, monumentale pand en het uitgestrekte landgoed vrijwel zonder hulp te beheren. Nog steeds wilden de tranen niet komen. Ze beklom buiten adem een heuvel die uitzicht bood op de zuidkant van de Hall en kon de neoklassieke Griekse zuilen van het mausoleum van Davenport al zien. En ja hoor, daar stond de prachtige witte merrie van haar zusje, Kat Slater (Daisy was verslaafd aan soaps) naast de kalkstenen trap te grazen.

'Daisy?' riep Portia buiten adem. 'Ben je daar, lieverd?' Een paar gesmoorde snikken in de koepelvormige tempel waren het antwoord. 'Ik dacht wel dat je hier zou zijn,' zei Portia en beklom de vier treden van de betegelde binnenplaats waar op gelijke afstand van elkaar sierlijke, met mos begroeide Griekse stenen bankjes stonden. Hier lagen negen generaties Davenports begraven en zowel Daisy als Portia vertoefden er graag. Toen ze nog geen zorgen hadden, reden ze vaak samen hierheen om van het fantastische uitzicht te genieten. Vanaf het mausoleum kon je heel duidelijk drie graafschappen zien liggen die glooiend in de verte verdwenen. En toen ze jonger waren, aten de zusjes dikwijls hier een boterham en vroegen zich af hoe hun leven er later zou uitzien. Er was een hechte band tussen hen ontstaan, hoewel ze veertien jaar scheelden en Daisy beschouwde haar oudere zus meer als een moederfiguur dan Lucasta ooit was geweest.

'O, Portia!' Daisy liep Portia bijna omver toen ze zich in haar armen wierp. 'Ik vertrouw geen enkele man meer, zolang als ik leef! Mevrouw Flanagan heeft gelijk, het zijn allemaal waardeloze lamstralen!'

'Rustig maar, schat, niet huilen,' zei Portia op troostende toon en gaf haar een handvol Kleenex.

'Er is zo veel dat we kunnen doen, Portia.' Daisy snoot haar neus. 'We kunnen hem vertellen dat we op een van de velden een hondenrenbaan aanleggen, misschien komt hij dan terug. Of we doen net alsof we de lotto hebben gewonnen. Of we vragen mama een van haar liefdesbezweringen uit te spreken...' Toen ze het afkeurende gezicht van Portia zag, zweeg ze.

'O Daisy, ik weet dat je heel veel van hem houdt, maar zeg nu zelf, denk je echt dat hij dan terug zal komen? Hij is niet ontvoerd maar heeft ons uit vrije wil verlaten.' Portia zag dat haar zusje de verkreukelde brief van Blackjack in haar hand klemde. Hij was nat geworden van haar tranen, maar de eerste zin was nog leesbaar. 'Mijn allerliefste meisjes, dit is de moeilijkste brief die ik ooit heb geschreven...' Et cetera, et cetera. Typisch mijn vader om ons het vuile werk te laten opknappen, dacht ze verbitterd, en de brief aan ons te richten en niet aan mama. Bovendien was dit beslist niet de eerste keer, maar Portia hield haar gedachten voor zichzelf.

'Ik kan gewoon niet geloven dat ik papa nooit meer zal zien!' riep Daisy bijna hysterisch.

Portia keek haar kalm aan, alsof ze haar voor het eerst zag. Ook al had Daisy niet geslapen, in tijden niet gegeten en tranen met tuiten gehuild, ze was nog steeds adembenemend mooi. Ze was net eenentwintig geworden en met haar maatje zesendertig, haar lichtblonde krullen en haar donkerblauwe ogen was ze op en top een Davenport. Portia herinnerde zich de prachtige familieportretten van de vele generaties blonde lords met blauwe ogen en van de talrijke plaatselijke erfgenamen met wie ze waren getrouwd, die vroeger in de Long Gallery hingen. Heel vroeger waren de Davenports beroemd om hun schoonheid en Daisy hield die traditie beslist in ere.

Gelukkig maar, dacht Portia zonder een zweem van zelfmedelijden, want moeder Natuur heeft mij overgeslagen. Ze had het altijd vreselijk gevonden dat ze een vormeloos figuur, vaal bruin haar en een bleke, sproeterige huid had.

Niet dat het er iets toe deed. Davenport Hall was niet bepaald een intieme disco die werd overspoeld door knappe vrijgezellen. Als er al een goeduitziende man op de stoep stond, gingen ze er direct vanuit dat hij een inbreker was. Maar dan moest hij wel de domste boef ter wereld zijn, want alles van enige waarde was al jaren geleden verpatst.

'Kom, hou op met huilen. Straks krijg je vreselijke hoofdpijn,' zei Portia tegen haar zusje, hoewel ze wist dat het geen zin had want haar zusje was op dit moment veel te nerveus en te emotioneel. De beschermende grote zus kwam in haar naar boven en Portia sloeg troostend haar arm om Daisy heen. 'Het komt allemaal goed, lieverd. Maak je geen zorgen. Ik vraag Steve wel om morgen langs te komen. Hij weet vast raad.'

***

De Steve die Portia bedoelde was advocaat in het plaatselijke dorp Ballyroan. Hij was al jaren bevriend met de familie, vanaf het moment dat hij als jongeman in het slaperige gehucht was komen wonen. Hij had zijn rechtenstudie afgerond en wilde graag aan de slag toen een vriend van zijn vader, Tom MacLaverty, hem aanraadde bij zijn advocatenkantoor NolanMacLaverty in Ballyroan te solliciteren. Als stadsjongen had Steve het idee aanvankelijk verworpen om zich in zo'n afgelegen gat te vestigen. Hij was cum laude geslaagd en zou in Dublin makkelijk een baan kunnen krijgen bij een of ander flitsend advocatenkantoor, maar tot op de dag van vandaag herinnert hij zich die eerste keer dat hij naar Ballyroan reed nog heel goed. Het was een zonnige, zomerse dag geweest en het dorp was op haar mooist: brede straten, de fontein in de hoofdstraat, de bioscoop waar nog steeds *The Rocky Horror Show* draaide (altijd stampvol op vrijdagavond) en meer pubs dan hij ooit had gezien.

Naïef had hij zich afgevraagd hoe het mogelijk was dat al die cafés konden bestaan. Hij had zich geen zorgen hoeven te maken. Ballyroan had zelfs ooit in het *Guinness Book of Records* gestaan omdat het dorp het hoogste aantal pubs per inwoner in heel Europa had. Hij herinnerde zich de sappige groene weilanden die het dorp omringden, het mooiste en vredigste uitzicht dat hij ooit had gezien. En op dat moment had hij besloten de rest van zijn leven op deze plek door te brengen.

Inmiddels was het twintig jaar later en Steve had nooit spijt van die beslissing gehad. Hij had het hier enorm naar zijn zin. Hij hield van de vriendelijke mensen, die altijd alle tijd hadden voor een praatje op straat. (Er waren momenten dat het hem beter leek zijn bureau gewoon midden in de hoofdstraat te zetten, want daar bracht hij meer tijd door dan op de zaak.)

Het advocatenkantoor was een bloeiende onderneming. Steve kon verschrikkelijk goed met mensen omgaan. Hij had een aangeboren vriendelijkheid, mensen vertrouwden hem. Hij peinsde er niet over de tijd in de gaten te houden en zijn cliënten het volle aantal uren in rekening te brengen zoals de meeste advocaten deden. Dat was niet zijn manier van zaken doen. In plaats daarvan maakte hij een klets-praatje, gaf advies over eigendomsoverdrachten en testamenten, de normale werkzaamheden van een plattelandsadvocaat. Maar hij nam de tijd om zijn cliënten alles duidelijk uit te leggen en dwong hen nooit iets te ondertekenen of iets te doen wat ze niet wilden. En dat waardeerden de cliënten van NolanMacLaverty's enorm in hem. Al gauw vroegen de mensen die het advocatenkantoor belden naar de jonge Steve Sullivan en niet naar Sean Nolan, die nogal intimi-derend kon zijn, en ook niet naar Tom MacLaverty, die ze al jaren kenden maar die 's middags zelden nuchter genoeg was om goed, betrouwbaar advies te kunnen geven.

Dus toen de rijkelijk met drank weggespoelde lunches Tom MacLaverty fataal werden en hij een paar jaar geleden stierf, werd Steve als vanzelfsprekend de nieuwe compagnon en werd het kan-toor tot NolanMacSullivan omgedoopt. Natuurlijk zeiden zijn oude studiekameraden die in Dublin Castle een fortuin verdienden dat hij gek was en dat hij tien keer zo veel kon verdienen als hij in Dublin kwam werken, maar zonder succes. Steve hield nu eenmaal van zijn werk en van het rustige plattelandsleven.

En hij was dol op de Davenports. Ze hadden elkaar ruim twintig jaar geleden voor het eerst ontmoet, toen Steve, als jonge, onervaren advocaat naar de Hall werd gestuurd om een 'delicate kwestie' voor de familie uit te zoeken. Hij kon zich nog levendig herinneren dat hij voor het eerst het landgoed bezocht en door de poort reed, langs het poorthuis en over de ruim drie kilometer lange oprijlaan. Hij herin-nerde zich dat hij nerveus was toen hij op de enorme eikenhouten deur klopte. Een bleke, ernstig kijkende Portia had hem binnenge-laten. Ze was destijds vijftien en oud genoeg om de situatie vreselijk gênant te vinden.

Haar vader, Lord Davenport, had zijn goklust weer eens niet kun-nen bedwingen en was naar de Naas-paardenrennen gegaan. Hij had meer verloren dan hij bij zich had. De bookmaker op de renbaan was hem terwille geweest, waarschijnlijk onder de indruk van deze aristocratische gokker. Maar het was een ander verhaal toen de lord ruim tienduizend pond op één paard inzette en weer verloor. De politie werd erbij gehaald en Blackjack werd zonder pardon naar een gevangenis ergens in een dorp in Kildare gebracht. Daar bracht hij de nacht in een cel door, tot de borgtocht was betaald. Het probleem was echter dat de familie van de lord geen rooie cent had en dus ook de borgtocht niet kon betalen.

Het advocatenkantoor werd ingeschakeld en zo kwam het dat de twintigjarige Steve in de gele salon stond. Hij voelde zich vreselijk opgelaten en vroeg zich af hoe hij het jonge meisje in vredesnaam moest uitleggen wat Blackjack had gedaan.

Hij had zich geen zorgen hoeven maken. Portia pakte het ongelooflijk goed aan. Ze gaf Steve kalm een hand en legde uit dat haar moeder op haar kleine zusje paste en niet naar beneden kon komen. Vervolgens vroeg ze hoeveel haar vader deze keer had verloren. Ze knipperde niet eens met haar ogen toen Steve het haar vertelde en zei alleen dat de kwestie zou worden geregeld en dat een paar nachten in een cel haar vader beslist geen kwaad zouden doen.

Dagen later ontdekte Steve dat ze een antiek Russisch Fabergé ei, dat al eeuwen familiebezit was, had moeten verkopen om aan het geld te komen. Die dag dat hij haar had ontmoet, was hij nooit meer vergeten. Hij had destijds zo'n medelijden met het jonge meisje, dat omgeven werd door pracht en praal, maar geen rooie cent had.

Sindsdien waren ze heel goede vrienden geworden. God, als hij dacht aan de netelige situaties waar hij de Davenports in de loop der jaren uit had gered. Die keer dat Lucasta, in een ondoordachte poging om aan geld te komen, besloten had schoolreisjes naar het landgoed te organiseren en de gemeentelijke gezondheidsdienst het landgoed binnen een week tot verboden terrein had verklaard. Het was gewoon niet bij Lady Lucasta opgekomen zich bezig te houden met vervelende en alledaagse details, zoals schone toiletten voor de busladingen schoolkinderen die arriveerden. Een klein jongetje vond een stukje teennagel in de Davenport-jam die Lucasta hen allemaal dwong te kopen, en tot overmaat van ramp stortte een stenen waterspuwer van bijna een meter van het plafond in de balzaal naar beneden en kwam terecht op het hoofd van een bijzonder onfortuinlijk kind dat daarna weken in kritieke toestand in het ziekenhuis lag. In het dorp ging het gerucht dat toen de artsen van de eerste hulp in het Kildare-ziekenhuis hoorden dat de kinderen van een rondleiding in Davenport Hall kwamen, iedereen voor de zekerheid onmiddellijk een tetanusprik kreeg.

En dan was er die keer dat Daisy toen ze zestien was, dacht dat ze geld kon verdienen door spookrondleidingen in de Hall te geven. Ze verzon een spook zonder hoofd van een of andere verre voorouder en trakteerde de bezoekers op een gruwelijke verhaal hoe dit spook dood en verderf zaaide. Ze maakte haar gasten echter zo bang dat geen van hen die nacht een oog dichtdeed. De volgende ochtend, na een slapeloze nacht met veel gekraak dat overigens normaal was in de Hall, checkten haar gasten met bloeddoorlopen ogen uit. Een van hen probeerde haar zelfs te laten vervolgen wegens geestelijk lijden en zielenleed. Aan die zaak had Steve nog een hele kluif gehad! Uiteraard kwam de familie niet eens op het idee zich tegen dit soort incidenten te verzekeren, zelfs al zouden ze het zich kunnen veroorloven.

Steve had de Davenports in de loop der jaren dus goed leren kennen. Ze waren niet alleen cliënten, maar tevens vrienden (natuurlijk waren ze ook cliënten, maar ze betaalden zelden en hij was veel te goedhartig om een onverzettelijke schuldeiser te zijn. Per slot van rekening kon je van een kale kip geen veren plukken.) Hij was bereid alles voor hen te doen. Dus toen Portia later die dag belde en hem verzocht te komen, zei hij al zijn afspraken af en beloofde dat hij er de volgende ochtend vroeg zou zijn.

'Ik was toch van plan te komen,' voegde hij er nogal zwaarwichtig aan toe. 'Ik heb namelijk nieuws dat wel eens heel belangrijk voor jullie zou kunnen zijn.'

Hoofdstuk twee

De volgende ochtend nam Portia net het laatste slokje van haar lauwe koffie toen ze de banden van Steve's landrover op het grind hoorde knerpen. Ze keek uit het raam van het kantoor (een dure benaming voor een vertrek dat eigenlijk de oude speelkamer was en nu niet meer als zodanig werd gebruikt) en zag hem met een diplomatenkoffertje en een enorme stapel mappen langzaam uit zijn grote zwarte jeep stappen. Hij was niet knap. Het ongekamde, donkerbruine haar was vet en hij maakte altijd een onverzorgde, bijna sjofele indruk. Steve deed haar denken aan een enorme knuffelbeer: lang, groot en breed, een zachtaardige reus en een vrijgezel ten voeten uit.

Portia had vaak gedacht dat hij er heel anders zou uitzien als hij ooit trouwde. Een vrouw zou hem een beetje fatsoeneren. Om te beginnen zou ze hem dwingen dat vieze haar te wassen en dan zou ze die eeuwige ribfluwelen broeken en gestreepte overhemden wegdoen die twintig jaar geleden in de mode waren, en modieuzere kleding voor hem kopen. Steve was beslist het type man dat een vrouw kon maken of breken. Hij mocht dan geen Colin Farrell zijn, maar hij had een hart van goud en degene die hem kreeg, mocht zich gelukkig prijzen. Enfin, ze had nu andere dingen aan haar hoofd. Ze rende de brede eikenhouten trappen af en trippelde over de zwart-witte marmeren vloer van de enorme, gewelfde ontvangsthal naar de voordeur.

'Goddank, je bent er,' begroette ze hem en ging op haar tenen staan om hem te kussen.

Steve zag dat ze nog magerder en bleker was dan anders. Zo te zien had ze de afgelopen nacht geen oog dichtgedaan.

Portia vond het moeilijk om hem los te laten. Ze had de laatste dagen zo veel meegemaakt en het was prettig een paar sterke armen om je heen te voelen. Steve zou haar problemen oplossen. Dat deed hij toch altijd?

'Voor elk probleem is een oplossing, Portia. Waar is je moeder?'

vroeg hij en maakte zich voorzichtig uit haar omhelzing los.

'Ze bevrijdt alles wat papa ooit heeft aangeraakt van negatieve energie,' antwoordde Portia. Het was bekend dat Lucasta er heilig in geloofde dat negatieve energie moest worden uitgebannen door incantatie, het branden van wierook en veel met belletjes te rinkelen.

'Moge de godin van reinheid en schoonheid alles zuiveren wat de negatieve geest van mijn schofterige ex-man heeft besmet!' klonk de stem van Lady Lucasta luid en duidelijk uit de bibliotheek.

'Ze is de hele ochtend al bezig,' lichtte Portia toe, maar dat was niet nodig. Steve was het zonderlinge gedrag van Lucasta wel gewend en keek nergens meer van op.

'En Daisy?' vroeg Steve. 'Ik wil jullie alle drie spreken.'

'Ik denk dat ze aan het rijden is. Ze heeft het zwaar, Steve. Je weet hoe hecht haar band met hem was.'

'Wil je haar alsjeblieft halen? Dan haal ik intussen een kopje heerlijke instantkoffie bij mevrouw Flanagan en wacht ik in de bibliotheek op jullie. Vooropgesteld dat je moeder vandaag geen negatieve energie rond mijn aura ontwaart en me verzoekt om weg te gaan,' zei hij met een wrang glimlachje.

Hij maakte geen grapje. Lucasta stond erom bekend dat ze mensen om het minste of geringste het huis uit gooide. Hun sterrenbeelden verdroegen elkaar niet, hun kanalen waren geblokkeerd, de kleur van hun aura beviel haar niet of ze hadden haar dwarsgezeten in een vorig leven waarvan die mensen zelf geen weet hadden. Lucasta had ooit een doodsbange deurwaarder die beslag kwam leggen op de televisie lastig gevallen omdat zijn spirituele gids haar in de achttiende eeuw op beestachtige wijze had aangevallen. Het werkte: ze mocht het tv-toestel houden en hoefde het niet af te betalen.

'Geef me vijf minuten, Steve,' antwoordde Portia. Ze voelde zich al ietsje beter toen ze naar buiten ging om Daisy te zoeken. God, wat was het fijn om eens met een normaal mens te praten!

***

Arme Portia had er een hele klus aan Daisy mee naar huis te krijgen. Uiteindelijk had ze haar in het prieel gevonden waar ze zat te janken.

'Verdomme, Portia, moet dat nu echt?' had ze gejammerd. 'Hij is zo saai en ik haat het dat hij de hele tijd naar me kijkt.' Binnen de familie werd wel eens gegrapt dat Steve een oogje scheen te hebben op Daisy. Die enkele keer dat Daisy iets tegen hem zei, kreeg hij inderdaad bijna altijd een kleur. 'Goeie genade, Portia, hij is minstens veertig en een ouwe lul! Heeft hij zijn eigen tanden nog wel?' Ze liep boos naar huis en haar krullen glansden in de zon. 'Waarom zoekt hij niet iemand van zijn eigen leeftijd om verlekkerd naar te kijken,' tierde ze met al het venijn van de jeugd ten aanzien van mensen van middelbare leeftijd. 'Denkt hij soms dat ik de wanhoop nabij ben?'

'Hij komt ons helpen, liever, dus doe je best om beleefd te zijn. Dat is alles wat ik van je vraag,' suste Portia haar zusje terwijl ze naar de bibliotheek liepen.

Steve wachtte geduldig in een grote groenleren fauteuil. Lucasta liep bedrijvig langs de boekenkasten terwijl ze monotoon zong en met Glassex spoot. 'Moge de godin van alles wat rein is deze kamer van alle negatieve energie bevrijden en... O, hallo lieverds,' begroette ze de meisjes. 'Ik ben net bezig de laatste sporen van je vaders geest uit te wissen,' voegde ze eraan toe, alsof het de gewoonste zaak van de wereld was. 'Je chant, je spuit wat schoonmaakmiddel in het rond en dan brand je een beetje bergamotwierook om de negatieve energie uit te bannen. Werkt fantastisch,' zei ze opgewekt en spoot royaal Glassex op de boekenplanken.

'Mama, is het wel een goed idee om wierook te branden als je met Glassex spuit?' vroeg Portia voorzichtig.

'Stel je niet zo aan, schat, jij maakt je altijd overal zorgen over. Typisch Steenbok,' antwoordde haar moeder.

Steve schraapte zijn keel. 'Ik heb later op de ochtend nog een andere afspraak, dus als jullie er geen bezwaar tegen hebben...' Hij pakte een grote, uitpuilende map met paperassen uit zijn zwartleren koffertje.

Toen een deel van de papieren op de grond viel, sloeg Daisy haar ogen ten hemel. Ze irriteerde zich aan zijn onhandigheid en deed geen poging om dat te verbergen. 'Kom, laten we een beetje opschieten,' zei ze nogal onbeleefd voor haar doen. Portia keek haar waarschuwend aan, maar zei niets.

'Goed, ik zal meteen ter zake komen,' zei Steve enigszins nerveus. 'Op dit moment zit Blackjack met zijn negentienjarige vriendin in Las Vegas en zet de bloemetjes buiten. Met de tienduizend euro die hij uit de kluis heeft gepikt.'

'O Steve, moet dat nou?' jammerde Daisy. In haar grote blauwe ogen welden tranen op.

'Neem me niet kwalijk, Daisy, het spijt me vreselijk,' verontschuldigde Steve zich blozend. 'Het was niet mijn bedoeling je nog meer van streek te maken, maar...' Zijn stem stierf weg. Ballyroan was een kleine gemeenschap en Blackjack had de roddeltantes voor jaren stof gegeven. Iedereen wist dat hij altijd achter de vrouwen aanzat. Sarah Kelly was beslist niet de eerste en zou waarschijnlijk ook niet de laatste zijn. Het kon Steve niet kwalijk worden genomen dat hij de situatie nuchter bekeek.

Toch zuchtte Portia. Tienduizend euro had haar vader meegenomen. Tienduizend. Nu Steve het bedrag hardop zei, sloeg het weer in als een bom. En dan te bedenken dat ze dat geld met bloed, zweet en tranen bij elkaar had geschraapt door kleine groepjes mensen geduldig een rondleiding door de Hall te geven en intussen haar best te doen hun van walging vertrokken gezichten te negeren (ze had vaak gedacht dat niemand zo vaak het zinnetje 'wat was dat een geldverspilling' in het Japans had gehoord als zij). En de tochten te paard die Daisy en zij in de zomermaanden organiseerden, hadden ook een paar honderd euro opgeleverd. En dan nog het kleine beetje geld dat ze bijeen had gescharreld door zelf geteelde rabarber, champignons en tuinkruiden aan de biologische winkels in Kildare te verkopen. Dat waren helaas de enige gewassen die ze kon telen, want ze kon zich geen hulp in de moestuin van het landgoed veroorloven.

Nou ja, gedane zaken namen geen keer. Het was tijd om naar de toekomst te kijken.

'Sorry, Daisy,' herhaalde Steve terwijl hij haar vriendelijk aankeek. 'Ik wilde je niet van streek maken. Maar ik... eh... denk dat ik misschien een oplossing weet.'

Eindelijk had hij hun aandacht. Plotseling keken de drie vrouwen hem geïntrigeerd aan. Zelfs Lucasta zette de fles Glassex neer.

'Ik kreeg een paar dagen geleden een telefoontje van een productiemaatschappij genaamd Romance Pictures,' vervolgde hij met een blik op zijn notities. 'Ze komen naar Ierland om een film te maken, eigenlijk een tweedelige miniserie, en ze overwegen de opnamen in Kildare te laten plaatsvinden. Dus hebben ze de omgeving verkend op zoek naar een geschikte lokatie. Om kort te gaan...'

'Ga verder,' drong Daisy nieuwsgierig aan.

'De lokatiescout schijnt Davenport de ideale plek te vinden om de hele film op te nemen. Er zal heel veel buiten worden gefilmd: acteurs die om het hardst paardrijden en dat soort dingen. Het landschap is hier zo mooi dat Davenport Hall ideaal is. Ze hebben Daisy zelfs een baan aangeboden als *horse wrangler.*'

'Horse wrangler?' onderbrak Daisy hem. 'Wat is dat in hemelsnaam?'

'Het komt erop neer dat ze al je paarden in de film willen gebruiken. En niet alleen dat, ze willen ook dat je de acteurs leert om goed te rijden. Jij hebt de leiding over alle paarden die ze voor de opnamen gebruiken.'

'Je bedoelt dat ik betaald krijg voor wat ik nu al doe. Voor niets dus?' vroeg Daisy die helemaal opleefde.

'Precies,' antwoordde Steve.

'Maar hoe zit het met het huis zelf?' vroeg Portia bezorgd. 'Ze willen toch zeker niet binnen filmen?'

'Dat willen ze juist wel,' antwoordde Steve. 'Degene die de lokatie uitzoekt, heeft de beschrijving in de brochure van het Iers verkeersbureau, Bord Fáilte, gelezen en volgens hem is dit de ideale lokatie. De film speelt zich in vroeger tijden af, dus het komt perfect uit dat het huis er al heel wat jaartjes staat. Dan hoeven ze geen studio af te huren en geen fortuin aan dure decors uit te geven. Het is veel eenvoudiger alles hier te filmen.'

'Steve, je weet heel goed dat ik niet de ouderdom van het huis bedoelde,' onderbrak Portia hem op veronrruste toon.

'Wat bedoelde je dan?' vroeg hij.

'O, kijk toch even om je heen,' antwoordde ze. 'Laten we nou toch realistisch blijven. Kijk eens in welke staat het huis verkeert! Het is sinds de Tweede Wereldoorlog niet meer geschilderd, de gordijnen hangen alleen nog omdat ze door stof en spinrag bijeen worden gehouden en er vallen voortdurend brokstukken pleisterwerk van het plafond op onze hoofden. En dan heb ik het over een goede dag. Als het regent moet ik soms in huis met een paraplu lopen omdat het dak verschrikkelijk lekt. En dan heb ik het nog niet eens over de kou! Op de warmste dag in juli, wanneer iedereen in de zon ligt te bakken, moeten wij nog steeds drie truien over elkaar dragen om niet te be-vriezen. En 's winters moet ik de ijsbloemen van de ramen schrapen, anders kan ik niet naar buiten kijken. Dus vertel me nu alsjeblieft niet dat iemand een film in dit huis wil opnemen. Tenzij de film zich in Bagdad afspeelt.'

Steve haalde diep adem. Hij wist dat hij het nu voorzichtig moest aanpakken. 'Maar dat is het nu juist, Portia,' zei hij en gooide al zijn juridische diplomatie in de strijd. 'Ze vinden Davenport Hall juist geweldig. Precies zoals het is.'

'Je bedoelt op het randje van instorten?' vroeg ze ongelovig.

'Misschien is het een Hammer House of Horror-productie,' gie-chelde Daisy.

'Nee, het is geen horrorfilm,' zei Steve.

'Wat dan?' riepen de zusjes in koor.

'De film heet *A Southern Belle's Saga. Deel Twee. Brent keert terug.* Het is een miniserie voor een Amerikaans televisiestation. De plot van de film is dat de heldin... ik ben haar naam vergeten... eh...' Hij maakte de zin niet af en zocht in zijn aantekeningen.

'Magnolia O'Mara,' zei Daisy, ineens ademloos van opwinding. *A Southern Belle's Saga* was een van haar favoriete miniseries. Als ze daar naar keek, was ze helemaal van de wereld.

'Ja, die bedoel ik,' vervolgde Steve. 'Hoe dan ook, de heldin komt naar Ierland om zich in het land van haar voorouders te vestigen, maar ze beleeft moeilijke tijden en dus verhuurt ze kamers... eh... ik zal de aanbevelingstekst die de productiemaatschappij me heeft ge-stuurd even voorlezen... aha, hier is het. Ja. "Magnolia O'Mara heeft zich net in Ierland gevestigd en huurt een vervallen, uitgewoond en heel erg afgelegen landhuis. Daar probeert ze een nieuw leven op te bouwen, ver weg van het verre Zuiden dat nog steeds verscheurd is door de Burgeroorlog en ver weg van Brent Charleston, de enige man van wie ze echt houdt."'

'Nu begrijp ik het,' zei Portia. Ze ging achterover zitten, het mysterie was opgelost.

'O, denkt u zich eens in, mam,' zei Daisy die duidelijk helemaal verrukt was van het idee, 'dan lopen er filmsterren door het huis en maken we kennis met ze en misschien nodigen ze ons wel uit voor de première in Hollywood...'

'O, wat opwindend,' zei Lucasta die het zuiveringsritueel helemaal vergat en zich liet meeslepen door het idee dat ze straks een praatje kon maken met de beroemdste filmsterren uit Hollywood. 'Misschien ontmoet ik Shirley MacLaine. In een vorig leven waren we heel goede vriendinnen. En Marlon Brando heb ik altijd een lekker ding gevonden. Hij zou alleen een kilootje of zeventig moeten afvallen...' Ze twijfelde er geen seconde aan dat de Hollywoodse crème de la crème, ongeacht hoeveel overgewicht ze hadden, zich als een magneet tot haar aangetrokken zou voelen.

'Steve, wie spelen er mee? Weet je dat?' vroeg Daisy. Ze was haar tranen al lang vergeten en kon niet stilzitten van de opwinding.

'O ja,' zei hij vaag. 'Ik heb de naam van de hoofdrolspeler ergens opgeschreven,' zei hij en bladerde door weer een andere stapel. 'Aha, hier staat het.' Hij zette zijn bril op en las de kleine getypte lettertjes. 'Ik vrees dat ik nog nooit van hem heb gehoord: Guy Van der Post.'

'Guy Van der Post! Maar dat is de meest sexy man op aarde,' fluisterde Daisy, die van schrik bijna van haar stoel viel. 'Heb je hem gezien in *Unbelievable Cruelty 11*? Hij is ongelooflijk, hij heeft zo veel talent.' Haar dromerige blik verried dat het niet zozeer zijn talent was dat ze in hem bewonderde.

'Ik ben bang dat ik die film niet heb gezien, Daisy,' zei Steve. Alleen Portia zag dat zijn zachte bruine ogen geen seconde van haar gezicht weken.

'Het is niet te geloven,' zei Lucasta. 'Die man gaat hier een film opnemen! Bij ons! O, wat spannend! Weet je toevallig welk sterrenbeeld hij heeft, Steve?'

'Eh... nee. Helaas, dat is niet ter sprake gekomen,' antwoordde hij tactisch. 'Wat denk je, Portia? Je bent zo stil,' vroeg hij toen ze langzaam naar het raam liep en gedachteloos stof van de jaloezieën veegde.

Portia keek hem aan. Ze was zoals altijd kalm. Inwendig had ze zich zowel over haar moeder als haar zusje verbaasd. Ze waren er allebei meester in om hun ellende op slag te vergeten. Nog geen tien minuten geleden had Daisy zich de ogen uit haar hoofd gehuild omdat ze haar vader kwijt was en nu kon ze alleen nog maar denken aan een of andere acteur met een domme naam.

'Hoeveel?' vroeg ze.

'Ik denk dat je beter even kunt gaan zitten,' zei hij.

'Goed.' Portia ging zitten.

'Kijk maar eens wat hier staat,' vervolgde hij. 'En dat is nog maar hun eerste bod. Ik weet zeker dat we veel meer kunnen vragen.' Hij reikte haar een vel papier aan met een getal erop. Lucasta en Daisy sloegen haar aandachtig gade. Zij wisten dat Portia's beslissing doorslaggevend zou zijn. Nu Blackjack hen had verlaten, was er geen alternatief. Portia was de baas.

Ze wierp een blik op het geboden bedrag en werd zo mogelijk nog witter dan anders. Het was beslist geen fortuin, maar het was meer dan Blackjack uit de kluis had meegenomen. Allerlei gedachten flitsten door haar hoofd.

Haar hele leven had Portia ervan gedroomd de Hall in zijn vroegere glorie te herstellen en er een schitterend, landelijk, vijfsterrenhotel van te maken. Ze was zelfs na haar eindexamen naar de hotelschool in Dublin gegaan en waarschijnlijk was dat de gelukkigste en meest onafhankelijke periode van haar leven geweest. Het was een opleiding van vier jaar en toen ze in het derde jaar zat, was ze de beste van de klas en borrelde ze van ideeën voor de renovatie van haar voorouderlijk huis tot... het noodlot toesloeg. Tussen neus en lippen door vertelde Blackjack dat hij, in een poging haar studiegeld op de paardenrennen te verdubbelen, alles had verloren en zij geen andere keus had dan naar huis terug te komen. Toegegeven, het geld dat Romance Pictures bood, was bij lange na niet genoeg voor de uitgebreide renovatie die haar voor ogen stond, maar ze kon in ieder geval een deel van het dak laten repareren. En misschien zelfs de moestuin uitbreiden, iemand in dienst nemen en op die manier voor een fatsoenlijk inkomen zorgen. Het was niet bepaald het winnende lot in de Staatsloterij, maar het was zeker een zeer welkome buitenkans en kwam als geroepen.

'Waar moet ik tekenen?' was het enige dat ze over haar lippen kreeg. Het leek wel alsof haar stem uit een andere kamer kwam. Ze hoorde niet wat Steve zei, want Lucasta en Daisy joelden en juichten als een stelletje tieners tijdens een optreden van een populaire jongensband.

'Dames, dames, mag ik nog heel even? Ik heb nog niet alles verteld,' zei Steve op luide toon om zich verstaanbaar te maken.

'Wat bedoel je?' vroeg Daisy ongeduldig. 'Het is toch een kwestie van op de stippellijn tekenen en dat is het?'

'Was alles in het leven maar zo simpel.' Steve glimlachte verlegen. 'Nee Daisy, ik ben bang dat de productiemaatschappij één voorwaarde stelt waarover niet onderhandeld kan worden. Een nogal belangrijke voorwaarde.'

Hoofdstuk drie

De weken daarop voltrokken zich in een waas. Portia kon niet geloven hoe snel alles ging zodra Steve en Romance Pictures het met elkaar eens waren geworden. Binnen enkele dagen reden gigantische productiewagens het landgoed op en werden er kilometers kabels, elektrische apparatuur, camera's en lampen uitgeladen. Zo veel lampen dat Daisy had gevraagd of de hele film soms met schijnwerpers werd belicht. Johnny Maguire, de regisseursassistent, had haar uitgelachen.

'Geen denken aan, schat,' had hij met een onvervalst Dublins accent geantwoord. 'Je hebt alleen al ongeveer zestig lampen nodig om in deze donkere kamers te kunnen filmen.' Hij nam een trekje van zijn sigaret. 'Wanneer is de elektrische bedrading van dit huis trouwens vernieuwd?' Portia was blij dat haar moeder op dat moment bij hen kwam staan en van onderwerp veranderde. De leidingen waren zeker sinds de aanleg van het elektriciteitsnet in 1936 niet meer vernieuwd.

'Wanneer komt Guy Van der Post?' vroeg Lucasta opgewonden. 'Ik denk dat we hem de paarse suite moeten geven, Portia. Dat is de enige slaapkamer waar het niet spookt.'

De enige, onverbiddelijke eis die Romance Pictures stelde, was dat de hoofdrolspelers allemaal in de Hall werden ondergebracht. De producer, ene Harvey Brocklehurst Goldberg, bleek een fervent voorstander van een methode waarbij de acteurs zich volledig met hun rol identificeerden. Daarom stond hij erop dat de cast op locatie verbleef, zodat hun aanwezigheid in de Hall op het scherm heel geloofwaardig overkwam. (Hij wist natuurlijk niet hoe slecht de in de watten gelegde elite van Hollywood was voorbereid op het Spartaanse regime van Davenport Hall. Zelfs voor Amerikaanse mariniers zou het een hele opgave zijn alleen al aan de stank van kattenpis te wennen en zij waren tenminste nog uitgerust met een gasmasker.)

'Dat wil zeggen,' vervolgde Lucasta terwijl ze een sigaret opstak, 'in de paarse suite waart alleen de geest van Tiddums iv rond, een zeer vriendelijke geest.' Tiddums iv was een van Lucasta's rode lievelingskatten die vorig jaar op tragische wijze door een bizar ongeluk om het leven was gekomen, toen hij in de oven van de enorme Aga in de keuken in slaap was gevallen.

Blijkbaar was Johnny gewend met excentriekelingen om te gaan, dacht Portia, want hij vertrok geen spier.

'Guy Van der Post komt pas over een paar weken,' antwoordde Johnny. 'Hij is nu in Thailand voor de opnamen van de laatste scènes van de nieuwe James Bond-film. Ik geloof dat hij de slechterik speelt, je weet wel, een schurk in een smoking die zegt: "Niet zo snel, meneer Bond."'

'O, we vinden het zo spannend dat een Hollywoodster bij ons komt logeren!' schetterde Lady Lucasta die helemaal niet in de gaten had dat Johnny en zijn crew probeerden te werken. 'We zullen zo veel plezier hebben! Ik ga het grootste feest aller tijden voor jullie organiseren, dan kunnen jullie kennismaken met onze aardige buren. Sommigen behoren ook tot de arbeidersklasse, dus jullie hebben veel gemeen...'

Lucasta zou vrolijk verder hebben gekletst als Portia haar niet vriendelijk doch beslist mee naar binnen had getroond.

En dan waren er de vrachtwagens. Tientallen denderden over de oprijlaan van Davenport Hall en werden op het veld voor de hoofdingang geparkeerd. Portia en Daisy hadden geen idee waarom het er zo veel waren. Johnny was zo vriendelijk geweest hen rond te leiden en geduldig uit te leggen waar elke vrachtwagen voor gebruikt werd. De gigantische dubbeldekker was voor de catering, er was een trailer voor de make-up en een andere voor de garderobe. Het was net alsof het circus was gearriveerd. En dan waren er nog drie Winnebagos, die pal naast de rozentuin stonden.

'Is dat een soort Mexicaans eten?' had Lucasta naïef gevraagd.

'Verre van dat,' had Johnny geantwoord. 'Dat zijn de trailers waarin de sterren verblijven terwijl ze wachten tot ze hun scène moeten spelen.'

'Zoiets als een kleedkamer, Johnny?' vroeg Daisy met ogen zo groot als schoteltjes.

'Maar geen gewone kleedkamer. Zoiets heb je nog nooit gezien. Kijk maar eens naar deze!' Op de deur stond in keurige letters: Montana Jones.

'Ik ken die naam,' zei Portia die haar hersens pijnigde. Waar had ze die eerder gehoord?

'O! Montana Jones!' riep Daisy opgewonden. 'Ik vind haar enig! Zij speelde in de film *Servant in Seattle* met Hugh Grant.'

Daisy las altijd tijdschriften met namen als *Dish the Dirt*, de *National Intruder* en *Secrets the Stars Never Wanted You to Know*, met als gevolg dat ze altijd op de hoogte was van het wel en wee in Hollywood. 'Was ze onlangs niet bij een groot schandaal betrokken?' vroeg ze en dacht diep na.

'O ja,' zei Johnny zwaarwichtig. 'Ze heeft voor de Oscaruitreiking van vorig jaar bij Tiffany's juwelen ter waarde van vijf miljoen dollar geleend en... eh... is vergeten de sieraden de volgende dag terug te brengen. Althans, dat beweerde ze in de rechtszaal.'

'Nee Johnny, ik herinner het me nu,' sprak Daisy hem tegen. 'Ze zei dat ze tijdens de Oscaruitreiking zo verschrikkelijk dronken was geworden dat ze helemaal was vergeten de juwelen terug te brengen. Het schijnt dat ze maar twee glazen witte wijn heeft gedronken.'

'Twee kleine kutglaasjes vino? Dat drink ik als ontbijt,' zei Lucasta en ze maakte geen grapje.

'In Hollywood betekenen twee glazen wijn dat je een gevaarlijke, lallende alcoholist bent.' Johnny schudde bedroefd zijn hoofd. 'Het arme kind moest zes maanden in de Betty-Ford kliniek doorbrengen en haar carrière kon ze natuurlijk wel vergeten. Niemand wilde nog iets met haar te maken hebben. Daarom doet ze deze film, in een poging weer de top te bereiken. Tada!' Met een zwierig gebaar deed hij de deur van de Winnebago van Montana Jones open en de dames Davenport volgden hem naar binnen. Hun monden vielen open.

'Het lijkt meer een hotelkamer dan een kleedkamer,' zei Daisy naar adem happend. En ze had gelijk. Aan de ene kant van de tien meter lange ruimte stond een kingsize bed en aan de andere kant een compleet ingerichte eethoek. Links stonden allerlei fitnessapparaten, inclusief een loopband en een roeimachine. Ook een sauna en Turks bad ontbraken niet. In het midden stond een prachtige, leren bank met een breedbeeldtelevisie en een dvd-speler.

'Wauw!' zei Daisy. Haar moeder en zusje konden geen woord uitbrengen en zeiden alleen o en ah.

'Yep, Montana is gesteld op comfort,' zei Johnny. 'Wacht maar tot ze tegen de mensen van de catering tekeer gaat! Ze is vegetariër en veganist en verdraagt geen tarwe en lactose. Volgens mij eet die meid alleen gras en verder niets.'

'Aha,' zei Daisy peinzend. 'Zo houdt ze dus haar prachtige figuur.' Het was bijzonder om te zien hoe sterren leefden. Als goden en godinnen uit een andere wereld, dacht ze. Moge God hen bijstaan als ze de Hall van binnen zagen.

***

Een paar dagen later ging, te midden van deze chaos, de telefoon. In haar haast om op te nemen, brak Portia bijna haar nek over de elektriciteitskabels die de crew achteloos in het kantoor had gegooid. (De luxe van een antwoordapparaat kenden de Davenports niet.)

'Hallo? Met wie spreek ik?' vroeg een opvallend beschaafde vrouwenstem met een Zuid-Dublins accent. Het soort mensen dat met een hete aardappel in de keel sprak.

'O hai, u spreekt met Portia. Eh... kan ik u ergens mee van dienst zijn?'

'Ja. Verbind me door met iemand van de familie, alsjeblieft.'

'U bedoelt de familie Davenport?' vroeg Portia, die zich afvroeg of iemand haar voor de gek hield.

'Ja, natuurlijk bedoel ik de Davenports,' antwoordde de vrouw bruusk. 'Luister, de cateringservice kan elk moment arriveren, de bloemist staat op de rand van een zenuwinzinking en ik heb nog meer te doen vandaag, dus als je een van hen aan de telefoon wilt roepen, ben ik je heel dankbaar.'

'U spreekt met Portia Davenport, dus ik veronderstel dat ik als een familielid tel,' zei Portia beleefd. Ze wist niet goed wat ze van deze vreemde vrouw moest denken.

'Had dat dan gezegd! Ik dacht dat ik mijn tijd zat te verlummelen met een lakei. U spreekt met Susan De Courcey.'

'O hallo!' zei Portia. Ze had geen flauw idee wie dit onaardige mens kon zijn. Even flitste het door haar hoofd dat het misschien iemand was wie de Davenports geld verschuldigd waren? Een nieuwe bankmanager of zo?

'De partyplanner die het feest voor mij organiseert, heeft net de gastenlijst nog eens gecontroleerd. Tot onze verbijstering zagen we dat u niet heeft gereageerd op de uitnodiging die we u weken geleden hebben gestuurd.'

Portia pijnigde haar hersens. Uitnodiging? Waarvoor? Nee, ze had niets ontvangen, althans ze had geen uitnodiging gezien. (Lucasta gebruikte de post regelmatig als kattenbakvulling, met als gevolg dat Portia voor onmetelijke problemen kwam te staan wanneer de telefoon-, gas- en elektriciteitsrekeningen op mysterieuze wijze verdwenen en ze ineens zonder enige waarschuwing werden afgesneden.)

'En ik zei tegen mijn partyplanner,' vervolgde mevrouw De Courcey, 'dat is nou de landadel. Die heeft het waarschijnlijk te druk met jagen, schieten en vissen om op een eenvoudige uitnodiging te reageren.'

'Nou, ik kan u verzekeren dat wij geen uitnodiging hebben gekregen,' zei Portia die meteen een hekel had aan deze ongelooflijk ongemanierde vrouw. 'Mag ik vragen waar de uitnodiging voor is?'

'Voor onze housewarmingparty, natuurlijk,' antwoordde mevrouw De Courcey. 'Ik heb vijfhonderd van onze beste vrienden uitgenodigd, voornamelijk juristen, dus ik denk niet dat jullie iemand kennen. Maar volgens mijn partyplanner schrijft de etiquette voor dat je bij zulke gelegenheden ook je buren uitnodigt, en ik moet er niet aan denken dat we de buren al bij het begin tegen ons innemen...'

Portia zei niets. Deze vreselijke vrouw en haar partyplanner hadden haar al tegen zich ingenomen.

'Zien we u dan rond een uur of acht vanavond?' vroeg mevrouw De Courcey die geen moeite deed haar ongeduld te verbergen.

'Eh... tja, dat hangt van een aantal factoren af,' zei Portia die niet wist hoe ze moest uitleggen dat een hele filmploeg bezit had genomen van Davenport Hall. 'Maar ik doe mijn best. Het spijt me dat we niet op uw uitnodiging hebben gereageerd...' Portia maakte de zin niet af. Waarom zou ze aardig doen tegen dit onhebbelijke mens?

'Mocht u besluiten ons met uw aanwezigheid te vereren, het adres is Greenoge op Dublin Road. U kunt het niet missen.' De vrouw hing op.

Nee, dat kon je inderdaad niet missen. Portia en Daisy waren vaak langs Greenoge gereden op weg naar het dorp en het was hun opgevallen dat er de afgelopen maanden als een gek werd gebouwd. Ze waren gewend aan stadsmensen die op zoek naar een rustiger leven naar het platteland verhuisden, gepensioneerde echtparen die hun huis in Dublin voor enorme bedragen verkochten en voor een kleiner en makkelijker te onderhouden huis in de rustige en landelijke omgeving van Ballyroan kozen. Maar Greenoge was anders. Het landgoed had, op Davenport na, meer grond dan enig ander landgoed in de omgeving. Portia had alleen zo nu en dan een glimp opgevangen van de reusachtige bungalow die in opdracht van de nieuwe eigenaren werd gebouwd en haar nieuwsgierigheid was behoorlijk geprikkeld. Wie waren deze mensen en waarom kwamen ze hier wonen? Aan geld hebben ze duidelijk geen gebrek, dacht ze spottend en ging op zoek naar haar moeder en zusje om hen over de uitnodiging in te lichten.

Ze had geen slechter moment kunnen uitkiezen. Ze rende de trap af, ontweek kabels die her en der lagen, en botste bijna tegen mevrouw Flanagan op die met een handtekeningenboek door de marmeren hal waggelde.

'Loop me niet voor de voeten!' zei ze tegen Portia en duwde haar bijna opzij in haar haast om naar de voordeur te lopen. Op datzelfde moment stak Lucasta haar hoofd om de deur van de salon. 'Godzijdank, daar bent u, mevrouw Flanagan,' kreunde ze. 'Ik voel me werkelijk vreselijk. Mijn hoofd bonst, mijn mond is kurkdroog en mijn handen beven voortdurend.'

'Voelt u zich niet goed, mama?' vroeg Portia bezorgd. 'Wat heeft u?'

'De enige logische verklaring is dat iemand aan gene zijde contact met mij zoekt. Ik ben zo'n natuurlijk kanaal voor verdwaalde geesten,' zei Lady Lucasta hees.

'Ach, er is maar één geest in de buurt en dat is de geest uit de fles. Een fles Paddy Power gold label om precies te zijn,' zei mevrouw

Flanagan bot. 'U mankeert helemaal niets, u hebt alleen een ouderwetse kater, stomme idioot. Pak nu de camera en kom snel,' commandeerde ze en liep naar de deur.

'Wat is er dan?' vroeg Lucasta verward.

'Jezus, wat denkt u, de kolenman? Er is een limousine in aantocht en het zou me heel erg verbazen als uw man heeft besloten terug te komen. U niet?'

Hoofdstuk vier

Mevrouw Flanagan, Lucasta en een nieuwsgierig geworden Portia liepen naar buiten waar het in de zon aangenaam warm was. Ze waren net op tijd om de grootste verlengde limousine die ze zich konden voorstellen te zien komen aanrijden. 'O god, wacht op mij!' schreeuwde Daisy zo hard als ze kon. Ze kwam in haar rijbroek en rubberlaarzen de hoek om rennen, nam de stenen trap van het bordes met twee treden tegelijk en kwam naast hen staan.

Je zou denken dat de koningin op bezoek komt, dacht Portia, maar om niet onbeleefd te zijn, ging ze tussen haar moeder en zusje staan. We zijn me het stelletje wel, dacht ze spottend. Het lijkt wel een galavoorstelling in de koninklijke schouwburg. Het enige wat ontbreekt, is de rode loper.

'O, laat het alsjeblieft Guy Van der Post zijn,' fluisterde Daisy.

'Jezusmina, nee! Daar heb ik niet op gerekend!' riep mevrouw Flanagan, die blijkbaar net als Daisy sterren verafgoodde. 'Ik heb niet eens mijn goede duster aan. Ik hoop dat het Montana Jones is, en als dat zo is, zal ik wat van mijn kalfslever en niertjes uit de vriezer halen en ter ere van haar vanavond stoofpot op tafel zetten.'

De limo kwam langzaam tot stilstand voor het bordes. (Waar hadden ze in hemelsnaam een verlengde limo in Ballyroan gevonden, vroeg Portia zich af. De wagen moest regelrecht uit Dublin komen.) De vier vrouwen deden hun best naar binnen te gluren, maar door de getinte ramen konden ze helaas niets zien. Een chauffeur in uniform stapte uit en opende met een zwierig gebaar het portier. Daisy viel bijna flauw toen een kleine, gedrongen en enigszins gezette man van middelbare leeftijd uitstapte. Hij rookte een sigaar en zette een zonnebril op om zijn ogen tegen het verblindende licht te beschermen. Hij droeg een spijkerbroek en een grof gebreide kabeltrui die hij blijkbaar onlangs had gekocht, want het prijskaartje hing nog op zijn rug. Hij werd vergezeld door een vrouw van ongeveer dezelfde leeftijd. Zij was klein, nauwelijks een meter vijftig, en beslist niet aantrekkelijk met de messcherpe scheiding in het vaalbruine haar en een mager, pinnig gezicht. Ze straalde echter gezag uit en was duidelijk iemand met wie je geen ruzie moest krijgen. Ze had een klembord bij zich en vreemd genoeg ook een stopwatch.

'Goh, dat is me nog eens een statig huis!' zei hij met een Amerikaans accent tegen de vrouw. 'En het landschap onderweg! Ik weet zeker dat we een hoop plezier zullen beleven tijdens het maken van deze film,' vervolgde hij. 'Ik zal me even voorstellen. Ik ben Jimmy Pearlman, tot uw dienst, mevrouw,' zei hij en schudde Portia de hand. 'Dit is de eerste keer dat ik in uw land ben en ik beschouw het een eer! Ik kan niet wachten om me in uw cultuur te verdiepen. Ik wil me laten vollopen met Guinness, me ongans eten aan worstjes en puree en zo veel als ik kan naar die prachtige doedelzakken van jullie luisteren. Ik heb zelfs op de luchthaven een trui van jullie beroemde eilanden voor de kust gekocht, als eerbetoon aan mijn Keltische gastvrouwen. Het ding jeukt als de neten en misschien moet ik er straks worden uitgeknipt, maar het is het waard als teken van vriendschap. Dus zoals jullie hier in het prachtige groene Erin zeggen, een hele goeiemorgen!' (Straks feliciteert hij ons nog met hoe goed algemeen beschaafd Engels we spreken, dacht Portia droog.)

'Bent u de producer, meneer Pearlman?' vroeg Daisy in verwarring gebracht.

'Nee liefje, gelukkig niet. Ik ben de regisseur. Ik mag het geld van de producer uitgeven,' grinnikte hij en tikte de as van zijn sigaar op het bordes. 'Goh, wat ben jij mooi. Ooit overwogen om in een film te spelen?' Met een verlekkerde blik bekeek hij Daisy's mooie gezichtje. 'Je hebt een prachtig profiel, een beetje als een jonge Reese Witherspoon.'

Een jonge Reese Witherspoon, dacht Portia. Reese Witherspoon was toch nog lang geen dertig? Ze had niet geweten dat Hollywood zo bevooroordeeld was ten aanzien van actrices die het lef hadden om oud te worden.

'O, ik weet wie u bent!' flapte Daisy eruit. Het mysterie was opgelost. 'U bent James D. Pearlman! O god, ik kan haast niet geloven dat ik u in levenden lijve ontmoet!'

'Dat klopt, juffrouw,' antwoordde hij, blij dat hij werd herkend. 'Maar iedereen noemt me nog steeds Jimmy D.'

'Ja, ik weet weer precies wie u bent,' vervolgde Daisy. 'U werd genomineerd voor een Oscar voor de film *Titanic II: The Iceberg Strikes Back*. Dat was in hetzelfde jaar dat James D. Brooks een Oscar won, maar u hoorde alleen zijn voornaam en dacht dat u had gewonnen en u was al halverwege het podium toen het tot u doordrong dat ze iemand anders bedoelden...' Daisy realiseerde zich dat dit misschien niet het meest tactische verhaal was en hield haar mond.

'Dat was de langste wandeling van mijn leven toen ik die avond naar mijn plaats terugliep,' zei Jimmy D. 'En u werkt hier ook?' vroeg hij aan Lucasta om van onderwerp te veranderen.

'Nou,' begon Lucasta die hem dolgraag haar levensverhaal wilde vertellen, maar hij onderbrak haar.

'Laat me eens raden. Ik zie uw verleden al voor me,' zei hij en bewoog zijn handen alsof hij een schilderij maakte. 'U bent een oude getrouwe van de familie, een beetje als dat ouwe mokkel in die zwartwitfilm met Laurence Olivier, hoe heet die ook alweer, o ja, ik weet het al: *Wuthering Heights*, en u slooft zich al decennia lang uit in de keuken en koestert heimelijke lustgevoelens voor de heer des huizes...'

'Ahum,' onderbrak Portia hem vriendelijk. Het werd tijd dat er een eind kwam aan dit gesprek. 'Volgens mij is dit een geschikte gelegenheid om mijn moeder Lucasta aan u voor te stellen.'

'Nou, het is me een waar genoegen een lid van de adel in levenden lijve te ontmoeten,' zei Jimmy D. Zijn vergissing bracht hem absoluut niet van zijn stuk en hij gaf haar een handkus. Bovendien was het een begrijpelijke vergissing, want Lady Lucasta zag eruit alsof ze elke nacht onder een brug sliep.

Lucasta was te excentriek om zijn denigrerende opmerking over haar uiterlijk beledigend te vinden en vroeg onschuldig: 'En dit is de beroemde Montana Jones over wie ik zo veel heb gehoord?' Ze knikte naar de vrouw naast Jimmy D, die ongeduldig met haar ballpoint op het klembord tikte. Op haar vermoeide, pinnige gezicht verscheen een glimlach waardoor ze er meteen veel minder streng uitzag.

'Ik vrees van niet, milady,' zei ze met een accent dat moeilijk te plaatsen was. Ze klinkt Brits, dacht Portia. 'Mijn naam is Caroline Spencer. Ik ben de persoonlijke assistent van juffrouw Jones.' Ze praatte heel snel en gaf iedereen haastig een hand.

'Alles goed en wel,' zei mevrouw Flanagan, 'maar waar is Montana? Ik wil haar om een handtekening vragen en misschien een foto van haar maken,' zei ze met de camera in de aanslag.

'Niemand heeft rechtstreeks contact met juffrouw Jones, alle communicatie verloopt via mij. Het spijt me vreselijk, maar ze geeft geen handtekeningen en wil niet op de foto. Als u ons wilt excuseren, we moeten nog ontzettend veel bagage uitpakken. Dus als u mij nu direct naar de kamer van juffrouw Jones wilt brengen...'

'Ja, natuurlijk,' zei Portia die aanvoelde dat je deze vrouw niet moest dwarsbomen.

'Dank u,' antwoordde Caroline. 'Misschien heb ik enige hulp nodig met de koffers.'

***

Twintig minuten later zeulden Portia, Daisy en een voortdurend mopperende mevrouw Flanagan nog steeds met koffers. Uit de kofferbak, door de grote ontvangsthal en zes trappen op, naar de Edward vii-kamer.

'Waar is Montana?' siste Daisy tegen Portia toen ze elkaar voor de twintigste keer op de trap tegenkwamen.

Portia sjouwde een reusachtige beautycase van Louis Vuitton met het etiket 'vitamines' naar boven en zei: 'Geen idee. Hoe kan ze nu naar binnen zijn geglipt zonder dat wij iets gemerkt hebben?'

'Dat was het. Bedankt voor de hulp,' riep Caroline bovenaan de trap. 'O, ik moet de huishoudster straks nog spreken over de voedselallergieën van juffrouw Jones.'

'Daar zal mevrouw Flanagan blij mee zijn,' zei Daisy. 'De enige allergie waar zij ooit van heeft gehoord, is voor penicilline.'

Ze liepen terug naar de limo om te controleren of ze alle bagage hadden uitgeladen en merkten dat er sigarettenrook naar buiten kringelde.

'Is daar iemand?' riep Daisy.

Er volgde een lange stilte.

'Hallo?' riep Daisy.

'O, shit.' Er klonk een lange zucht. 'Oké, stap maar in.'

Daisy en Portia aarzelden geen seconde. En daar was ze. Montana Jones. In levenden lijve. Hoewel je haar gezicht nauwelijks kon zien vanwege de grote, donkere zonnebril en de baseballpet die ze diep over haar ogen had getrokken. Daisy kende haar alleen van foto's uit de roddelbladen waarop ze steevast prachtig gekleed aan de arm van een knappe vent op een rode loper schitterde als er weer ergens een prijs werd uitgereikt. Daisy kon haast niet geloven dat dit Montana was. Ze was heel klein, dun en fragiel. Ze droeg een spijkerbroek en een donkerblauwe fleece trui die haar tegen de Ierse kou moest beschermen en leek net een doorsnee tiener. In feite was ze zo volkomen onherkenbaar dat ze eigenlijk iedereen had kunnen zijn.

Ze lijkt helemaal niet op een echte filmster, dacht Portia toen ze zich voorstelden, daar zag ze er veel te normaal voor uit.

'Is die oude heks weg?' vroeg Montana. 'Als Caroline me betrapt op het roken van een sigaret, brieft ze dat meteen door aan de producer in LA en word ik op het eerste het beste vliegtuig naar huis gezet.'

'Alleen omdat je een sigaret rookt?' vroeg Daisy ongelovig.

'Liefje, ik kom net uit de ontwenningskliniek. Als ik koolzuurhoudend bronwater drink in plaats van water zonder prik, ga ik linea recta terug naar de kliniek. Daarom houdt Caroline me als een CIA-agent in de gaten, om er zeker van te zijn dat ik niet weer aan de drank ga. Zal ik jullie eens wat vertellen? Ze doen elke dag een urinetest om er zeker van te zijn dat ik niet heb gedronken. De verzekeringsmaatschappij trekt zich terug als blijkt dat ik me niet aan de afspraak houd. Dat is toch verschrikkelijk vernederend?'

Portia kon haast niet geloven dat ze in een limousine met een ster als Montana Jones over haar urine zat te praten.

'O Montana, is het goed als ik je Montana noem? We vinden het helemaal te gek dat je hier bent. Ik ben al zo lang een fan van je, vanaf je eerste film *Disastrous Liaisons...*' dweepte Daisy.

Montana luisterde met een beleefde glimlach en bedankte hen dat ze op Davenport mocht logeren. Natuurlijk mocht Daisy haar Montana noemen. En ze zou het enig vinden om samen met haar op de foto te gaan. En ja, ze wilde haar zelfs wel vertellen hoe Guy Van der Post in werkelijkheid was. Drie sigaretten later nodigde Montana Daisy uit om haar in LA te komen bezoeken.

Ze is helemaal niet wat ik van een filmster had verwacht, dacht Portia op weg naar het kantoor. Ze had gedacht dat Montana ijdel, verwend, egocentrisch en onuitstaanbaar zou zijn. Maar tot haar stomme verbazing was ze juist verlegen, onzeker en bescheiden. Het bleek maar weer dat je mensen niet op hun uiterlijk moest beoordelen en dat gold dus ook voor filmsterren. Ik vind haar nu al aardig, dacht ze. Ze is één van ons.

Daisy en Montana hadden het liefst de rest van de middag in de limo de laatste roddels uitgewisseld, maar ze werden ruw onderbroken door Caroline Spencer. Haar lage hakjes tikten luid op de stenen treden van het bordes. 'Juffrouw Jones? Juffrouw Jones, zit u nog steeds in de auto?' Ze stak haar hoofd door het raam, zag haar pupil en zei op een kordaat Mary Poppins-achtig toontje: 'Juffrouw Jones toch! Ik heb wel wat anders te doen dan u de hele dag zoeken. Weet u wel hoe groot dit huis is? Het is half vier en u weet wat dat betekent, nietwaar?'

Daisy keek Montana met grote ogen aan en Montana sloeg haar ogen ten hemel.

'Ja Caroline, bedankt Caroline, ik kom eraan,' antwoordde ze gedwee.

'Wat ruik ik?' vroeg Caroline die als een bloedhond snoof. 'Ruik ik soms sigarettenrook?'

Montana werd ineens lijkwit en keek Daisy smekend aan.

'Dat heeft u goed geroken,' antwoordde Daisy koeltjes. Ze had de hint begrepen en keek Caroline recht in de ogen. 'Ik rook drie pakjes per dag. Het is maar dat u het weet.'

'Hmpf,' gromde Caroline en kloste weer weg. De meisjes wachtten tot ze binnen was en kregen toen de slappe lach.

'O, je bent een engel,' riep Montana en omhelsde Daisy hartelijk. 'Je hebt me gered! Als dat kreng me betrapt, heb ik geen werk meer.

Weet je waarom ik moet komen?' Daisy haalde haar schouders op. 'Een middagslaapje! Te kinderachtig voor woorden, nietwaar? Ze behandelen me als een kind van vijf sinds ik uit de kliniek ben. Goh, wat ben ik blij dat ik jou heb ontmoet, Daisy. Dan kunnen we samen nog een beetje lol maken. Vertel eens, beschikken alle kamers over een minibar? Zullen we mijn aankomst op Davenport Hall met een paar biertjes vieren?'

'En Caroline dan? En de urinetesten?' vroeg Daisy niet-begrijpend.

In Montana's ogen verscheen een sluwe, opstandige blik.

'Liefje,' mompelde ze tevreden, 'ik denk dat ik daar wel een oplossing voor weet...'

Hoofdstuk vijf

Tegen de tijd dat de dames Davenport in hun vieze, oude Mini Metro stapten om naar de housewarmingparty van Susan De Courcey te gaan, waren ze al een uur te laat. Portia keek voor de honderdste keer op haar horloge. Ze had er een hele kluif aan gehad Lucasta en Daisy over te halen naar het feest te gaan en vroeg zich vertwijfeld af of ze er nog wel zouden komen.

Montana Jones en Daisy waren dikke vriendinnen geworden ('Mijn nieuwe hartsvriendin!' had Montana haar genoemd) en Portia had al haar overredingskracht moeten aanwenden om Daisy mee te krijgen. Montana en haar zusje hadden de hele middag op het reusachtige ledikant in Montana's kamer zitten kletsen (en drinken, te oordelen aan de alcoholwalm die ze verspreidden).

Dat wil zeggen, nadat Montana van de schrik was bekomen dat ze de komende weken in deze kamer zou doorbrengen. Het moest haar echter worden nagegeven dat ze een bewonderenswaardig positieve houding aan de dag legde toen ze de gruwelen van haar kamer eenmaal had aanschouwd: de viezigheid, het stof, de ijzige koude, het gescheurde behang en de allesoverheersende stank van vocht.

'Oké, het is geen Beverly Hills Hotel, maar wat dan nog? Het is goed voor mijn rol. Mijn personage woont hier en ik ook.'

Ze knipperde niet eens met haar ogen toen ze hoorde dat ze met de moker naast haar bed op de leidingen moest slaan om een beetje warm water te krijgen. Het sanitair in Davenport was oud, bijna gevaarlijk zelfs, en dit was de enige manier om aan stromend water te komen. Maar heel weinig acteurs waren bereid om zo veel te doorstaan voor het zich inleven in hun rol.

'Waarom heet deze kamer trouwens Edward vii?' had ze Daisy gevraagd.

'O, ik geloof dat hij hier ooit een keer heeft gelogeerd,' had Daisy, die heel weinig van de geschiedenis van Davenport Hall wist, vaag geantwoord. 'Ik weet het,' giechelde ze. 'Je zou denken dat hij hier jaren heeft gewoond omdat er een kamer naar hem is vernoemd.'

'Goh, ik dacht dat Edward vii de titel van een film was,' had Montana geantwoord en de twee waren dronken en hysterisch lachend achterover op bed gevallen. 'Kom, doe de deur op slot, anders komt die zuurpruim straks poolshoogte nemen. Dan nemen wij nog een biertje.'

Montana had het ook op zich genomen Daisy een nieuw Hollywood-uiterlijk te geven. Ze had haar prachtige, gave, porseleinen huid met een centimeters dikke laag pancake ingesmeerd. En of dat niet genoeg was, besloot ze dat Daisy haar figuur beter moest laten uitkomen. 'Liefje, die rijbroek en wollen truien kunnen echt niet meer, dat is zo typisch 2002,' had Montana met haar Californische accent gekweeld.

Even later droeg Daisy een van Montana's excentrieke outfits: een flinterdun lapje metaalgaas dat eigenlijk niet meer dan een beha was en volkomen doorzichtig, gecombineerd met eveneens doorzichtige hotpants uit de jaren zestig. Daisy's onderbroek was duidelijk zichtbaar. Om kort te gaan, Montana had van de natuurlijke plattelandsschoonheid die Daisy was een veel te zwaar opgemaakt, in Versace gehuld Beverly Hills-hoertje gemaakt.

'Wat denk je?' had ze Portia gevraagd met een pirouette om haar nieuwe kleren te showen. 'Montana zegt dat ik op een filmster lijk.'

'Daar lijk je ook op,' had Portia geantwoord. 'Op Julia Roberts toen ze een straathoertje in *Pretty Woman* speelde.'

En dan Lucasta. Tegen de tijd dat ze op het punt stonden naar het feest van de nieuwe buren te gaan, was ze al aan haar vijfde gintonic bezig. Portia had haar aangetroffen in de salon, waar ze haar longdrinks achterover goot en verschrikkelijk met Jimmy D zat te flirten.

'En hoewel ik elke dag verdrietig ben omdat mijn huwelijk is stukgelopen, peins ik er eenvoudigweg niet over mijn verdriet een obstakel te laten zijn in het vinden van nieuw geluk,' zei ze en keek Jimmy D doordringend aan.

'Nou, als ik zo hoor wat u allemaal heeft meegemaakt, vind ik u een geweldig sterke vrouw...' Jimmy, die een Guinness dronk en op zijn sigaar kauwde, was zich helemaal niet bewust van het feit dat Lady Lucasta zich aan zijn voeten wierp.

Uiteindelijk was het Portia gelukt Lucasta de gin-tonic te ontfutselen en haar mee te krijgen. Lucasta had geen tijd meer om zich te verkleden, dus zat er niets anders op dan als zwerfster te gaan. Niet dat Portia tevreden was over hoe ze er zelf uitzag. De enige nette kleren die ze voor een gelegenheid als deze had, waren een roze twinset en haar spijkerbroek. Niet bepaald spectaculair, maar ze had geen keus. Ballyroan was nu eenmaal niet de modestad van Ierland en al zou dat wel zo zijn, ze had geen geld voor luxeartikelen als nieuwe, trendy kleren. Hoe dan ook, het ging erom dat ze even hun gezicht lieten zien.

Natuurlijk begaf de auto het onderweg. Dat gebeurde wel vaker, er moest alleen een beetje water worden bijgevuld en Portia wist precies hoe dat moest. Maar het betekende wel dat ze nog meer vertraging opliepen want ze moest met een lege plastic fles die ze voor dit soort noodgevallen in de kofferbak bewaarde naar O'Dwyer's pub om water te halen.

'Alsjeblieft, Portia,' had de vriendelijke eigenaar, Mick O'Dwyer, gezegd toen hij haar de gevulde fles overhandigde. 'Wordt het niet eens tijd om een nieuwe auto te kopen? Zo slecht kunnen de zaken er toch niet voorstaan in de Hall!' grapte hij.

'Ik moet ervandoor, Mick. We moeten naar een feestje en zijn al veel te laat,' zei Portia en verliet haastig de pub.

'Het antwoord op je vraag luidt bevestigend, Mick. De zaken staan er inderdaad heel slecht voor op de Hall.'

Mick draaide zich om. Achter de bar stond Shamie Joe Nolan jr., parlementslid van Ballyroan (en zonder twijfel een van de bekendste leden van het Ierse Lagerhuis). Zijn vrouw Bridie en hij stonden geduldig op hun beurt te wachten. Hoewel de bar afgeladen was, kon je hen niet over het hoofd zien. Shamie droeg een roodgeruite pet die de aandacht op de kronkelige aderen op zijn enorme klompneus vestigde, en zijn vrouw was gekleed in een zonderling blauw moeder-van-de-bruid-pak, compleet met een felgele corsage en geel koperblond haar.

'Hé Shamie, hoe staat het leven? Goh Bridie, zoals altijd zie je er weer betoverend uit. Wat kan ik voor jullie inschenken?' Mick negeerde tactvol het feit dat Bridie er als een prostituee uitzag.

'Ik wil graag een pils en mijn echtgenote een gin-tonic, alsjeblieft!' riep Shamie luid, alsof hij tijdens een verhit debat een donderpreek afstak tegen de oppositieleider, en hees zich op een net vrijgekomen barkruk.

'Wat ben jij toch een onnozele, stomme klootzak, Shamie,' siste zijn vrouw in onvervalst plat Iers. 'Bier is voor het gepeupel, domkop.' Ze verhief haar stem en zei in keurig beschaafd Iers: 'Hij bedoelt eigenlijk dat hij een chardonnay wil.' Toen Mick wegliep om hun drankjes in te schenken, siste ze tegen haar man: 'En haal je dikke reet van die kruk. Mijn schoenen knellen en ik moet even zitten.'

Shamie gehoorzaamde en hielp zijn vrouw met veel vertoon op de kruk. Per slot van rekening wist je maar nooit wie er in een klein plattelandscafé allemaal keken.

'Alsjeblieft,' zei Mick die hun drankjes in hoog tempo had ingeschonken. 'Hoe was de vergadering trouwens vanavond, Shamie?' vroeg hij en griste het briefje van vijftig euro uit Shamie's uitgestoken hand.

'Om eerlijk te zijn wordt er veel gepraat over wat er in Davenport Hall gaande is,' antwoordde Shamie. Toen verhief hij zijn stem zodat de hele pub het kon horen: 'Houd de rest van die vijftig euro maar, Mick, fijne kerel.' Na twintig jaar in de politiek wist hij dat het nooit kwaad kon als mensen dachten dat je overdreven royaal was.

'Het is allemaal goed en wel dat ze hier een film komen opnemen, maar wordt Ballyroan daar beter van?' vroeg Bridie die van haar gin-tonic nipte en haar blote, dikke varkenspoten met bestudeerde elegantie over elkaar sloeg.

'Zo zijn de Davenports nu eenmaal. Dat stelletje imbecielen staat er helemaal niet bij stil dat zoiets de gemeenschap kan ontwrichten. Lucasta Davenport ruikt weer eens geld en dat is het enige wat haar interesseert. En dat Blackjack er met een of andere puber vandoor is gegaan, is natuurlijk ronduit een schande. Landadel, m'n reet!' Shamie schudde zijn hoofd. 'Het is voor Ballyroan al erg genoeg dat de Hall door malloten wordt bewoond. Ik bedoel, waarom werd de

Onafhankelijkheidsoorlog gestreden? Toch alleen om van de Anglo-Ieren te worden verlost? Als ik aan die enorme lap grond van die luie flikkers denk en dat ze het gewoon laten wegrotten...'

'Houd toch je kop, anders denken de mensen nog dat je van de Labour-partij bent,' siste zijn vrouw.

Shamie kreeg een kleur en gooide het over een andere boeg. 'En dan te bedenken dat Ballyroan alleen een snelweg nodig heeft om zich te kunnen ontwikkelen! En dat stelletje inteelt doet niets met die duizend hectare van de Hall! Het is godverdomme een schande!' zei hij en sloeg met zijn vuist op de bar.

'Misschien wordt het hoog tijd dat de Davenports een schop onder hun kont krijgen,' zei Bridie. 'Het enige dat daarvoor nodig is, is het juiste gesprek met de juiste persoon.'

'Jezus Bridie, de dag dat ik met jou trouwde was mijn geluksdag. Jij bent de perfecte echtgenote voor een politicus, wist je dat? Eva Perón zou jaloers op je zijn! Ik zeg je, schat, ooit breekt de dag aan dat ik mijn eigen ministerie in Dublin heb en dat jij, gekleed in de laatste mode, door de chauffeur van de ministeriële Mercedes wordt afgezet om met de meiden te lunchen!'

Zijn vrouw glom bij de gedachte. Een ministerie voor haar echtgenoot? Wat opwindend! De minister-president raakte al aardig op leeftijd en was op zoek naar een opvolger... ze zag zichzelf al voor zich... de vrouw van de premier van Ierland... en ze zou ze waar voor hun geld geven! Een stijlicoon, een Jackie Kennedy voor het eerste decennium van het nieuwe millennium, dat zou ze zijn. (Ze zou haar uitgroei twee keer per maand laten bijkleuren, ze zou net als een lid van het koninklijk huis een eetstoornis ontwikkelen en een rekening openen bij Frawley's in Thomas Street, barst maar met de onkosten-vergoeding!) Ze hoefde haar man alleen maar een duwtje in de goede richting te geven. Een beetje zoals *Macbeth* in dat saaie, oude Schotse toneelstuk dat ze een keer hadden moeten uitzitten op de school van haar zoon. Het enige wat Shamie nodig had, was een vrouw die hem zo nu en dan een flinke schop tegen zijn achterste gaf.

'Ik zeg alleen dat er vreemdere dingen zijn gebeurd, Shamie,' ant-woordde ze. 'Kijk maar naar die keer dat ze die stomme middeleeuw-se ruïnes in Foxrock vonden, en dat jij het toch voor elkaar kreeg dat er een vierbaansweg werd aangelegd, ondanks de protesten van die achterlijke milieubeschermers? En je had volkomen gelijk! Herinner je je nog die geweldige toespraak die je in het Iers Lagerhuis voor de halve ministerraad hebt gehouden? Toen je opstond en zei: "Wat is nu godverdomme belangrijker? Een zielig hoopje oude klotestenen waar niemand wat aan heeft of dat we tien minuten eerder in het centrum van Dublin zijn?"'

'Ja, toen stond ik ineens in alle kranten.' Shamie dacht voldaan terug aan de artikelen die naar aanleiding van zijn toespraak waren verschenen. (SHAMIE NOLAN LAAT ZIEN DAT HIJ KLOTEN HEEFT had de krantenkop over de hele pagina van de *Evening Post* geluid.)

'En die keer dat je de strijd aanbond met dat stelletje aartsluie nonnen in het klooster van Balbriggan?' vervolgde Bridie. 'Dat was toch te gek voor woorden! Slechts een handvol Kleine Zusters van de Armen op ruim vierhonderd hectare land! Land dat jij voor een prikje hebt gekocht. Binnen een mum van tijd stond het winkelcentrum er.'

'Tegen de tijd dat ik klaar met hen was, waren ze de Kleine Zusters van de Rijken,' lachte Shamie.

'Dit zou je carrière weer een nieuwe impuls kunnen geven,' drong Bridie aan. 'Denk je eens in wat je voor Ballyroan zou kunnen doen, Shamie! Denk aan de tienduizenden jonge mensen in dit land die geen kans op de huizenmarkt maken! Je kunt godverdomme alleen al op het landgoed van Davenport zes woningbouwprojecten realiseren. Jonge mensen kunnen hier hun eerste eigen appartement kopen en tussen Dublin en huis pendelen... jonge mensen met stemrecht! Gebruik toch een keer je hersens, stommeling!'

'En daarvoor hoeven alleen nieuwe bestemmingsplannen in het leven te worden geroepen,' zei Shamie peinzend. 'En natuurlijk een prachtige nieuwe snelweg naar Dublin...'

'Ik denk dat de Davenports een gat in de lucht springen als ze van de Hall worden verlost,' zei Bridie. 'Die familie heeft daar toch lang genoeg gezeten?'

Hoofdstuk zes

Uiteindelijk stopte de gedeukte Mini Metro van de Davenports bijna twee uur te laat voor het huis van de familie De Courcey. Ze hadden het relatief makkelijk kunnen vinden, want er stond een lange rij geparkeerde Mercedessen, BMW's en meer cabriolets dan Portia ooit bij elkaar had gezien, allemaal met een Dublins kenteken. Portia parkeerde de gedeukte Mini Metro zo ver mogelijk van de voordeur onder een boom en uit het zicht, in de hoop dat niemand om hun auto zou lachen.

'Mijn god, het lijkt wel of we een woontijdschrift zijn binnengestapt!' riep Daisy toen de drie over de roze oprijlaan naar het huis liepen. ('Roze grind!' had Lucasta gegniffeld. 'Wat staat ons in vredesnaam nog meer te wachten?' Bij wijze van uitzondering was Portia het met haar moeder eens geweest.)

Het huis zelf was een gigantische, ultramoderne bungalow met glazen schuifpuien die uitzicht boden op de onberispelijk verzorgde tuin. Portia had wel eens eerder van gelikte gazons gehoord, maar zoiets had ze nog nooit gezien. Davenport Hall was daarmee vergeleken een wildernis.

'Wauw, die hebben een tuinarchitect in de arm genomen,' zei ze met een blik op de smaakvolle heesters en prachtige laurierbomen in identieke keramische potten die de voordeur flankeerden.

Toen ze naar de voordeur wilden lopen, werden ze ineens beschenen door felle buitenlampen met bewegingsmelder waardoor zij volledig zichtbaar waren voor de gasten aan de andere kant van de glazen puien.

'Godallemachtig, wat is dat?' vroeg Lucasta verblind door het felle licht. Ze struikelde en stootte een laurierboom om. Er klonk een luide knal toen de keramische pot in duizend scherven uiteenspatte.

'Mama, heeft u zich bezeerd?' riep Daisy die zich bukte om haar geschrokken moeder overeind te helpen. Ze vergat echter dat ze slechts gekleed was in een doorzichtig lapje metaalgaas zodat de mensen binnen werden getrakteerd op de aanblik van Daisy's blote billen. Het was net alsof ze haar broek liet zakken om haar minachting te laten blijken.

Portia was zich er niet van bewust dat haar familie voor een onverwachte attractie zorgde en drukte op de bel. Het was een beschaafde bel, die rustig door het hele huis weergalmde, en niet zo'n bel als in Davenport Hall die als een misthoorn klonk.

De vrouw die opendeed, was de meest onberispelijk geklede vrouw die Portia ooit had gezien. Het blonde kapsel was perfect gecoiffeerd, er zat geen haartje verkeerd. Ze was zorgvuldig opgemaakt en zag er dan ook veel jonger uit, hoewel ze ergens in de zestig moest zijn. Ze droeg een eenvoudige zwarte japon die vrijwel zeker een bedrag met vier nullen had gekost. Haar verschijning werd gecompleteerd door een simpel snoer parels en elegante zwarte sandaaltjes die ze beslist niet in Ballyroan had gekocht. (Fitzsimons, de enige schoenwinkel in het dorp, beschouwde de Dubarry Hush Puppy nog steeds als het toppunt van elegantie.) Kortom, ze zag er fantastisch uit. Dat kon helaas van het sjofele drietal op de stoep niet worden gezegd.

'Ja?' vroeg ze met het bekakte accent dat Portia onmiddellijk van het telefoongesprek herkende.

'Komen jullie de heg doen?' vroeg ze. 'Is het niet een beetje laat om nu nog de tuin te doen? Bovendien heb ik gasten, dus als jullie morgen terug willen komen, zou ik dat wel zo prettig vinden.' Ze maakte aanstalten om de deur dicht te doen.

'Eh... ik geloof dat we zijn uitgenodigd,' zei Portia verontschuldigend. 'U bent zeker Susan De Courcey? Ik ben Portia Davenport, we hebben elkaar over de telefoon gesproken. Dit is mijn zus Daisy.' Hun gastvrouw zei niets en gaf koeltjes een hand. Portia zag dat ze hen van top tot teen opnam. 'En dit is mijn moeder, Lucasta,' vervolgde ze en vroeg zich opnieuw af waarom ze beleefd was tegen dit onuitstaanbare mens. Maar ja, ze had de anderen min of meer gedwongen om mee te komen, dus konden ze net zo goed een paar minuten blijven en acte de présence geven, en 'm dan als de donder smeren.

'O, u bent Lady Davenport?' vroeg mevrouw De Courcey, even

onder de indruk dat er iemand van adel voor haar stond. 'Goed, kom binnen,' zei ze ten slotte en hield de deur voor hen open.

'Dat is godverdomme een hele opluchting,' zei Lady Lucasta. 'Ik doe een moord voor een gin-tonic. Waar is de bar?' Ze liep mevrouw De Courcey bijna omver in haar haast naar binnen te gaan. Haar dochters volgden aarzelend.

Geen van hen had ooit zo'n huis van binnen gezien. Alles was open, dus als je door de voordeur kwam, stond je meteen in het woongedeelte. De volledig Japanse inrichting was minimalistisch, in schril contrast tot Davenport, en alles was wit geschilderd. Het eerste wat opviel, was de hitte. Het was er kokend heet ook al was het buiten ijskoud. En dan dat dikke, hoogpolige witte tapijt dat zo ongelooflijk comfortabel aanvoelde, alsof je op watten liep. Naast de deur stond een vleugel en de pianist speelde een nummer van Cole Porter.

Aan de muren hingen enkele smaakvolle olieverfschilderijen en een paar aquarellen die perfect bij de inrichting van het huis pasten. Links was een verlaagd gedeelte met een lange witte bank en een rechthoekige salontafel. Daar tegenover bevond zich een witmarmeren open haard met daarboven een gigantische LCD-breedbeeld-tv. Rechts was een eetgedeelte met een schitterende mahoniehouten eettafel waar met gemak twintig mensen konden aanschuiven en daarachter bevond zich een wenteltrap die van glazen bakstenen was gemaakt en met hetzelfde witte tapijt was bekleed dat zo karakteristiek was voor het hele huis.

En dan de gasten! Er waren zeker tweehonderd elegante gasten die champagne dronken alsof het water was. In smoking geklede obers hielden zich discreet op de achtergrond en vulden de kristallen flûtes bij. Het straalde gewoon van deze mensen af dat ze rijk en bevoorrecht waren, dacht Portia. De vrouwen waren allemaal mager en prachtig gekleed. (God, ze zien eruit alsof ze alles wat ze in hun leven hebben gegeten weer hebben uitgekotst.) Zo te zien waren ze allemaal in het zwart gekleed, haute couture uiteraard, en droegen fonkelende diamanten ringen en halssieraden. Steve was er ook en hij stond met zo'n elegante verschijning te praten. Zijn gesprekspartner droeg een jurk met blote rug, zodat haar zongebruinde huid goed uitkwam. (Het jurkje was uiteraard zwart.) Behalve Steve herkende ze verder niemand.

'Vergeleken met deze mensen lijken wij wel de Hillbillies,' fluisterde Portia tegen Daisy. Ze had zich van haar leven nog nooit zo sjofel gevoeld en plotseling was ze zich ervan bewust hoe zij en haar familie er moesten uitzien.

Lucasta met haar vieze, lange grijze haar droeg een tweed rok, modderige, platte golfschoenen, kousen met ladders en uiteraard de donkerblauwe geruite waxcoat die alleen operatief kon worden verwijderd. Ze woonde letterlijk in die jas: eten, drinken, slapen, alles gebeurde in dat stinkende jack. Meestal waren haar zakken gevuld met kattensnoepjes voor de vele zwerfkatten die de Hall bevolkten. Daisy zag eruit als een overdreven zwaar opgemaakte sloerie die in dat belachelijke pakje haar uiterste best deed om op Jennifer Lopez te lijken. En Portia voelde zich in haar roze wollen twinset van Marks & Spencer net een trutje van middelbare leeftijd. Waarom had ze nou niet even haar haar gewassen? Deze vrouwen zagen eruit alsof ze de hele dag in de schoonheidssalon hadden doorgebracht.

'Mag ik u een glas champagne aanbieden?' vroeg een ober die uit het niets opdook.

'Ja, graag,' antwoordde Portia. Ze dronk zelden, maar misschien hielp de alcohol haar door deze beproeving heen.

'Voor mij een biertje, graag,' zei Daisy, zich onbewust van de aandacht die haar outfit trok.

'Het werd godverdomme tijd dat iemand me iets te drinken aanbood,' mopperde Lady Lucasta. 'Veel gin met een heel klein scheutje tonic. Heeft u een vuurtje?' Ze rommelde in de grote zakken van haar waxcoat en viste er een verkreukeld pakje sigaretten uit.

'Het spijt me, maar in dit huis mag absoluut niet worden gerookt,' snauwde mevrouw De Courcey. 'Ik vind sigarettenrook walgelijk.'

'En dit zijn natuurlijk onze nieuwe buren,' zei een oudere en nogal dikke man op luide toon. Hij droeg een smoking en een cummerband die zijn omvangrijke middel accentueerde. 'Susan, stel me eens voor, schat.'

'Dit is mijn man, Michael,' zei mevrouw De Courcey zonder een spoortje enthousiasme. 'Opperrechter Michael De Courcey,' voegde ze eraan toe alsof ze van hem gehoord zouden moeten hebben.

'We wonen hier pas een paar dagen en ik heb al zo veel over uw familie gehoord,' bulderde hij en tuurde over het halve leesbrilletje op de punt van zijn neus. Hij had een stem als een klok, die schijnbaar bedoeld was om te intimideren, waarschijnlijk het resultaat van jaren pontificeren vanaf de rechterstoel. Hij is een beetje eng, dacht Portia. Ik zou niet graag door hem worden berecht omdat ik geen kijkgeld heb betaald.

'Ik heb vernomen dat er op dit moment enkele beroemdheden bij u logeren. U moet me aan hen voorstellen, want ik ben een beetje een filmfanaat,' bulderde hij. 'Vertel eens, kan een van de dames alle namen van de *Magnificent Seven* opnoemen?' vroeg hij met de air van iemand die zich op een grondig gerepeteerd favoriet feestnummer stortte. 'Nou, komt er nog wat van?'

Er viel een stilte. Portia en Daisy keken elkaar aan en voelden zich allebei ineens weer alsof ze in de schoolbanken zaten en een simpele vraag over de Slag bij Waterloo niet konden beantwoorden.

'Dopey, Sneezy, Grumpy,' somde Daisy zachtjes de namen van de zeven dwergen op, maar gelukkig hoorde de opperrechter het niet.

'Deze vraag is bedoeld om de echte filmkenner te herkennen.' Hij schudde bedroefd zijn hoofd alsof ze twee heel domme leerlingen waren. 'Dan zal ik het jullie vertellen: Yul Brynner, Steve McQueen—' dreunde hij op voordat zijn vrouw hem onderbrak.

'Och, houd toch op, Michael. Dat interesseert toch niemand. Onze huishoudster heeft ons volledig op de hoogte gebracht van alle plaatselijke roddels, met name over de recente moeilijkheden in Davenport Hall. Ik heb begrepen dat uw echtgenoot (met een plichtmatig knikje naar Lucasta) ervandoor is gegaan en u, bij wijze van spreken, heeft ingeruild voor een jonger exemplaar. Wat een pech.'

Gelukkig had Lucasta alleen aandacht voor haar gin-tonic zodat de belediging langs haar heen ging. Maar dat gold niet voor Portia en Daisy.

'Het zou gelukkig getrouwde mannen nog op een idee brengen!' vervolgde mevrouw De Courcey en klopte, in de misplaatste overtuiging dat ze grappig was, op de uitpuilende buik van haar man.

Hij was tenminste nog zo fatsoenlijk om opgelaten te kijken, stelde Portia vast.

'Hoe durft u!' flapte Daisy eruit. 'U hebt geen idee wat een geweldige man mijn vader is. Als hij nu hier was, zou hij u een klap in uw gezicht geven—'

Gelukkig werd ze onderbroken door Steve die met een feilloos gevoel voor timing plotseling naast hen stond.

'Hé, meisjes,' begroette hij hen vrolijk, zich er niet van bewust dat de derde Golfoorlog op het punt stond uit te breken. 'Tussen twee haakjes, leuke outfit, Daisy,' voegde hij eraan toe en kon zijn ogen niet van haar doorzichtige topje afhouden.

Portia gaf hem een kus op zijn wang en was blij in elk geval één vriendelijk gezicht op dit vreselijke feest te zien.

'O hai, Steve,' zei Daisy mat en bekeek Steve's karakteristieke onverzorgde verschijning. (Gekreukte corduroy broek en gebreide trui met een onbestemd patroon dat aan kattenbraaksel van een van Lucasta's katten deed denken.) Ze had met alle plezier haar gastvrouw de huid vol gescholden, maar op dat moment ontwaarde ze haar ex-vriendje, Sean Murphy, tussen de gasten.

O god, laat haar alsjeblieft geen scène schoppen, dacht Portia. Laten we deze vreselijke mensen niet nog meer kruit geven om tegen ons te gebruiken. Daisy had de gewoonte iedereen die haar belazerde een uitbrander te geven. Waar en wanneer maakte haar niet uit, vooral niet als ze gedronken had.

'Het is toch godverdomme niet te geloven,' zei Daisy en beende met grote passen naar Sean, klaar om de strijd aan te gaan. 'Die schoft heeft me verdomme gedumpt en mijn hart gebroken en nou zal hij ervan lusten. Mijn bloed kookt.'

Portia zag Sean Murphy wit worden. Daisy was niet meer te stoppen. Als haar explosieve zusje eenmaal ruzie zocht, moest niemand haar een strobreed in de weg leggen, vooral niet als ze de hele middag het ene biertje na het andere achterover had geslagen.

'O Steve, dit wordt een hele lange avond,' zuchtte Portia terwijl ze halfhartig van haar champagne nipte.

'Maak je niet druk,' zei hij. 'Ik houd Daisy wel in de gaten en zorg dat ze hem niet met kerosine overgiet en daarna in de open haard duwt.'

'Hoe moet ik dat stel in godsnaam meekrijgen?' vroeg Portia. Ze wist dat Lucasta pas mee naar huis zou gaan als de gratis drank op was. En de halfnaakte Daisy, die de arme Sean in een hoek van de kamer had gedreven, zou niet rusten tot ze bloed had geproefd.

Lucasta was naast de pianist gaan zitten en zong *Night and Day*, haar favoriete nummer van Cole Porter.

'O god, straks gaat ze op de piano staan en doet Michelle Pfeiffer in *The Fabulous Baker Boys* na,' kreunde Portia. Als Lucasta dronken was, geloofde ze heilig dat ze als Charlotte Church zong, terwijl ze in werkelijkheid meer als Ozzy Osbourne klonk die een avond aan de boemel was geweest en heel veel wodka had gedronken. En dat was dan meestal voordat ze zich vol overgave op haar favoriete feestnummer wierp, een liedje dat ze zelf had gecomponeerd: '*Soap up your arse and slide backwards up a rainbow.*'

'Waarom ga jij niet even naar buiten een luchtje scheppen,' zei Steve vriendelijk. 'Geef me een uur en dan brengen we ze samen naar huis. Ik heb een paar oude studiekameraden ontmoet en ik wil even oude herinneringen met hen ophalen. Eén uur, Portia, meer vraag ik niet.'

Portia volgde Steve's advies op. Het was heerlijk om buiten te zijn, weg van die vreselijke De Courcey's en hun maagdelijke bungalow. Ze liep met haar glas champagne door de tuin en ontdekte een stenen bankje naast een Japanse waterpartij. Ze plofte neer, genoot van de frisse lucht en de rust, en besloot dat ze in de toekomst nooit meer iets met deze afschuwelijke mensen te maken wilde hebben. Ballyroan was weliswaar een kleine gemeenschap, maar de Hall lag zo afgelegen en geïsoleerd dat het niet moeilijk was mensen die je niet wilde zien te mijden.

'Heb je er nu al genoeg van?' klonk plotseling een donkere stem achter haar.

'Godsamme!' Portia sprong geschrokken overeind en morste champagne over haar twinset. 'Wie is daar?' vroeg ze en tuurde in het donker naar de getrimde heg achter haar.

'Neem me niet kwalijk. Het was niet mijn bedoeling je aan het schrikken te maken.' Een lange blonde man van ongeveer haar eigen leeftijd dook uit de duisternis op. Hij droeg een prachtig gesneden maatkostuum, zwart uiteraard, en was lichtgebruind alsof hij net van vakantie terug was. Zijn donkerblauwe, twinkelende ogen namen de vreemde dame op die helemaal in haar eentje in de tuin was, doordrenkt met champagne. 'Ben je op de vlucht voor al die juridische haviken daarbinnen?' Hij kwam naast haar zitten. 'Jij ziet er beslist niet uit als een advocaat,' liet hij er glimlachend op volgen. 'Laat me eens raden, je behoort tot de beau monde die haar ex-vriendje op het feest wil ontlopen of misschien ben je religieus en zit je hier omdat je over het leven en het universum wilt nadenken. Of misschien ben je, net als ik, even naar buiten geglipt om een sigaret te roken.' Hij bood haar een sigaret aan en toen ze haar hoofd schudde, stak hij er zelf een op.

'Helemaal mis,' lachte Portia, geamuseerd dat iemand haar tot de beau monde rekende. 'Ik ben even naar buiten geglipt om op adem te komen. Ik geloof dat de gastvrouw mijn familie vanavond als personae non grata beschouwt.'

'Met wie ben je?' vroeg de vreemdeling. Hij blies de rook omhoog en bestudeerde aandachtig haar gezicht.

'Met mijn moeder en mijn zusje.' Ze vroeg zich af wie deze knappe man kon zijn. Niet iemand van hier, anders zou ze zich hem beslist hebben herinnerd. Waarschijnlijk kwam hij uit Dublin.

'Waarom denk je dat jij en je familie hier niet welkom zijn?' vroeg hij en strekte zijn lange benen voor zich uit.

'Laten we het er maar op houden dat we niet erg bij het gezelschap passen. Ik twijfel er niet aan dat het allemaal aardige mensen zijn, maar ik denk niet dat plattelandsmensen zoals wij het soort gasten zijn dat mevrouw De Courcey graag op haar elegante soirée ziet. Je had haar gezicht moeten zien toen we voor haar neus stonden. Ik verwachtte half en half dat ze ons ging ontluizen. Ik had kunnen zweren dat ze over haar schouder keek om te kijken waar we onze woonwagen hadden geparkeerd.'

De vreemdeling grinnikte. Portia bekeek hem vanuit haar ooghoeken. God, wat was hij knap. Het was zo lang geleden dat een man een praatje met haar had aangeknoopt, dat ze onmiddellijk vreesde dat hij een stalker of een seriemoordenaar was. Ze kon zich niet herinneren wanneer ze voor het laatst had geflirt, waarschijnlijk ergens in

1980. Hoe dan ook, ze had zich erbij neergelegd. Dus waarom zou zo'n goddelijk uitziend exemplaar aandacht aan haar schenken? Hij was waarschijnlijk alleen maar beleefd en ging straks weer naar zijn vriendin die binnen was. Of naar zijn vrouw. Toch leek hij geen haast te hebben om weg te gaan.

'Wat vind je van het huis?' vroeg ze, en dacht: wat kan mij het ook verdommen. Wie a zegt, moet ook b zeggen. 'Heb je ooit zoiets gezien? Ik dacht dat de feeks De Courcey me een fikse uitbrander zou geven omdat ik zo brutaal was om op haar kasjmier tapijt te staan. Het lijkt wel alsof ze de gasten ook opnieuw heeft laten vormgeven, ze dragen allemaal dezelfde kleur. Denk je dat ze elkaar voor het feest opbellen om er zeker van te zijn dat hun kleding met elkaar harmonieert?'

Hij keek haar belangstellend aan. 'Zo'n feest als dit is ook absoluut niets voor mij. Allemaal saaie juristen die over niets anders praten dan de rechtbank in Dublin en hoeveel geld ze verdienen en hoe witteboordencriminaliteit tegenwoordig echt loont. In Ierland schijnt niemand nog naar de gevangenis te gaan. Je zit gewoon een paar maanden in de rechtszaal en vervolgens gebeurt er niets. Nee, geef mij maar een gewoon ouderwets feest! En dan de vrouwen! Ze durven niet te lachen omdat ze bang zijn voor rimpels en ze durven niet te gaan zitten uit angst dat hun idioot dure jurkjes kreuken. Vrouwen boven de dertig zijn het ergst,' vervolgde hij en ging helemaal in het onderwerp op. 'Het lijkt wel of die alleen maar vragen stellen om erachter te komen of je geschikt bent als toekomstige echtgenoot. Denken ze nu echt dat ik het niet in de gaten heb als ze stiekem kijken of ik een trouwring draag of niet? Ze denken zeker dat ik blind ben.'

Portia glimlachte. Natuurlijk had deze man aan vrouwelijke belangstelling geen gebrek.

'Dat ben ik trouwens niet,' zei hij meesmuilend.

'Je bent wat niet?' vroeg ze niet-begrijpend.

'Getrouwd.'

'O,' was het enige wat ze kon bedenken en deed heel erg haar best nonchalant en ongeïnteresseerd te klinken.

'Neem me niet kwalijk,' vervolgde hij. 'Je luistert zo geduldig naar mijn geraaskal. De meeste vrouwen zouden al lang hebben gezegd dat ik moet opdonderen. Ik heb de afgelopen jaren in Wall Street gewerkt en in Manhattan zeggen ze precies waar het op staat. Je moet het me maar vergeven, ik ben gewoon verbitterd en dronken,' zei hij, maar zijn ogen twinkelden en hij zag er verbitterd noch dronken uit.

'Het moet wel een hele verandering zijn om na zo veel jaar weer in Ierland terug te zijn,' zei Portia. 'Ik neem aan dat je in Dublin woont?'

'Nou, eigenlijk—' Hij maakte de zin niet af omdat ze werden onderbroken.

'Andrew? Andrew, ben je daar?' klonk een stem vanuit de deuropening van de bungalow. 'Senator Callaghan wil je even spreken!'

Portia zou dat bekakte accent overal herkennen. Dat kon alleen mevrouw De Courcey zijn.

'Ik kom eraan, mam,' antwoordde hij en stond op.

'Och jezus,' zei Portia die wel in de grond kon kruipen. 'Ik had geen flauw idee dat jij hier woonde. Als ik dat had geweten, zou ik zulke dingen natuurlijk nooit hebben gezegd...' ze maakte haar zin niet af. Typisch weer iets voor mij, dacht ze. Eindelijk kom ik weer eens een interessante vent tussen de zestien en de zeventig tegen en dan moet ik zo nodig iets rots over zijn moeder en zijn huis zeggen.

'Je hoeft je niet te verontschuldigen.' Hij stak zijn hand uit om haar overeind te helpen. 'Onder ons gezegd, ik ben het eigenlijk met je eens.' Hij gaf haar een samenzweerderige knipoog. 'Ik ben hier maar tijdelijk tot mijn appartement in Dublin klaar is en dan geef ik een echte housewarmingparty. Waar je om te beginnen mag roken,' voegde hij eraan toe en trapte zijn sigaret uit.

'Ik zie dat je kennis hebt gemaakt met onze buren,' zei mevrouw De Courcey die in de deuropening wachtte. 'Hoe heet je ook alweer? Porsche, is het niet?'

Portia kon zich niet langer beheersen. 'Portia, en ik ben genoemd naar een personage in *De Koopman van Venetië* van Shakespeare en niet naar een sportauto.'

Mevrouw De Courcey zei niets en bekeek Portia van top tot teen. Haar haviksogen bleven opzettelijk even op de natte plek op haar twinset rusten. Het is net alsof ik me helemaal heb onder gekwijld, dacht Portia.

'Wat leuk om het meisje van hiernaast te ontmoeten,' zei Andrew die beleefd haar hand schudde. 'Althans, dat je nu officieel aan me wordt voorgesteld.'

'Dat is wederzijds,' was het enige wat Portia kon uitbrengen. Ze was zich er scherp van bewust dat zijn moeder haar woedend aankeek. Andrew glimlachte naar haar. 'Ik denk dat je eindelijk je gelijke hebt gevonden, mam,' zei hij en duwde Portia naar binnen.

'Andrew, alsjeblieft, de senator wacht,' snauwde mevrouw De Courcey die voor hen uit stormde. Toen ze binnen stonden, zakte Portia de moed in de schoenen. Haar moeder zong haar longen uit haar lijf achter de piano en brulde haar favoriete nummer *Memory* uit de musical *Cats*. Alleen kon de vrouw geen noot zingen. Ze overstemde de gesprekken die hier en daar nog werden gevoerd in zalige onwetendheid dat ze zichzelf volledig voor schut zette.

'TOUCH ME!!! IT'S SO EEEEEEASY TO LEEEAVE MEEEEE...' brulde ze toondoof, terwijl de andere gasten zich een voor een tactisch terugtrokken.

En alsof dat nog niet erg genoeg was, ging Daisy bij de marmeren schouw luid en dronken tegen Sean Murphy tekeer en trok zich er niets van aan dat iedereen haar kon horen.

'Vuile, vieze, smerige klootzak!' brulde ze. 'Heb je er ooit een seconde bij stilgestaan hoe ik me voelde? Je hebt me niet één keer aan je familie of vrienden voorgesteld...'

'Maar Daisy, we zijn maar drie keer met elkaar uit geweest. We hadden toch niets serieus?' probeerde Sean zich te verdedigen. Maar het was zinloos, want Daisy was niet meer te stoppen.

'Houd je kop en luister!' snauwde ze dronken tegen de arme, doodsbange Sean. 'Je hebt me alleen voor de sex gebruikt, geilneef. Het is gewoon een klotestreek om je vriendin zo te behandelen!'

'Maar Daisy, je was nooit mijn vriendin. Ik ben maar één keer bij je thuis geweest...' probeerde Sean opnieuw. Hij vond het allemaal verschrikkelijk gênant en had waarschijnlijk het gevoel dat hij een scène uit *Fatal Attraction* naspeelde.

Portia zocht tevergeefs naar Steve, maar die was diep in gesprek met de opperrechter, de vader van Andrew.

'Het spijt me vreselijk van dit spektakelstuk,' hoorde Portia mevrouw De Courcey tegen de gedistingeerde senator zeggen. 'Ik had geen idee dat onze nieuwe buren eh... zo kleurrijk zouden zijn, als u begrijpt wat ik bedoel.'

Portia was het zat. 'Wil je me alsjeblieft excuseren?' fluisterde ze tegen Andrew en liep regelrecht naar de piano. 'Tijd om te gaan, mama,' zei ze zachtjes in het oor van haar moeder en deed meteen de piano dicht. 'Het feest is voorbij.'

'Doe nou niet zo saai, liefje. Ik ben nog maar net begonnen,' zei Lucasta en goot haar zoveelste gin-tonic naar binnen. 'Dat weet ik, mama, en daarom is het feest voorbij,' antwoordde haar dochter en duwde haar vriendelijk doch beslist naar de deur.

'Hulp nodig?' klonk een stem naast haar. Ze keek op. Andrew.

'Zou je mijn zusje alsjeblieft willen zeggen dat het tijd is om te gaan?' vroeg ze kalm. Sodeju, morgen had ze nog alle tijd om zich dood te schamen. 'Je kunt haar niet missen. Zij is het meisje dat bijna niets aan heeft en bij de open haard haar longen uit haar lijf schreeuwt.' Andrew zei niets, knikte alleen even en ging op zoek naar Daisy. Terwijl Portia met haar dronken moeder naar de deur strompelde, drong het tot haar door dat het doodstil was geworden en dat alle ogen waarschijnlijk op hen waren gericht. Eindelijk stonden ze buiten. Portia wilde haar moeder naar de auto slepen toen de buitenlampen weer aanfloepten, voor het geval iemand binnen de voorstelling had gemist. De koude avondlucht maakte Lucasta soezerig en ze liet zich gewillig door Portia op de achterbank duwen. Daisy was echter een ander verhaal. Portia keek op en zag dat Andrew haar min of meer het huis uit droeg terwijl zij dronkemansbeledigingen naar het hoofd van de onfortuinlijke Sean Murphy slingerde.

'Schoften! Jullie zijn allemaal schoften!' brulde ze terwijl Andrew haar op de passagiersstoel zette.

'Ze is alleen moe en emotioneel,' zei hij glimlachend tegen Portia. 'Als ze geslapen heeft, zal ze zich beter voelen.' Het was duidelijk dat hij de situatie heel amusant vond.

Portia kon hem niet aankijken en ging achter het stuur zitten. Ze wist dat hij naast de auto stond om hen uit te zwaaien.

Alsjeblieft, laat die rotauto starten, was het enige wat ze kon denken. 'Alstublieft, lieve God, laat hem starten.' Bij de vierde poging deed de Mini het. De hemel zij geprezen, dacht ze toen ze de oprijlaan afreed. Ze kon hem in haar achteruitkijkspiegel nog steeds zien zwaaien terwijl de auto dikke blauwe rookwolken in zijn gezicht blies.

Andrew liep diep in gedachten verzonken terug naar het huis, waar zijn moeder in de deuropening op hem wachtte.

'Zeg, Andrew, senator Callaghan moet nu weg en jij hebt nauwelijks een woord met hem gewisseld,' zei ze en draaide boos het parelsnoer om haar hals rond.

'Ik nam even afscheid van onze gasten, mam,' zei hij koel.

'Nou, hopelijk was dat de eerste en de laatste keer dat we die mensen zien. Jij hebt nog een hele poos met die lange, magere, oudere zus gepraat, hoe heet ze ook alweer?'

'Portia,' antwoordde hij, hoewel hij wist dat zijn moeder toneelspeelde. Natuurlijk herinnerde ze zich Portia's naam nog, maar dit was haar subtiele manier om blijk te geven van haar afkeuring.

'Nou ja, hoe ze ook mag heten, zij en haar familie gedroegen zich alsof ze de attractie van de avond waren. Als ik de gasten had willen vermaken, had ik wel een cabaretier of een stand-up comedian ingehuurd. Die arme Elizabeth Montgomery heeft het nog steeds over Lady Davenport die achter de piano haar longen uit haar lijf schreeuwde. En die jonge blonde dochter die er als een slet bijliep, heeft beslist het drieletterige к-woord gebruikt, want je vader moest even gaan liggen nadat hij haar had horen praten. En ik weet vrijwel zeker dat Lady Davenport een fles champagne onder haar jas stopte toen haar dochter haar mee naar buiten sleepte.'

Hij stond op het punt zijn moeder van repliek te dienen toen ze een voor haar zo kenmerkende dodelijke opmerking plaatste. 'Goeie genade, Andrew, wat zal Edwina wel niet zeggen?'

Hoofdstuk zeven

Portia deed die nacht nauwelijks een oog dicht. Het was over drieën toen ze eindelijk naar bed ging en ze kon de slaap maar niet vatten. Ze luisterde naar de staande klok in de hal die elk half en heel uur sloeg en dacht na. Zou ze ooit nog iemand van de familie De Courcey onder ogen durven komen?

Normaal gesproken zou het haar niet echt kunnen schelen. Haar familie was per slot van rekening al zo vaak het gesprek van de dag geweest en dat zou ongetwijfeld weer gebeuren. Maar dit was anders. Ze moest steeds weer aan Andrew denken en hoe zijn ogen hadden getwinkeld toen ze het feestje van zijn moeder afkraakte. Ze had het zo lang zonder aandacht van het andere geslacht moeten stellen dat ze niet meer op haar intuïtie kon vertrouwen. Portia was misschien wel het minst ijdele wezen op aarde en ze geloofde niet dat mannen haar aantrekkelijk zouden kunnen vinden.

Hij was net uit New York terug, waar hij waarschijnlijk met heel veel vrouwen was uitgeweest. Vrouwen die allemaal een leven leidden als in *Sex and the City*. In gedachten zag ze hem in Manhattan, omringd door modellen en actrices. Hoe dan ook, hij had waarschijnlijk alleen maar aardig willen zijn. Waarom zou hij anders een gesprek zijn begonnen?

Plotseling vond ze het vreselijk zoals ze eruitzag: het sluike, vaalbruine haar, haar bleke huid, de sproeten en haar vormeloze, magere lijf. Ze was lang, bijna een meter tachtig, en werd vroeger met haar gelijkmatige gelaatstrekken en helderblauwe ogen best wel een mooie meid beschouwd, maar het jarenlange geploeter op Davenport Hall, de zorgen van onbetaalde rekeningen en hoe zij en haar familie moesten overleven, hadden hun tol geëist.

Oké, dacht ze en staarde naar het plafond. Dat probleem kan ik elk geval aanpakken. Leuk of niet, ze zou zichzelf een nieuw uiterlijk aanmeten.

***

Het ontbijt verliep die ochtend chaotisch. Daisy ging op haar vaste plek aan de keukentafel zitten. Ze was lijkwit en zei geen woord, en dat was heel ongewoon. Toen mevrouw Flanagan een bord met gebakken spek en worstjes voor haar neerkwakte, werd het haar te veel. Zonder iets te zeggen rende ze de keuken uit en stormde het toilet binnen, waarna iedereen haar duidelijk kon horen overgeven.

'Beter eruit dan erin,' zei mevrouw Flanagan opgewekt.

'Mevrouw Flanagan, is het nu echt nodig dat u zo'n godvergeten herrie maakt?' bromde Lucasta toen het volgende bord met veel lawaai voor haar neus werd neergesmeten.

'Opeten en niet zeuren,' antwoordde mevrouw Flanagan die er wel aan gewend was dat Lady Lucasta de avond tevoren te diep in het glaasje had gekeken.

Portia dronk haar sinaasappelsap op. Ze was blij dat zij geen verschrikkelijke kater had zoals haar moeder en zusje. Maar zelfs voor iemand die zo goedhartig was als zij, was het vreselijk moeilijk medelijden met hen te hebben. Ze hadden het haar de vorige avond dan ook niet bepaald gemakkelijk gemaakt.

Lucasta slurpte haar thee op en schoof haar stoel naar achteren.

'Ik heb een lumineus idee, lieverd,' zei ze tegen Portia en propte het spek en de worstjes in haar zakken.

'O, ja?' vroeg Portia terwijl ze inwendig kreunde.

'Ja, ik weet al wat ik met mijn deel van het geld ga doen dat we voor de film krijgen. Het lijkt me een puik idee om in zaken te gaan. Mijn horoscoop zegt dat deze maand uitermate geschikt is om iets nieuws te ondernemen.'

Lucasta las elke dag haar horoscoop en nam zelden een beslissing zonder eerst te kijken of haar planeten wel gunstig stonden.

'O mam, wat heeft u nu weer in uw hoofd gehaald?' vroeg Portia. Ze herinnerde zich nog heel goed Lucasta's laatste uitstapje in de zakenwereld toen een onfortuinlijke bezoeker van de Hall een stukje teennagel in de zelfgemaakte jam had gevonden die Lucasta hem had gedwongen te kopen. En dan die keer dat haar moeder had geprobeerd haar eigen originele aardewerk aan nietsvermoedende Amerikaanse toeristen te verkopen. Alleen leken de aardewerken kopjes en schotels die ze in haar gammele pottenbakkersoven bakte op grote, mislukte, semi-pornografische klompen. Maar aangezien Lucasta geld rook, verkocht ze de mislukte kop en schotels zonder een spier te vertrekken als met de hand gemaakte moderne kunstvoorwerpen.

'Ik kreeg opeens een geweldige ingeving, schat, en ik denk echt dat het een fantastisch idee is.'

Portia bereidde zich op het ergste voor. 'Wat heeft u nu weer bedacht, mama?'

'Davenport-bronwater! Rechtstreeks uit de oude bron bij de boomgaard. Ben ik geen genie? Daar word je slapend rijk van! Tegenwoordig drinkt iedereen water uit flessen. Wat denk je ervan?'

'Dat kunt u niet maken, mam! Bronwater hoort uit tweeduizend jaar oude, ondergrondse bronnen te komen, niet uit die smerige put. Dat is vreselijk onhygiënisch. U weet toch dat Daisy daar altijd in pieste? En ik weet zeker dat er ten minste één dooie kat in ligt.'

'Waarom ben je toch altijd zo negatief? Ik probeer toch alleen mijn best te doen? Goed, ik ga Steve bellen. Hij zal me kunnen vertellen wat me te doen staat. Tegen jou heb ik niets meer te zeggen, Portia. Jouw kanalen zijn volledig geblokkeerd.' Ze zwiepte het lange grijze haar over haar schouder en liep met opgeheven hoofd de keuken uit.

O, laat haar toch, zei Portia tegen zichzelf. Dit is haar zoveelste plan om snel rijk te worden, maar haar plannen vallen toch allemaal in het water.

'Bedankt voor het ontbijt, mevrouw Flanagan,' zei ze. 'Ik loop even naar buiten om te kijken of de filmploeg iets nodig heeft.'

'Laat me weten als Guy Van der Post komt, schat,' zei mevrouw Flanagan. 'Dan kan ik nog snel even mijn bovenlip harsen en mijn benen ontharen.'

***

Het was de eerste draaidag. Dat betekende dat er voor het eerst echt gefilmd zou worden, in tegenstelling tot het opzetten van alle apparatuur tijdens de afgelopen dagen.

Nou, het was beslist een perfecte dag om te filmen, dacht Portia op weg naar de manege, waar de opnamen zouden plaatsvinden. Onderweg kwam ze Johnny Maguire tegen, die in een walkietalkie schreeuwde. 'Ja, Jimmy D, ik begrijp het, we gaan zo beginnen.'

'Hallo, Johnny,' begroette ze hem. 'Hoe gaat het?'

'Goedemorgen!' antwoordde hij, vrolijk als altijd. 'Zo die gaat, zeg ik altijd maar.' Hij stapte over een dikke kabel heen. 'We zijn al vanaf dat het licht werd bezig met het opzetten van alle apparatuur en nu is Stalin klaar voor de eerste shot van vandaag.'

'Stalin?' vroeg Portia verbaasd. Was dat een nieuwe acteur?

'Ja,' grinnikte Johnny. 'Die bijnaam heeft de cameraman voor Jimmy D bedacht. Wacht maar tot je hem in actie ziet, dan snap je het! Mocht je het leuk vinden om te kijken hoe alles in zijn werk gaat, je bent van harte welkom,' zei hij.

'O graag, Johnny. Dat zou fantastisch zijn. Bedankt,' zei ze en voelde zich onmiddellijk een stuk beter. Dit was een fantastische manier om haar gedachten af te leiden van de desastreuze gebeurtenissen van de vorige avond. 'Weet je zeker dat ik niet in de weg loop?'

'Maak je geen zorgen, Portia. Je kunt het vanaf hier allemaal prima zien.' Hij wees naar een lege canvas stoel een eind achter de camera, naast een geïmproviseerde werktafel met geluidsapparatuur.

Portia had nog nooit zo veel bedrijvigheid gezien. Waar ze ook keek, het was een komen en gaan van mensen. Mannen sjouwden met lampen en kabels, vrouwen renden met klemborden rond. Caroline Spencer stond voor de manege en praatte geanimeerd met Jimmy D die zoals altijd een kalme en onverstoorbare indruk maakte. Hij kauwde op zijn eeuwige sigaar en was gekleed in een lichtgroene geruite broek en bijpassend jasje. Zelfs Rupert de Beer zou zich voor die combinatie hebben geschaamd.

Plotseling werd Portia's aandacht getrokken door de cabine van een reusachtige hijskraan, ongeveer zeven meter boven haar hoofd. Ze hapte naar adem toen het tot haar doordrong dat er een cameraman in zat. Hij keek door de lens en was zich er niet van bewust hoe hoog hij in de lucht hing.

'Wees niet bang, hem gebeurt niets,' stelde Johnny haar gerust. 'Dat is Ivan Lamar en hij bereidt zich voor op de eerste shot. Lamar is een van de beste cameramannen ter wereld. Hij is een Tsjech en heeft het camerawerk verzorgd van bijna elke Oost-Europese film die de afgelopen jaren buiten Oost-Europa is vertoond. Hij heeft zelfs met Roman Polanski gewerkt. Ze mogen hun handen dichtknijpen dat hij zich heeft laten strikken voor deze kutfilm.'

'Pardon?' zei Portia, die haar oren niet kon geloven. 'Bedoelt u dat het een slechte film gaat worden?'

'Hahaha,' klonk een rauwe, bulderende schaterlach achter haar. 'Zo te horen heeft ze het script niet gelezen, Johnny!'

Portia draaide zich om en zag een magere, puisterige knul met een koptelefoon om zijn nek. Hij was begin twintig en had die typische Ierse huid die knalrood en sproeterig werd zodra je langer dan vijf minuten in de zon zat. Blijkbaar had hij al een poosje in de zon gestaan, want zijn neus en nek waren roodverbrand, terwijl zijn huid voor de rest blauwwit was. Op zijn rechterarm zat een simpele tattoo: Fuck You. Hij droeg een gevechtsbroek die zo laag op zijn heupen hing dat zijn bilspleet zichtbaar was en een T-shirt met de tekst: ALS MIJN KOP JE NIET AANSTAAT, MOET JE MIJN HARIGE STER EENS ZIEN.

'Dit is Paddy O'Kane, onze geluidsman,' zei Johnny die Portia aan hem voorstelde. 'Hij heeft net de laatste Courtney Cox Arquette film *Screech 3* gedaan, dus hij loopt nog een beetje naast zijn schoenen. Maar maak je geen zorgen, Stalin zal hem wel manieren leren.'

'Rot toch op,' zei Paddy nors. 'Zo, dus jij woont hier?' zei hij tegen Portia. 'Ik ben blij dat de crew en ik ergens anders slapen. Het lijkt wel het huis uit *Psycho*. Vind je het niet doodeng om onder de douche te stappen?'

'Waar logeren jullie?' vroeg Portia beleefd, al wist ze niet waarom.

'In het dorp, in een klote Bed & Breakfast van een of andere gek. Er valt geen reet te doen behalve een beetje ouwehoeren met die boerenkinkels. Hoe moet dat nu zondag als Arsenal speelt? Geen enkele pub heeft Sky Sports.'

Portia wist niet goed wat ze moest zeggen. Ineens kraakte Johnny's walkietalkie. Ze herkende direct de stem van Jimmy D. 'Breng de ster naar de set. We kunnen bijna beginnen.'

'Oké,' zei Johnny in de walkietalkie en Caroline liep haastig in de richting van de Winnebago van Montana Jones.

'Het is godverdomme te hopen dat ze nuchter is,' zei Paddy, terwijl hij zijn koptelefoon opzette en aan de geluidsapparatuur morrelde. 'Je hebt zeker wel van de Oscaruitreiking van vorig jaar gehoord?' Hij deed net alsof hij het ene glas na het andere naar binnen goot. Johnny stond op het punt hem een vreselijke uitbrander te geven toen het ineens stil werd op de set.

Montana Jones was uit haar trailer gekomen. Het leek wel alsof de hele crew en alle technici zich omdraaiden en naar haar keken toen ze van haar Winnebago naar de set liep. Wat zag ze er schitterend uit! Ze droeg een Victoriaans rijkostuum, gemaakt van schitterend saffierblauw fluweel dat prachtig bij haar ogen stond. Het was een adembenemende creatie met meters roomkleurig kant dat met teer paarlemoer was bezet, zodat de japon glinsterde als het licht erop viel.

En dan Montana zelf. Portia had haar maar één keer gezien en met haar baseballpet en enigszins sjofele spijkerbroek had ze helemaal niet op een filmster geleken. Maar nu zag ze er totaal anders uit! Ze droeg een lange donkerbruine pruik met dikke, glanzende krullen en een zwierige, driekantige hoed met een struisvogelveer die verleidelijk over een oog viel. Ze was zo perfect opgemaakt dat het net leek alsof haar huid van nature straalde en ze geen make-up droeg. De mensen van de garderobe en de make-up hadden geweldig werk verricht: Montana's metamorfose was werkelijk verbazingwekkend. Het kwetsbare meisje dat de vorige dag nog doodsbang was geweest dat haar persoonlijke assistent haar zou betrappen op het roken van een sigaret, was nu een door de wol geverfde Hollywoodster. Een godin om precies te zijn.

'Jezus,' fluisterde Portia onwillekeurig. 'Ze is adembenemend!'

'Ja, ze ziet er niet slecht uit,' antwoordde Paddy die zich als een ervaren deejay voor een wilde disconacht op Ibiza warmdraaide door met de knoppen van de geluidstafel te spelen. 'Als ze opgetut is, kan ze er fantastisch uitzien. Maar heb je haar wel eens zonder al die troep op haar gezicht gezien? Dan ziet ze er niet uit.'

'Ze ziet er inderdaad geweldig uit,' zei Johnny bewonderend. 'Vi-

vian Leigh zou jaloers op haar zijn.'

Portia herinnerde zich dat ze ooit de oorspronkelijke serie *A Southern Belle's Saga* had gezien, op een flikkerend zwart-wit toestel in de werkkamer van haar vader. Ze herinnerde zich dat ze helemaal in het verhaal was opgegaan en dikke tranen had gehuild toen de heldin, Magnolia O'Mara, aan het eind de enige man van wie ze ooit echt had gehouden, verloor.

En nu stond Montana Jones als een levensechte Magnolia O'Mara op het punt de geschiedenis een vervolg te geven, hier op Davenport Hall.

Portia wenste dat Daisy erbij was in plaats van boven de pot te hangen. Zij had *A Southern Belle's Saga* tientallen keren gezien en kon alle scènes dromen. Nou ja, ze zijn hier nog minstens drie maanden aan het filmen, dus Daisy had alle tijd om de schade in te halen.

'Stilte op de set, alstublieft,' schreeuwde Johnny door de megafoon. 'Iedereen gereed, we gaan zo met de opnamen beginnen.'

Portia zag dat Montana door een paar gekreukte velletjes bladerde, waarschijnlijk om een laatste blik op haar tekst te werpen. Jimmy D liep bedaard terug naar een canvas stoel met het opschrift REGISSEUR. Hij was de enige die niet van zijn stuk te brengen was en in de algehele opwinding de kalmte zelf bleef. 'Oké,' schreeuwde Johnny weer door de megafoon. 'Scène een. Laten we proberen om het in één keer te doen.'

Paddy begon als een gek met de knoppen van zijn geluidstafel te schuiven.

'Geluid!' brulde Johnny.

'Geluid loopt!' schreeuwde Paddy.

'Camera!' riep Johnny.

'Camera loopt,' riep de man boven Portia's hoofd met een zwaar accent.

'Toon het scènenummer'! zei Johnny terwijl een jongeman met een klapbord in zijn hand voor Montana ging staan.

'Scène 1, take one,' zei de jongeman en klapte het scènenummerbord luid dicht.

'En... actie!' schreeuwde Johnny zo hard dat ze hem in Ballyroan konden horen.

Het werd heel stil. Je kon een speld horen vallen toen Montana langzaam haar hoofd optilde en om zich heen keek.

'Och, och,' zei ze met het lijzige, zuidelijke accent, 'wat is het fijn weer terug te zijn in het groene Erin, het land van mijn voorvaderen, het geboorteland van de O'Mara-clan. Om weer tussen mijn eigen mensen te zijn, weg van de rigoureuze... rigoureuze... rigi... Shit!!'

Portia zat op het puntje van haar stoel. Dat stond toch zeker niet in het script?

'Tekst, alsjeblieft,' riep Montana even zonder het zuidelijke accent. Jimmy D bekeek zuchtend het script in zijn schoot.

'Stop de band!' riep Johnny.

'Wat een grof accent,' zei Paddy die zijn koptelefoon afzette. 'Zuidelijke schone, m'n reet.'

Portia zag dat Jimmy D langzaam en al rokend naar Montana liep. Ze waren te ver weg om te verstaan wat er werd gezegd, maar Portia zag Montana wild gebaren en heel agressief met het script onder Jimmy D's neus zwaaien. Even later liep Jimmy D terug naar zijn regisseursstoel en knikte naar Johnny.

'Make-up!' riep Johnny, en een jongeman met groen geverfd haar haastte zich naar Montana toe. Zijn schoudertas puilde uit met lippenstiften en andere make-up artikelen en hij poederde Montana's mooie gezicht met een poederdons.

Montana zei geen woord en bedankte hem met een knikje.

'Oké mensen, daar gaan we weer,' brulde Johnny. En weer werd dezelfde procedure gevolgd.

'Geluid!'

'Geluid loopt' zei Paddy.

'Camera!'

'Camera loopt!'

'Attentie!'

'Eerste scène, take two.'

'En... actie!'

Het werd weer stil en alle ogen waren op Montana gericht. Opnieuw hief ze haar mooie gezichtje naar de hemel en zei: 'Och, och, wat is het fijn weer terug te zijn in het groene Erin, het land van mijn voorvaderen, het geboorteland van de O'Mara-clan. Weg van de rigou... rigou... rigoureuze... shit, shit en nog eens shit! Wat een gelul staat hier, het valt gewoon niet uit te spreken!'

'Stop de band!' riep Jimmy D. Hij trapte zijn sigaar uit en beende met grote passen naar Montana. Deze keer kon Portia het gesprek moeiteloos volgen.

'Zorg dat je je zaakjes voor elkaar hebt, Montana, anders vlieg je eruit,' brulde Jimmy D. God, hij was inderdaad angstaanjagend wanneer hij zo tekeerging. Geen wonder dat de crew hem de bijnaam Stalin had gegeven. 'Ik heb je een rol gegeven terwijl iedereen in LA met een wijde boog om je heen liep en niets met je te maken wilde hebben en dit is je dank? Je verschijnt op de set zonder de moeite te hebben genomen je tekst te leren!'

'Ik ben een professionele actrice en ik doe zo goed mogelijk mijn best, Jimmy D, maar je kunt niet van me verlangen dat ik die lulkoek over mijn lippen krijg. "...en weg van het rigoureuze keurslijf dat de samenleving in Atlanta, Georgia, een vrouw van mijn stand en afkomst oplegt, waar ik de laatste drie jaar gescheiden van mijn echtgenoot Brent heb gewoond..." Ik kan het gewoon niet, Jimmy D. Zelfs Meryl Streep zou zulke godvergeten regels niet eens geloofwaardig kunnen uitspreken!' schreeuwde Montana terug terwijl de tranen over haar wangen biggelden.

'Oké, mensen, korte pauze!' riep Jimmy D terwijl hij Montana naar haar trailer volgde.

'Jezus, dat wordt een lange dag,' zei Paddy en zette zijn koptelefoon af. 'Heb je zin in thee?' vroeg hij.

'Graag,' antwoordde Portia. 'Als ik maar niemand in de weg loop.'

'De cateringtrailer staat daar,' zei Paddy en liep naar de dubbeldekker die op het grasveld voor de Hall stond. Iedereen liep die kant op. Waarschijnlijk had niemand zin om in de vuurlinie te blijven.

Portia stapte in de trailer en zag tot haar verbazing dat er tafeltjes tussen de banken stonden, beladen met taartjes, croissants, bagels en warme broodjes. De mensen van de catering gingen met koffie en thee rond en het heerlijke aroma van versgemalen koffie verspreidde zich door de trailer.

'Mmm, dat ruikt verrukkelijk,' zei Portia.

'Ja,' antwoordde Paddy, 'dat is de enige mazzel aan deze klus, het eten is oké.' Hij besmeerde een croissant royaal met tomatenketchup en begon te schransen.

Portia ging naast Paddy zitten en iemand van de catering zette een kop en schotel voor haar neer.

'Thee of koffie?' vroeg de vrouw.

'Koffie graag.' Portia glimlachte dankbaar toen haar kopje tot de rand werd gevuld. De koffie smaakte voortreffelijk, heel anders dan het waterige instantgoedje dat mevrouw Flanagan altijd schonk. De jongen met het groene haar kwam tegenover haar zitten.

'Hallo, wij hebben elkaar nog niet ontmoet,' zei hij en gaf haar een hand. 'Ik ben Serge van de make-up. Ooo... ik zie wenkbrauwen die hoognodig geëpileerd moeten worden!' Hij bestudeerde Portia's gezicht aandachtig. 'Je hebt een natuurlijke look, maar je kunt zo veel meer doen met jouw gezicht. Zal ik je wenkbrauwen meteen even epileren?' vroeg hij en toverde een pincet uit zijn zak.

'Dat is erg vriendelijk van je, maar mag het misschien een andere keer?' lachte Portia. Het was onmogelijk om deze mensen niet aardig te vinden, ze waren allemaal zo vriendelijk en hartelijk.

'Je geeft maar een seintje,' antwoordde Serge. 'Jullie Ierse deernen hebben zo'n fantastische huid. In LA, waar iedereen zich heeft laten volspuiten met botox, is het net alsof je met lijken werkt. En wat jou betreft,' zei hij tegen Paddy. 'Ik zou echt graag highlights in je haar aanbrengen. Een paar blonde plukjes van voren en je ziet er veel... virieler uit.'

'Donder op,' antwoordde Paddy terwijl hij een versgebakken bagel onder een dikke laag tomatenketchup liet verdwijnen. 'Ik peins er niet over om met een geverfde kop rond te lopen.'

'Ik had het niet over je hoofdhaar, schat,' merkte Serge nonchalant op en knipoogde naar Portia.

Op dat moment kwam Daisy aangerend. Alle mannen in de trailer keken naar haar en vergaten hun koffie en kleverige broodjes.

'Wauw, wie is dat?' vroeg Paddy die verlekkerd uit het raam keek. 'Ik zou er geen bezwaar tegen hebben om haar over het biljart te leggen en haar met mijn keu te laten spelen... haha!'

'Dat is mijn jongere zusje,' zei Portia stijfjes toen Daisy in de trailer klauterde.

'Aha, ben je daar, Portia. Ik heb je overal gezocht,' zei Daisy buiten adem en stelde zich aan Paddy en Serge voor. 'Hallo, ik ben Daisy. Welkom op Davenport Hall.' Ze glimlachte naar hen en zag er oogverblindend uit. Het was haar absoluut niet aan te zien dat ze de hele ochtend boven de pot had gehangen.

'Goh, wat ben jij een spetter!' riep Serge en streek met zijn vingers door haar lange blonde krullen. 'Wat een geweldig haar! Welk merk gebruik je? Wie heeft je haar gekleurd? Vertel!'

'Ik ben nog nooit van mijn leven bij de kapper geweest,' antwoordde Daisy naar waarheid. 'Portia knipt het voor me als het te lang wordt.'

'Aangenaam kennis te maken, Daisy,' zei Paddy met een rood hoofd. 'Ik ben de geluidsman en je mag altijd met mijn statief komen spelen... hahaha!'

Daisy riep dit soort reacties bij mannen op sinds ze drie was en ging er niet op in. 'Portia, kun je direct meekomen?' vroeg ze.

'Tja...' Portia keek verlangend naar haar koffie.

'Noodgeval,' zei Daisy kordaat en duwde haar zus naar de uitgang. 'Tot later!' riep ze naar Serge en Paddy, zich onbewust van het feit dat alle mannen haar nakeken tot ze uit het zicht was verdwenen.

'Wat is er aan de hand?' vroeg Portia terwijl ze over de elektriciteitskabels stapten die als spaghettislierten op het bordes lagen.

'Wacht maar af,' antwoordde Daisy.

Toen ze de ijskoude, vochtige hal binnenliepen, viel Portia bijna om van verbazing. Op het grote dressoir naast de voordeur lag het mooiste boeket bloemen dat ze ooit had gezien.

'Die zullen wel voor Montana zijn...' begon ze. 'Waarschijnlijk van een getikte fan in Ballyroan die erachter is gekomen dat ze hier logeert en—'

Daisy overhandigde haar een klein wit envelopje. 'Ze zijn voor jou, Portia.' Ze maakte geen grapje. Op het kaartje stond: Mejuffrouw Portia Davenport. 'Ze zijn ongeveer een half uur geleden bezorgd,' vervolgde Daisy die over Portia's schouder meekeek toen haar zus het envelopje openmaakte.

Ik wilde je even bedanken omdat je een anders hopeloos saaie avond hebt opgefleurd. Bel me. 0863319677. Andrew De Courcey.

PS Ik sluit ook iets voor je moeder en zusje bij.

'Wat? Wat heeft hij er voor ons bij gedaan?' zei Daisy en griste ongeduldig de envelop uit Portia's hand. Twee aspirientjes vielen op de marmeren vloer.

'Nou, hij heeft in elk geval gevoel voor humor, dat moet ik hem nageven,' giechelde Daisy.

Portia voelde zich ineens zwak. Ze strompelde naar de trap en ging op de onderste trede zitten.

'Gaat het wel, zus?' vroeg Daisy die bezorgd naast haar kwam zitten.

'Ik ben alleen perplex,' antwoordde Portia met gesmoorde stem. 'Maar verder gaat het prima.'

Daisy was zo bang dat haar zus zou flauwvallen dat ze de zwarte Harley Davidson niet opmerkte die over de oprijlaan scheurde. Ze zag evenmin dat de berijder afstapte, zijn helm afzette, onmiddellijk een peperdure zonnebril opzette, zijn rugzak over een schouder hing en naar de set liep.

Had ze het wel gezien, dan was ze ter plekke flauwgevallen.

Hoofdstuk acht

Het had heel wat voeten in aarde, maar eindelijk wist Daisy Portia over te halen de telefoon te pakken en Andrew te bellen. Op Daisy's aandringen hadden ze eerst een paar keer geoefend tot Portia voldoende zelfvertrouwen had om hem te bellen.

'Oké, doe net alsof ik Andrew ben. Ik heb dat schitterende boeket laten bezorgen en ik zit in het sneeuwwitte huis van mijn moeder en denk: "Waarom belt ze me niet om me te bedanken? Ze leek zo'n aardige meid!"' zei Daisy die net deed alsof ze Andrew was, en hield de hoorn dreigend onder Portia's neus.

'O Daisy, het is zo lang geleden dat ik zoiets heb gedaan... Wat moet ik tegen hem zeggen?' jammerde Portia terwijl ze nerveus haar handen tot vuisten balde.

'Kom op, Portia! Het is gewoon een beleefdheidstelefoontje en niet bepaald de Duke of Edinburgh Awards,' zei Daisy streng. 'Kom, laat zien dat je geen schijtlijster bent!'

'Oké,' zei Portia terwijl ze diep ademhaalde. 'Je hebt gelijk. Hij gaat me toch niet vragen of ik met hem uit wil. Ik bedoel, waarom zou hij? Hij heeft waarschijnlijk alleen medelijden met me—'

'Draai zijn nummer!' zei Daisy zo dreigend mogelijk.

'Blijf alsjeblieft bij me!' smeekte Portia. O god, dacht ze, wat mankeert mij toch? Ik ben vijfendertig, waarom kan ik niet gewoon die klotetelefoon oppakken? Plotseling dacht ze aan al die mooie vrouwen op het feest van De Courcey's. Zou een van hen er moeite mee hebben een man als Andrew te bellen? Natuurlijk niet, zij zouden nu al lang gezellig met hem aan de lijn hangen. Wat kon het haar eigenlijk schelen? Wat was het ergste wat kon gebeuren? Automatisch draaide ze het nummer. Daisy draaide zich zwijgend om en keek triomfantelijk door de vieze ramen naar buiten.

De telefoon ging over. En nog eens. Portia's maag deed allerlei rare dingen tot er werd opgenomen.

'Hallo?' Het kon niet missen, dat was Andrew.

'Eh, hai. Met Portia. Davenport. Weet je nog wel? Van gister-avond?'

Houd je kop, Portia, zei een stemmetje in haar binnenste. Van gister-avond? Je klinkt net als een prostituee!

'Hé, hallo Portia Davenport van gisteravond,' zei Andrew die kalm, ontspannen en tegelijkertijd sexy klonk.

'Ik bel je om je te bedanken voor de bloemen. Ze zijn... eh... leuk.'

Leg de hoorn neer en maak dat je wegkomt. Ver weg. Het is nooit te laat om naar Bolivia te emigreren.

Portia wist dat Daisy met haar ogen rolde.

'Ik ben heel blij dat je ze leuk vindt,' antwoordde Andrew. 'Wat me trouwens ook leuk lijkt, is om vanavond uit eten te gaan. Rond een uur of acht? Lijkt jou dat ook leuk?'

'Dat lijkt me enig,' zei ze perplex.

'Mooi. Dan haal ik je om half acht op.'

Portia raakte in paniek. Hoe moest ze de aanwezigheid van de filmploeg en de algehele chaos in de Hall verklaren? Het huis van zijn ouders was een oase van rust en sereniteit vergeleken met het krankzinnigengesticht waar zij woonde. Jezus, hij zou hard weg-rennen als hij de misère van Davenport Hall zag, en dan had ze Montana, Jimmy D en half Hollywood nog niet meegerekend.

'Ik heb een beter idee,' zei ze, verbaasd dat ze eindelijk helder kon denken. 'Waarom spreken we niet af in Ballyroan? Ken je O'Dwyers pub? Half zeven?'

'Prima, ik verheug me erop,' zei hij en hing op.

'Yes! Je hebt het gedaan! Ik ben apetrots op mijn grote zus!' riep Daisy terwijl ze een getraumatiseerde Portia omhelsde. 'Dat viel toch reuze mee? Het was per slot van rekening een simpel telefoon-gesprek met een vent, geen hersenoperatie.'

Portia was niet in staat iets te zeggen en speelde beduusd met het telefoonsnoer. Dus zo voelde een normale vrouw zich die een af-spraakje had... Jezus, ze was het helemaal verleerd. Natuurlijk had ze in het verleden vriendjes gehad, maar sinds haar dertigste was ze min of meer chronisch single.

Daisy klaagde er vaak over dat ze vreselijk geïsoleerd leefden, in het uiterste puntje van Kildare, tussen mannen die eruitzagen alsof ze uit steen waren gehouwen, zoals Daisy het zo poëtisch omschreef. 'Wij zijn net als al die vrouwen na de Eerste Wereldoorlog,' placht ze altijd te zeggen. 'Toen een hele generatie jongemannen volledig werd uitgeroeid en die vrouwen ongetrouwd bleven. Er mankeert niets aan ons, maar er zijn gewoon geen mannen. Kun jij twee geschikte vrijgezellen in Ballyroan opnoemen?'

En, afgezien van de pechvogel Sean Murphy, en Dickie Maguire, die op zaterdagavond in O'Dwyers pub met zijn viool optrad (en geen tand meer in zijn mond had), maakte Daisy geen grapje. Het hoogtepunt in Portia's sociale leven tot op heden was de jaarlijkse ploegkampioenschap van Ballyroan die op een van de velden achter Davenport werd gehouden, en dat kon je niet bepaald de Grand Prix van Monaco noemen. Ze had de hoop ooit nog iemand te ontmoeten lang geleden opgegeven en geaccepteerd dat ze de rest van haar leven single zou blijven. En dat maakte haar niet eens zo heel erg verdrietig. Als het verleden haar iets had geleerd, was het wel dat ze alleen veel gelukkiger was dan met een vriendje dat haar slecht behandelde en ongelukkig maakte. En het moest gezegd worden dat haar staat van dienst op dat gebied niet bepaald benijdenswaardig was.

Haar eerste vriendje, Tom Malone, was een van haar mentors geweest tijdens de gelukkige jaren op de hotelvakschool. Ze hadden al een half jaar verkering toen het langzaam tot Portia doordrong dat hij altijd bij haar in haar kleine studentenkamer was en dat hij haar nog nooit had uitgenodigd in het grote huis met de vier slaapkamers in de stad. Hij had haar wijsgemaakt dat zijn streng katholieke moeder bij hem inwoonde en dat zij geschokt zou zijn als Tom een vrouwelijke logé zou hebben. In een impulsieve en romantische bui besloot ze hem op zijn verjaardag te verrassen en belde met een fles champagne aan. Zijn vrouw deed open. Tom stond achter haar en deed net alsof hij niet wist wie Portia was.

En dan was er Simon McGuinness, een boer uit Kildare, die ze enkele jaren geleden op een jagersbal had ontmoet. Op papier leek hij de ideale man voor haar: ze hielden allebei van het plattelandsleven en hij behandelde haar altijd als een prinses. Hij leek attent, aardig en gevoelig (althans, dat dacht Portia), het type man dat de deur voor je openhield, je een handvol Kleenex gaf als je om een zielige film huilde en dan de straat opging om tampons voor je te kopen. Ze was tot over haar oren verliefd op hem geworden en had hem voor het jachtweekend in Davenport Hall uitgenodigd. Daisy had dat weekend echter uitgekozen om van het zoveelste internaat te worden gestuurd en liep in haar schooluniform door de Hall toen Simon kwam. Zodra hij haar zag, had hij alleen nog maar oog voor Daisy en probeerde haar het hele weekend te versieren, vlak onder Portia's neus. Daisy was destijds vijftien. Na dat incident werd hij zonder pardon aan de kant gezet. De familie sprak nog maar zelden over hem en dan alleen als 'Smerige Simon, de geile hufter'. Daarna had Portia nog diverse afspraakjes met andere mannen, maar de vuistregel was dat zodra er een aantrekkelijke man in haar leven verscheen, hij na één blik op Lucasta, Blackjack en Davenport Hall gillend wegrende.

Daisy was echter niet van plan zich zonder slag of stoot gewonnen te geven. Ze had zelfs geprobeerd op internet op zoek te gaan naar de liefde. Uren achtereen had ze, op jacht naar sexy mannen, geduldig achter de ouderwetse computer in het ijskoude kantoor gezeten, vastbesloten om de liefde te vinden. Toen ze uiteindelijk een interessante man in een online chatbox ontmoette en ze overeen waren gekomen om foto's uit te wisselen, haakte ze onmiddellijk af. Hij had haar zijn trouwfoto gestuurd, waarop het trouwboeket in de afgeknipte hand van zijn vrouw nog duidelijk zichtbaar was.

'We zullen Montana eens lief aankijken en haar vragen of ze niet een redelijk nette outfit voor je heeft,' babbelde Daisy vrolijk verder. 'En de schoenwinkel in Ballyroan heeft uitverkoop. Misschien vind je daar leuke schoenen.'

'Te oordelen naar de kleren die Montana jou gisteren heeft aangemeten, bedank ik voor de eer,' zei Portia. 'Dan ga ik nog liever in een duster van mevrouw Flanagan. Op de een of andere manier staat de Beyoncé Knowles-look me niet.'

Daisy gaf haar speels een por. Bij de gedachte hoe ze er de vorige avond had bijgelopen, kreeg ze een kleur.

De rest van de middag voltrok zich in een roes. Zonder dat ze wist wat ze deed, liep Portia naar de stopplaats voor kampeerwagens en vrachtauto's die het veld voor de Hall was geworden en zocht naarstig naar een trailer met het opschrift HAAR & MAKE-UP. Uiteindelijk vond ze hem. Ze haalde diep adem en klopte aan.

'Als je knap en niet bezet bent, mag je binnenkomen!' riep Serge. Portia ging naar binnen.

'Hallo, liefje. Wat kan ik voor je doen?' vroeg Serge die een verzameling make-up kwasten met een desinfecterend middel reinigde.

'Serge, ik weet dat je het vreselijk druk hebt, maar... ik hoop toch dat je me wilt helpen,' viel ze met de deur in huis.

'*Mi casa su casa*,' zei Serge. 'Wat is het probleem?'

Portia vertelde het hele verhaal, over het afschuwelijke feest van de vorige avond, de ongelooflijk snobistische mevrouw De Courcey, de gestroomlijnde, gesoigneerde, beeldschone vrouwen en ten slotte over Andrew. En dat ze die avond een afspraakje met hem had.

'Kijk nou eens naar me, Serge,' vervolgde ze. 'Koningin Victoria had meer sex-appeal dan ik. Ik weet dat je tot over je oren in het werk zit, maar kun je me misschien een paar tips geven?'

'Plak een stralenkrans op mijn hoofd, dan ben ik je goede fee,' antwoordde Serge. 'Zie je dit?' vroeg hij en zwaaide met een make-up kwast. 'Dit is geen kwast maar een toverstok. Ga zitten, liefje. Ik zal je van koningin Victoria in mevrouw Victoria Beckham veranderen.'

***

Intussen begon Daisy in haar hoedanigheid van horse wrangler aan haar eerste werkdag. Montana Jones had zich eindelijk laten overreden om uit haar Winnebago te komen en weer aan het werk te gaan, maar pas nadat Jimmy D uren lang de meest gemene dreigementen naar haar hoofd had geslingerd. In hoofdzaak kwam het erop neer dat hij haar in onbedekte termen duidelijk had gemaakt dat hij er persoonlijk op zou toezien dat ze de rest van haar mislukte carrière in de McDonald's op Sunset Boulevard frietjes zou opscheppen.

Het werkte. Na de lunch verliet ze haar trailer, mak als een lammetje en gereed voor haar close-up. En toen ze de scène van die ochtend voor de manege eenmaal hadden opgenomen (Montana was deze keer tekstvast), knikte Jimmy D voldaan en zei: 'Oké. Volgende scène, in de stal. Aan de slag!'

Aangezien de crew de apparatuur alleen van het veld voor de manege naar de stal hoefde te verhuizen, zou dat niet al te veel tijd in beslag nemen. Terwijl de mensen van het licht en de elektriciens (door Johnny 'vonkenmakers' genoemd) bergen kabels en lampen naar de stal droegen, besloot Daisy dat ze er verstandig aan deed zo min mogelijk in de weg te lopen. Ze was tot de conclusie gekomen dat haar baan als horse wrangler een makkie was. Lieve hemel, het enige wat ze hoefde te doen, was de paarden met zachte hand naar de set leiden en verder moest ze hen verzorgen... makkelijk verdiend geld dus. Om de tijd te doden, liep ze op haar gemak naar de Winnebago van Montana en klopte zachtjes aan. Caroline, pinnig als altijd, deed open.

'O, u bent het,' zei ze. 'Het spijt me vreselijk, maar juffrouw Montana Jones moet rusten voor haar volgende scène en kan geen bezoek ontvangen...'

Ze wilde de deur dichtdoen toen Montana's stem klonk. 'Daisy! Wat ben ik blij jou te zien! Luister, zou jij me de grootste dienst van de wereld willen bewijzen?'

'Als ik wat voor je kan doen...' zei Daisy die om de deur keek.

'Het zou zó te gek zijn als jij me zou willen helpen met de tekst voor de volgende scène,' smeekte Montana. 'Ik heb vreselijk op mijn donder gekregen van die lul van een Jimmy D omdat ik vanochtend niet tekstvast was, dus ik moet vanmiddag echt goed voor de dag komen. Wees een schat, Daisy, en help me alsjeblieft?' Ze gebaarde Daisy binnen te komen.

'Met plezier!' riep Daisy.

Montana droeg nog steeds hetzelfde Victoriaanse kostuum van die ochtend, maar ze had een feloranje fleece jack over haar schouders gehangen, zodat ze er nogal anachronistisch uitzag.

'Jij bent mijn reddende engel!' vervolgde Montana en drukte Daisy drie getypte vellen in haar hand. 'Oké, luister. Je moet me bij elke fout die ik maak op mijn donder geven en ook op de rottige komma's en punten letten. Godallemachtig, het is zó moeilijk om dit uit mijn hoofd te leren. Een slechte tekst is zo veel moeilijker te leren dan een goede.'

En dus oefenden ze dezelfde scène net zo lang tot Daisy een ons woog en Montana inderdaad tekstvast was. Geen van tweeën had in de gaten dat ze al een uur bezig waren tot Caroline Montana kwam halen. Eindelijk waren de technici van het geluid en het licht klaar.

'Succes!' fluisterde Daisy. 'Het gaat fantastisch, geloof me.'

'Bedankt, Daisy. Ik heb het nodig,' zei Montana terwijl de twee meisjes voorzichtig, om niet over de kabels te struikelen naar de manege liepen. 'Zeg, kun jij vanavond misschien een paar biertjes naar mijn kamer smokkelen? Het was een rotdag en ik moet me een beetje ontspannen...' fluisterde ze tegen Daisy nadat ze zich ervan had overtuigd dat Caroline haar niet kon horen.

Daisy aarzelde even omdat het haar ergens niet lekker zat, maar toen knikte ze. 'Ik zal zien wat ik kan doen,' antwoordde ze. Wat kon het haar ook schelen. Een paar biertjes zouden Montana toch geen kwaad doen? Dit was per slot van rekening Ierland. Mensen goten verdomme Guinness over hun cornflakes.

Johnny begroette hen bij de ingang van de manege en bracht Montana naar een canvas stoel met haar naam erop. Ze nam gedwee naast Jimmy D plaats en keek recht voor zich uit. Geen van tweeën zei iets en ze negeerden elkaar volkomen.

'Moeilijkheden in de hoogste regionen,' fluisterde Johnny tegen Daisy. 'En dit is pas de eerste filmdag!' Hij pakte de megafoon. 'Oké mensen, het is bijna zover!'

'Wat wordt er van mij verwacht, Johnny?' vroeg Daisy opgewonden.

'Het is heel eenvoudig,' zei Johnny. 'In deze scène neemt Magnolia afscheid van haar lievelingshengst. Ze heeft geld nodig en daarom moet ze hem verkopen. Het enige wat jij hoeft te doen, is het paard op stal zetten.'

'Geen probleem,' antwoordde Daisy. 'Welk paard willen jullie gebruiken?'

'Jimmy D wil de zwarte hengst die buiten op het land staat. Die is geknipt voor deze rol,' zei Johnny.

'Godfather part III?' vroeg Daisy gealarmeerd. 'Maar dat kan niet. Godfather part III vindt het verschrikkelijk om op stal te staan, hij is ongelooflijk nerveus en zal op hol slaan!'

'Sorry Daisy, maar de beslissing is al genomen,' zei Johnny. 'Kun je hem nu halen, alsjeblieft? We gaan beginnen.'

Daisy verzamelde al haar moed en liep in paniek naar Jimmy D.

'Luister,' begon ze, 'kunt u geen ander paard voor deze scène gebruiken? Godfather part III vertikt het gewoon om op stal—'

'Ik wil oplossingen, geen problemen!' schreeuwde Jimmy D tegen haar. 'Haal dat paard en maak dat je wegkomt!'

Volledig overrompeld strompelde Daisy weg. Dat iemand zo tegen haar tekeer ging! Paddy was druk in de weer met zijn geluidstafel en had het gesprek via de koptelefoon gevolgd.

'Trek je niets van hem aan,' zei hij toen hij zag dat Daisy helemaal van streek was. 'Als je zijn vrouw ziet, begrijp je waarom hij zo'n ongelooflijke zakkenwasser is.'

***

Niemand van de crew was zich ervan bewust dat mevrouw Flanagan precies op dat moment door de marmeren hal waggelde om de deur open te doen.

'Grote Mozes!' Toen ze zag wie de bezoeker was, viel ze bijna flauw. 'U bent het! En u lijkt precies op uzelf!'

'Dankuwel, mevrouw,' antwoordde de vreemdeling met een lijzig accent dat niet helemaal perfect was en zette zijn zonnebril af. 'Dat is altijd fijn om te horen.'

'Waarom praat u met zo'n raar stemmetje? Zo klonk u niet in *Space Bastards*,' vervolgde mevrouw Flanagan. 'Bent u soms verkouden?'

'Ach mevrouw, ik leef me helemaal in mijn rol in. Ik ga zo in mijn personage op dat ik degene ben die ik speel. Ik ben nu eenmaal een perfectionist. Ik geef mezelf altijd voor de volle honderd procent.' Hij trakteerde mevrouw Flanagan op het volledige megawatt voltage van zijn cosmetisch verfraaide glimlach en vroeg: 'En, wat vond u van mijn optreden in *Space Bastards*? De critici gaven me drie van de vijf sterren.'

Mevrouw Flanagan dacht na. 'Ik vond uw kont prachtig in de douchescène,' antwoordde ze en bracht haar nieuwe gast naar zijn kamer.

***

'En... actie!' schreeuwde Johnny in de megafoon.

'O, mijn dierbare schat, mijn prachtige hengst, hoe moet ik in hemelsnaam afscheid van je nemen?' zei Montana die haar tekst deze keer foutloos uitsprak. 'Het is hartverscheurend dat behoeftige omstandigheden mij dwingen je op de veemarkt te verkopen!'

'Stop de band!' riep Jimmy D. 'Dat was beter, Montana.'

Montana zei niets, ze was nog steeds gekwetst door de uitbrander die hij haar die ochtend in het bijzijn van de crew had gegeven.

'Oké, mensen,' brulde Johnny. 'En nu een breed shot. Breng het paard, dan zorgen we dat het er in één keer goed op staat en houden het vandaag voor gezien.'

Daisy stond doodsangsten uit buiten. Het was gewoon absoluut onmogelijk om Godfather part III op stal te zetten.

'Waarom doen we deze scène opnieuw, Johnny?' vroeg ze hees van de zenuwen. 'Het was toch perfect zo?'

'Dat was een close-up, Daisy,' legde Johnny behulpzaam uit. 'We zagen alleen Magnolia's gezicht. Nu moeten we dezelfde dialoog nog eens opnemen, maar deze keer filmen we verder naar achteren. Met andere woorden, dan zie we tegen wie Magnolia praat.'

'En hoe beslist Jimmy D welk shot hij moet gebruiken?' vroeg ze.

'De shot die het beste is?'

'Dat is aan Jimmy om te beslissen, wanneer de film in LA is. Vooropgesteld dat we de film ooit af krijgen. Kom Daisy, haal het paard, des te eerder zijn we klaar.'

'Maar Johnny,' protesteerde ze, maar het was te laat. Voordat ze wist wat er gebeurde, werd er al actie geroepen en draaiden de camera's. Er zat niets anders op dan haar best te doen. Ze moest proberen Godfather part III over te halen de stal binnen te gaan, in de hoop dat hij niet zou uitbreken. Met zachte hand probeerde ze hem aan het hoofdstel naar binnen te leiden. Maar Godfather part III, die al van streek was door alle ongewone activiteit om hem heen, moest er niets van hebben. Hij begon te hinniken en trok zijn hoofd zo ver mogelijk naar achteren.

'We hebben niet de hele dag, zet hem op stal!' schreeuwde Johnny ongeduldig terwijl hij bij de staldeur wachtte.

Daisy trok de oogkleppen snel recht, in de hoop dat de hengst dan deed wat er van hem werd verlangd. Geen schijn van kans. Godfather part III rook moeilijkheden en werkte niet mee. Hij hinnikte nerveus en schraapte met zijn hoeven agressief over de met zaagsel bedekte grond.

Er zat niets anders op, dacht Daisy. Ze zou hem moeten bestijgen en hem zelf de stal inrijden. Ze was een ervaren ruiter en had normaal gesproken geen enkele moeite met het op stal zetten van een weerspannige volbloed, maar Godfather part III was in paniek, bang en onberekenbaar. Daisy sprong dapper op zijn rug, maar op datzelfde moment weerklonk in de verte een luide knal. Het leek een geweerschot, maar het was alleen de terugslag van de Mini Metro van Lucasta die terugkeerde van haar ontmoeting met Steve. Maar voor Godfather part III was het de druppel die de emmer deed overlopen. Hij steigerde, maaide met zijn voorbenen door de lucht en sloeg op hol. Hij wilde de stallen zo ver mogelijk achter zich laten, en de doodsbenauwde Daisy klampte zich aan zijn manen vast alsof haar leven ervan afhing. Ze probeerde tevergeefs de teugels te pakken, maar het arme beest was helemaal in paniek. In volle galop denderde de hengst over de velden en Daisy zag de anderhalve meter hoge muur van de boomgaard steeds dichterbij komen.

'Nee, Godfather, nee!' schreeuwde ze.

Ze vlogen door de lucht. Godfather part III leek wel een professioneel springpaard, want hij sprong er ruimschoots overheen. Alleen de onderkant van zijn hoeven tikte even tegen de bovenkant van de muur. Daisy had echter minder geluk. Ze viel halverwege de sprong van haar paard, knalde met haar hoofd tegen de muur en viel voorover in een grote hoop mest die uitgerekend precies aan de andere kant van de muur was gedeponeerd.

Ik mankeer niets, dacht ze. Althans, ik denk dat ik niets mankeer. Ze was vreselijk geschrokken en beefde als een rietje, maar ze kon haar benen nog voelen en dat was een goed teken. Heel voorzichtig probeerde ze op te staan. Ze stond een beetje wankel, maar ze had in elk geval niets gebroken. En toen keek ze omlaag. Dit is godverdomme niet te geloven, dacht ze. Ze zat van top tot teen volledig onder de paardenmest. Het zat in haar haar, in haar mond en tussen haar tanden, op haar spijkerbroek en trui en in alle lichaamsopeningen.

'Godsamme, ik ben me wild geschrokken,' klonk een hijgende stem achter haar.

Daisy draaide zich om. Paddy was haar achterna gerend om te zien of ze niets mankeerde.

'Je leek net Lester Piggott die de Grand National wint. God, had ik mijn geld maar op jou gezet,' hijgde hij.

Ze kon niet antwoorden, want haar mond zat vol mest. Paddy bekeek haar van haar kruin tot haar voeten.

'Zo, je zit dus in showbusiness vanwege de glamour, toch, schattebout?' vroeg hij met een uitgestreken gezicht.

***

Ongeveer tegelijkertijd was de nieuwkomer eindelijk alleen in zijn paarse suite, waar hij tijdens de opnamen zou verblijven. Het was een hele klus geweest de van nieuwsgierigheid popelende mevrouw Flanagan te overreden hem met rust te laten. Dat was pas gelukt nadat hij ruim tien handtekeningen had gezet voor haar nichtjes en neefjes, voor foto's had geposeerd en irritante vragen had beantwoord zoals: 'Hoe leert u al die tekst uit uw hoofd?'

De kamer was werkelijk Spartaans ingericht, dacht hij, maar hij was de afgelopen jaren dan ook luxe vijfsterrenhotels gewend die door Philippe Stark waren ingericht. Onwillekeurig dacht hij terug aan zijn eerste belangrijke filmrol, toen hij een terdoodveroordeelde gevangene speelde die ten onrechte van moord werd beschuldigd. (*Cell Block Redemption* heette de film. Verguld herinnerde hij zich dat de filmcritici hem vier sterren voor zijn acteerprestatie hadden toegekend. Het was het begin van zijn carrière geweest.) Om zich op zijn rol voor te bereiden, had hij verzocht om in een cel te mogen wonen. Warner Brothers hadden vriendelijk aan zijn verzoek voldaan en een cel voor hem laten bouwen op een lege plek naast het parkeerterrein. (Ze sprongen een gat in de lucht omdat de helft van het filmbudget niet zou opgaan aan de kosten van het Beverly Hills Hotel.)

Misschien was het een voorgevoel, maar hij had werkelijk het idee dat deze rol zijn carrière een nieuwe impuls zou kunnen geven. Want, zoals zijn agent hem er constant aan herinnerde, een tweede flop zou hij niet overleven. (Zijn meest recente film, een musical gebaseerd op de film *Waterworld*, was vreemd genoeg geflopt.)

Brent Charleston was een geweldige rol, een van de mooiste, en dit kon zijn eigen persoonlijke Hamlet worden. Dus waarom niet even doorbijten in dit krot zoals Brent zou hebben gedaan, de opnamen voltooien en in zijn villa in de Hollywood Hills wachten tot hij werd voorgedragen voor een Oscar?

Goed idee, dacht hij. Hij kleedde zich uit, deed een handdoek om en liep naar de aangrenzende badkamer.

***

Paddy was geweldig. Hij had Daisy, die nog steeds een beetje van slag was, helemaal naar de Hall terug geholpen en haar zelfs aan het lachen gekregen door verhalen te vertellen over Courtney Cox Arquette op de set van *Screech 3* en over die keer dat de crew volle melk had vervangen door magere toen ze een ontbijtscène moest doen en haar reactie toen ze ontdekte wat ze had gedronken. Ondanks alles moest Daisy giechelen.

'Misschien kunnen we later een biertje drinken,' zei hij en liep naar de set terug om te zien of er vandaag nog werd gefilmd.

Daisy sleepte zich de zes trappen op, naar de badkamer naast Portia's kantoor. Alles deed zeer en ze zat onder de paardenmest. 'Godsamme!' gilde ze toen ze een naakte man in het bad zag zitten.

'Shit!' brulde hij bij het zien van de yeti die onder de mest zat. In een oogwenk stond hij naast de kuip en had een handdoek om zijn middel geslagen. 'Wie ben jij in vredesnaam?' riep hij boos. 'En wat doet je verdomme hier? Donder op, voordat ik je uit het raam gooi. Je stinkt een uur in de wind!'

'Ik kan u hetzelfde vragen,' begon Daisy, maar ze maakte de zin niet af omdat het kwartje langzaam viel. 'O mijn god. Ik kan het niet geloven... dat kan niet waar zijn... u bent... u bent... u moet gearriveerd zijn terwijl wij... Ik kan het haast niet geloven. U bent het!'

'Guy Van der Post, tot je dienst. En wie ben jij?'

'Ik ben... tja... ik... Jezus, ik kan niet geloven dat ik gewoon met u sta te praten, in levenden lijve! Maar wat doet u hier? Uw kamer heeft toch een eigen badkamer?'

'Ik heb inderdaad een eigen badkamer, maar erg modern is die niet, want er is geen stromend water,' snauwde Guy. Zijn geduld was op, maar het lukte hem nog steeds met een zuidelijk accent te praten.

'Heeft mevrouw Flanagan dan niet uitgelegd hoe het sanitair werkt?' stamelde Daisy terwijl ze nerveus van haar ene been op het andere wipte. 'Naast uw bed ligt een moker en om water te krijgen moet u een paar keer op de leidingen slaan en dan gaat het vanzelf...' Ineens drong het tot haar door dat ze met een van de beroemdste filmsterren ter wereld over mokers en waterleidingen stond te praten terwijl ze een uur in de wind stonk.

Vanaf het moment dat ze hoorde dat Guy Van der Post in de Hall kwam logeren, had ze over hun eerste ontmoeting gedroomd en zich voorgesteld hoe ze in een volle kamer verlangend naar elkaar keken, of in een van haar wildere fantasieën, hoe hij haar moeiteloos in zijn sterke armen optilde nadat ze van haar paard was gevallen.

'Ik wil niet onbeleefd zijn,' zei Guy die de stank niet te harden vond, 'maar als je niet gauw onder de douche springt, wordt het hard en krijg je het er nooit meer af.'

Hoofdstuk negen

Portia kon haar ogen niet geloven. De metamorfose was ongelooflijk. Ze was niet het type om zichzelf te verwennen en had zich de hele middag in het paradijs gewaand toen Serge met haar bezig was. Hij knipte haar haar en maakte haar mooi op en vertelde intussen de laatste roddels uit de filmwereld. ('Ik wil niets zeggen wat me in moeilijkheden kan brengen, dus maak zelf maar een zin met de volgende woorden: een zekere beroemde filmster... dode woestijnrat... geruchten allemaal waar.') Terwijl hij uit de school klapte, verrichtten zijn handen wonderen. In een paar uur had hij het steile, vaalbruine haar rigoureus geknipt en subtiele blonde highlights aangebracht, haar wenkbrauwen geëpileerd, haar benen met was onthaard (ze dacht dat haar benen werden geamputeerd, zo hevig was de pijn), haar nagels gelakt en, de kroon op zijn werk, haar gezicht opgemaakt. En dat was sinds haar eerste bal niet meer gebeurd.

'Moet je jezelf nou toch eens zien, liefje!' zei hij en trok de plastic cape van haar schouders. 'Andrew zal niet kunnen wachten om je op de roomkleurige feng shui-sofa van zijn moeder te gooien en je te bespringen!'

Portia bekeek zichzelf in de spiegel. Het was ongelooflijk. Serge had haar tien jaar jonger gemaakt. Haar haar glansde en het nieuwe, schouderlange kapsel stond haar heel goed. Hij had het geknipt met een boblijn in laagjes, en de blonde highlights combineerden prachtig met haar huidskleur. Haar make-up was zo natuurlijk dat je niet zag dat ze was opgemaakt, maar ze had ineens een stralende, gezonde teint. Om kort te gaan, ze zag er fantastisch uit.

'Liefje, dit is de grootste metamorfose sinds Ashtanga-yoga in Madonna's leven kwam,' zei Serge voldaan.

'O Serge, ik weet echt niet hoe ik je moet bedanken...' begon ze.

'Laat maar.' Hij wuifde met zijn hand. 'Doe me een plezier en regel een afspraakje met een van Andrew's kameraden. Wie het ook is, de mazzelkont moet lang zijn en donker, hij moet stijl hebben en zwemmen in zijn geld. Dat is toch niet te veel gevraagd? Natuurlijk is dit Ierland, maar er moeten toch ook kerels zijn die de aardappels uit hun oren hebben geplukt en zin hebben in een verzetje.' Intussen bestudeerde hij Portia's gezicht grondig in de spiegel, alsof hij zijn kunstwerk op een laatste onvolkomenheid controleerde.

'Ik zal mijn best doen, Serge,' lachte Portia die in eeuwen niet zo lekker in haar vel had gezeten.

'Zorg dat je hem het bed in krijgt!' riep hij haar vanuit de deuropening van zijn trailer na. 'Ik wil alles horen, tot in de kleinste details! Voor mij alleen een ongekuiste versie graag!'

Portia zwaaide grinnikend naar hem en liep terug naar de Hall. Ze was Serge oneindig dankbaar dat hij haar het gevoel had gegeven bijzonder te zijn, al was het maar voor een paar uur.

Dat gevoel duurde niet lang. Portia was nog niet binnen of Daisy klampte zich aan haar vast en vertelde welke ellende haar was overkomen.

'O Daisy, trek het je niet zo aan,' troostte Portia haar terwijl ze samen naar haar slaapkamer liepen. 'Jij kon er toch niets aan doen? Of je nu een filmster bent of niet, ongelukken zullen er altijd gebeuren.'

'Maar je had me moeten zien, Portia,' jammerde Daisy die op het grote, houten ledikant van haar zuster neerplofte. 'Ik leek wel de verschrikkelijke sneeuwman, alleen zat ik onder de paardenstront. Het enige wat hij kon zien, was het wit van mijn ogen. Ik heb er verdomme drie uur over gedaan om die troep weg te boenen.'

'Je ruikt nog steeds een beetje,' zei Portia die naarstig in haar garderobe naar iets zocht wat er niet uitzag alsof het uit een winkel van het Leger des Heils kwam.

Het was typisch Daisy om zo in haar eigen problemen op te gaan dat Portia's nieuwe uiterlijk haar niet eens opviel. Niet dat Portia dat erg vond, maar ze had het wel heel leuk gevonden als haar zusjes tenminste iets had gezegd over haar metamorfose. 'En dat is het ergste nog niet,' vervolgde Daisy haar jammerklacht. 'Ze zitten nu allemaal in de Long Gallery sherry te drinken. Jij moet met me meegaan en me morele steun verlenen. Alsjeblieft Portia, help me.' De blik in haar grote blauwe ogen was smekend.

In de Hall heerste de stilzwijgende traditie dat de familie en eventuele onfortuinlijke gasten zich voor het aperitief in de ijskoude Long Gallery verzamelden. Het was een huisregel die Lucasta streng in ere hield, zelfs als het diner uit een pizza van de pizzeria in Ballyroan bestond en het dessert uit een blik perziken, zoals dikwijls het geval was. 'Volgens mij is het happy hour,' riep Lucasta vaak al om drie uur 's middags. 'De bar is open!' verkondigde ze vervolgens luid en stevende regelrecht op de Long Gallery af, gevolgd door een schare schurftige zwerfkatten.

'Vandaag niet,' antwoordde Portia die een stralend witte blouse uit de kast rukte. 'Ik heb een afspraakje met Andrew, weet je nog wel?'

'Och hemel, Portia. Neem me niet kwalijk. Dat was ik helemaal vergeten. Wat moet je in godsnaam aantrekken?'

'Dit,' antwoordde Portia, die voor de spiegel stond. Ze draaide zich om en keek Daisy aan.

'Wauw! Wat zie jij er waanzinnig goed uit!' Daisy was Guy Van der Post even vergeten en bekeek de nieuwe Portia. Het nieuwe kapsel stond haar geweldig en ze zag er ongelooflijk goed uit in de spijkerbroek die haar lange benen accentueerde, de zwarte laarzen en de witte blouse die ze achter in haar kast had gevonden.

'Je lijkt wel een tiener!' zei Daisy verbaasd. 'Hij zal je meteen ten huwelijk vragen!'

Portia lachte. Ze gingen naar beneden en liepen samen naar de Long Gallery. De dubbele eikenhouten deuren stonden open en Portia kon haar moeder horen die zichzelf op de piano begeleidde en de longen uit haar lijf schreeuwde.

Vanavond was *My Heart Will Go On* uit de film *Titanic* het openingsnummer. Portia zag dat Montana en Caroline diep in gesprek op de bank zaten. Jimmy D rookte een sigaar en stond met Steve te praten. Bij de haard stond een waanzinnig knappe jongeman die een sigaar rookte en zichzelf in de spiegel bekeek. Hij droeg een spijkerbroek en een tweed colbert met een halsdoekje in een poging op een landjonker te lijken, maar daar was hij niet helemaal in geslaagd. Dat moest Guy Van der Post zijn, dacht Portia, blij dat ze een excuus had om er niet bij hoeven te zijn.

'Veel plezier vanavond,' fluisterde Daisy. 'Weet je zeker dat je niet even vijf minuten wilt binnenkomen? Alsjeblieft? Alleen om het ijs te breken?'

Portia omhelsde haar. 'Ga nu maar gewoon naar binnen en wees jezelf. Je ziet er weer betoverend uit. Hoe kan hij je nu weerstaan, ook al ruik je nog steeds een beetje naar mest?' lachte ze en liep naar de hal. Daisy moest het hol van de leeuw alleen betreden.

***

Hoewel Portia het niet wist, was ze die avond niet de enige die nerveus op weg was naar een afspraakje. Ongeveer tegelijkertijd betrad een kalende man van middelbare leeftijd in een prachtig gesneden maatkostuum de beroemde Octagon bar in Kildare's sjieke K Club Hotel. Hoewel de bar bomvol zat, kostte het hem geen moeite degene te vinden met wie hij had afgesproken, want de man in kwestie droeg altijd die belachelijke geruite pet.

'Aha, ben je daar, Paul. Je ziet er fantastisch uit, lekker kleurtje. Het weer was zeker goed in Marbella?'

'Ja, dank je,' antwoordde Paul O'Driscoll kortaf. Hoe eerder dit achter de rug was hoe beter. Hij keek discreet over zijn schouder om te controleren of niemand keek en ging toen naast de man met de pet zitten.

'Luister Shamie, ik heb er geen bezwaar tegen om elkaar te ontmoeten, maar moet dat uitgerekend hier gebeuren? De helft van de gemeenteraad zit in de K Club! Waarom kom je niet gewoon 's morgens even op mijn kantoor langs zodat we onder vier ogen kunnen praten?'

'Ach, wind je toch niet zo op. Straks krijg je nog een maagzweer. Ik wilde alleen even babbelen over een gunst in de nabije toekomst.'

Paul begon te zweten in het dure zijden overhemd dat hij onder zijn Saville Row kostuum droeg. Het voorval met het Hugenoten kerkhof stond hem nog scherp voor de geest, toen Shamie een paar jaar geleden met smeergeld voor elkaar had gekregen dat er op het kerkhof gebouwd mocht worden. (Vervolgens had hij op die plek een sportcomplex laten bouwen met een aangrenzende discotheek, die hij R.I.P.'s had genoemd.) 'Ach, die oude botten van de Hugenoten zijn nu toch vergaan,' had zijn redenering destijds geluid. 'Bovendien, de doden kunnen niet stemmen.' De slapeloze nachten en de angsten die Paul toen had doorstaan! Godsamme, als de kranten hadden ontdekt dat hij bij de zaak betrokken was, zou dat zijn ondergang zijn geweest. Hij schoof ongemakkelijk op zijn stoel. Er zat niets anders op dan dit in de kiem te smoren.

'Luister Shamie, ik geloof niet dat ik je nog ergens mee van dienst kan zijn...'

Shamie zette zijn biertje neer en bekeek Paul als een hond die op het punt staat een rat te verscheuren.

'Zou het niet vreselijk zijn,' zei hij op zachte en dreigende toon, 'als dat mooie vrouwtje van je ontdekt waar het geld voor je villa in Marbella vandaan komt? Of het geld waarmee je de privé-school van je kind bekostigt, of je dure kleren...'

'Oké, oké, je hebt je bedoeling duidelijk gemaakt,' zei Paul. Hoe eerder hij dit had afgehandeld, des te eerder hij weg kon. 'Waar gaat het deze keer om?'

'Ach, niets om nerveus van te worden. Het gaat om een oud, vervallen landhuis in Ballyroan waar niemand belangstelling voor heeft. Davenport Hall.'

Hoofdstuk tien

Zodra ze O'Dwyers pub binnenging, had Portia onmiddellijk spijt van haar voorstel elkaar hier te ontmoeten. Ze was het zo ontwend om uit te gaan en mensen te ontmoeten – tenzij je die zeldzame keren meetelde dat ze in de Hall gasten ontvingen – dat ze helemaal was vergeten dat het op zaterdagavond natuurlijk stampvol zou zijn in de kroeg. Ze perste zich tussen de menigte door en keek of ze Andrew ergens zag. Intussen deed ze haar best koel en nonchalant over te komen, maar in haar hart was ze doodsbang dat ze haar voor een ontsnapte gek zouden houden.

'Hé Portia, hoe gaat het met je?' zei Mick, de eigenaar, die zes klanten tegelijk bediende. 'We zien je niet zo vaak in het weekend. Wat kan ik voor je inschenken?'

Ze wilde een glas witte wijn bestellen toen een stem achter haar zei: 'Het spijt me dat ik te laat ben. Ben je er al lang?' Ze draaide zich om en keek recht in het gezicht van Andrew, die er nog sexier en aantrekkelijker uitzag dan de vorige avond. Hij was gekleed in een mooi, zwart kostuum. Daaronder droeg hij een prachtig overhemd van turkoois zijde, dat een fortuin moest hebben gekost. Hij was net zo gebruind en knap als in haar herinnering en zijn blauwe ogen twinkelden toen hij haar van top tot teen opnam.

'Wauw, wat zie jij er goed uit,' zei hij goedkeurend over haar nieuwe, sexy look.

'Dank je. En nogmaals bedankt voor de bloemen. Ze zijn echt prachtig.' Ze bloosde diep toen zijn ogen langzaam over haar figuur gleden.

Doe nou eens heel erg je best om het niet te verknallen, zei het stemmetje in haar binnenste. Kijk hem aan en doe niet zo dweperig, je klinkt alsof je geestelijk gestoord bent.

'Het genoegen was geheel aan mijn kant,' antwoordde hij glimlachend. 'Ik dacht dat je na zo'n feest misschien wel behoefte zou hebben aan iets opbeurends. Eerlijk gezegd benijdde ik je toen je wegging. Het was zo'n verdomd saaie avond, ik had nog liever in coma gelegen. Mijn moeder probeerde me steeds in gesprek te brengen met een of andere senator, in de ijdele hoop dat hij een waardevolle contactpersoon voor me is, maar ik overdrijf niet als ik zeg dat hij twintig minuten lang tot in de kleinste details heeft beschreven hoe hij mij wil voordragen als lid van zijn elitaire golfclub. Het scheelde weinig of hij nam mijn maat op voor een Pringle pull-over. Ik had zin om gillend weg te rennen.'

Portia schoot in de lach omdat hij helemaal niet snobistisch was en geen lid wilde worden van een sjieke golfclub. Dat sierde hem.

'Ik heb gisteren zo verschrikkelijk om je moeder en zusje gelachen,' vervolgde hij met twinkelende ogen. 'Ik vind het heerlijk mensen te ontmoeten die helemaal uit hun dak kunnen gaan.'

'Als plezier maken een onderdeel was van de Olympische Spelen, zou mijn familie een gouden plak krijgen,' antwoordde Portia die ineens van onderwerp wilde veranderen. Het liefst praatte ze helemaal niet over hoe Lucasta en Daisy zich de vorige avond hadden gedragen. 'Ik denk niet dat je moeder hen amusant vond,' liet ze er zwakjes op volgen.

'Luister, het is hier zo druk en lawaaierig. Wat denk je ervan om meteen naar het restaurant te gaan? Als je zin hebt, kunnen we daar in de bar wat drinken,' zei hij alsof hij aanvoelde dat ze liever over iets anders praatte.

Portia stemde meteen in en hij leidde haar bij haar elleboog de koude, druilerige avond in.

Voordat ze wist wat haar overkwam, zat ze op de zachte roomkleurige leren passagiersstoel van zijn Mercedes sportauto en zoefde door de landelijke omgeving van Kildare naar god wist waar. Hij weigerde te vertellen waar ze heen gingen, maar keek steeds even naar haar terwijl ze over donkere landweggetjes vlogen.

'Vertrouw me nou maar,' zei hij grinnikend. 'Ik ben een heer. Dacht je nu echt dat ik je ontvoer om op een afgelegen akker me aan je te vergrijpen?'

Deed je dat maar, dacht ze. Ze lachte terug in de hoop dat haar glimlach net zo verleidelijk was als die van Mona Lisa, maar in haar hart was ze bang dat ze eerder op een wellustig, oud besje leek.

Een paar minuten later reden ze de snelweg op. Portia zag dat het nog zestig kilometer was naar Dublin. 'We gaan naar de stad?' 'Wacht maar af... jullie aristocraten zijn allemaal zo ongeduldig!' antwoordde hij lachend en rolde quasi-geïrriteerd met zijn ogen.

Ongeveer een half uur later reden ze door de buitenwijken van Dublin, over een weg die Portia goed kende, hoewel het maanden geleden was dat ze in Dublin was geweest. Die laatste keer stond haar nog scherp voor de geest, want toen had ze Lucasta naar een van haar terug-naar-vorige-levens-sessies in het centrum van de stad gebracht. Die dag zou ze niet snel vergeten, omdat Lucasta echt geloofde dat ze in een vorig leven Marie Antoinette of op z'n minst Cleopatra was geweest. Ze was helemaal kapot toen ze te horen kreeg dat haar meest recente incarnatie een wortel was. Dit had echter een voordeel: daarna had Lucasta het heel lang niet meer over vorige levens gehad, tot Portia's grote opluchting.

Ze verlieten de snelweg en reden door de natte, kronkelige straten van de hoofdstad. Portia zag dat ze naar het centrum reden en even later parkeerde Andrew op St. Stephen's Green waar gelukkig nog een plekje vrij was. Hij sprong uit de auto om het portier voor haar open te houden.

Knap en nog goede manieren ook, dacht Portia, die zo elegant mogelijk probeerde uit te stappen. Het regende minder hard, maar het was bitter koud. Portia haalde opgelucht adem toen Andrew zei dat het restaurant aan de overkant was. Ze staken de straat over en Portia tuurde naar het uithangbord van het restaurant: L'Hôtel du Paris.

'Ik heb erover gelezen,' zei ze. 'Het is pas geopend. Kennelijk moet je eerst een bloedmonster afstaan om een tafel te mogen reserveren. Het verbaast me dat het jou gelukt is.'

'Tja, ik kan de jonkvrouwe van Davenport Hall moeilijk meenemen naar de plaatselijke snackbar, toch?' lachte hij vrolijk.

L'Hôtel du Paris was een imposant, monumentaal gebouw dat decennia lang niet was onderhouden, tot het een jaar of twee geleden was geveild. Een rijke investeerder zag de mogelijkheden van het pand en had het voor een prikje gekocht. Vervolgens had hij enige miljoenen geïnvesteerd en het gebouw geheel laten restaureren.

Kosten noch moeite waren gespaard en nu was L'Hôtel du Paris een van de meest luxueuze hotels in het land.

Toen Portia en Andrew naar binnen liepen, werden ze door de portier hartelijk begroet als vrienden die hij in jaren niet had gezien. Portia werd uit haar jas geholpen en even later zaten ze in de hotelbar. De menukaarten werden discreet op tafel gelegd.

'Wauw! Moet je nou toch eens kijken!' zei Portia. Vol bewondering keek ze naar de schitterende, gelakte houten vloeren, de kristallen kroonluchters en de mahoniehouten bar, die de vorm had van een hoefijzer. Andrew bestelde champagnecocktails en Portia maakte het zich gemakkelijk in een donkergroene leren fauteuil. Ze praatte ongedwongen met hem en er vielen geen lange of ongemakkelijke stiltes, zoals haar overkwam wanneer ze zich nerveus of verlegen voelde. En dat was vaak het geval.

Nippend van haar cocktail, vertelde ze hem alles over Davenport Hall, over haar vader die was weggelopen en over de filmploeg die de afgelopen weken bezit had genomen van het landgoed. Hij leek oprecht geïnteresseerd en stelde allerlei relevante vragen zonder opdringerig te zijn. Portia kon zich echt niet herinneren wanneer iemand voor het laatst belangstelling voor haar had getoond. Het leek alsof zij altijd een bijrol had en tussen de coulissen wachtte terwijl haar moeder en zusje volop in de schijnwerpers stonden. Het was zo fijn zich voor de verandering eens open te stellen voor iemand die wilde weten hoe ze zich voelde en wat ze dacht. Ze vond het dan ook jammer dat ze al heel snel door de maître d' naar het restaurant werden gebracht.

***

'*Soap up your arse... and slide backwards up a rainbow...*' krijste Lucasta achter de vleugel in de hoek van de Long Gallery, in zalige onwetendheid dat ze elk gesprek binnen een straal van drie meter onmogelijk maakte.

Daisy glipte langs haar heen en liep naar Montana en Caroline, die op een door motten aangevreten sofa zaten. Ze tilde een kat van haar moeder van de bank en ging zitten.

Steve stond bij een van de glas-in-loodramen die de grote zaal domineerden, diep in gesprek met Jimmy D, die heel hard praatte.

'Weet je, misschien kunnen we in deze ruimte een scène opnemen,' schreeuwde Jimmy D. 'Ik zie een balzaal, ik zie dansende paren, ik zie hoepelrokken. Maar het licht is hier verdomme helemaal verkeerd. Die ramen moeten eruit.' Hij wees naar de bijna twee meter hoge ramen.

'De glas-in-loodramen?' vroeg Steve geschokt. 'Dat zal niet makkelijk gaan. De tweede Lord Davenport heeft de ramen uit een Frans klooster meegenomen. Als ik me niet vergis, dateren ze uit de elfde eeuw.'

'Hé, ik heb een keer heel Manhattan voor een opname overgenomen. Denk je nou echt dat ik me door een paar ramen laat tegenhouden?' zei Jimmy D op een toon die geen tegenspraak duldde.

'Hé, Daisy!' zei Montana verheugd. 'Hopelijk voel je je nu wat beter. Dat was me wel een smak.' Ze kuste Daisy volgens de Hollywoodtraditie op beide wangen.

'Ik denk dat ik van geluk mag spreken,' antwoordde Daisy. 'De mest heeft mijn val gebroken. Anders had ik waarschijnlijk mijn nek gebroken. Het spijt me als ik nog een beetje stink.'

'Ik ben blij dat u niet gewond bent,' zei Caroline op haar snelle manier van praten. 'Maar vanwege uw val hebben we vandaag een uur verloren en u weet het, hè? Tijd is geld.'

Daisy stond op het punt tegen haar uit te vallen, maar Montana rook onraad en kwam haastig tussenbeide. 'Zeg Daisy, heb je Guy al ontmoet? Hij is vandaag aangekomen en ik weet zeker dat hij graag kennis met je wil maken,' zei ze, wijzend naar Guy die nog steeds gehypnotiseerd naar zijn spiegelbeeld staarde. Het leek wel alsof hij probeerde vast te stellen hoeveel zijn snor in de afgelopen minuten was gegroeid.

'Tja, we hebben elkaar eigenlijk al ontmoet,' begon Daisy die niet goed wist of ze Montana wel of niet moest vertellen wat er was gebeurd. 'Maar ik denk niet dat hij me herkent. Ja Montana, zou je ons willen voorstellen, alsjeblieft?' Ze voelde de vlinders al in haar buik.

'Guy, hier is iemand die ik aan je wil voorstellen!' riep Montana, maar Guy reageerde niet. Hij negeerde haar volkomen, ook al stond hij maar een paar meter van haar vandaan.

'O shit, dat was ik helemaal vergeten. Hij gaat zo in zijn personage op dat hij alleen maar op de naam Brent reageert,' zei Montana vermoeid. 'Hij luistert zelfs niet naar klootzak,' fluisterde ze tegen Daisy. 'Brent, zou je even hier willen komen, alsjeblieft?'

'Met alle genoegen,' antwoordde Guy op een lijzig toontje en voegde zich bij de drie dames op de sofa. 'En wie mag dit verrukkelijke wezentje zijn?' vroeg hij en gaf Daisy een handkus.

'Dat kietelt!' giechelde Daisy toen de paar haartjes die voor een snor moesten doorgaan langs de rug van haar hand streken.

'Dit is juffrouw Daisy Davenport die tijdens de opnamen als horse wrangler voor ons werkt,' zei Caroline bits.

'Volgens mij hebben we elkaar al eerder ontmoet,' zei Daisy met een rood hoofd. Guy hield haar hand vast en maakte geen aanstalten om los te laten.

'Ik zou het me heus wel herinneren als ik iemand had ontmoet die zo mooi is als jij,' antwoordde hij en keek haar doordringend aan.

'Houd toch op, Guy. Als ik dat soort opmerkingen hoor, ga ik over mijn nek,' zei Montana ongeduldig. 'O, neem me niet kwalijk. Ik bedoel Brent.' Ze wendde zich tot Daisy en voegde er droog aan toe: 'Guy identificeert zich helemaal met zijn rol. Hij is heel erg beïnvloed door Daniel Day Lewis, vanaf het moment dat ze samen *Thugs of New York* maakten.'

'Hé, de critici hebben me drie sterren gegeven voor de rol van Bill the Baker in die film,' zei Guy die in de opwinding zijn accent vergat. 'Het valt me anders op dat jij al een hele poos niet in de prijzen bent gevallen, Montana. Tenzij je de Golden Raspberry meetelt, die je vorig jaar voor *The Hours Part 2: How The Time Drags* hebt gekregen.'

Montana liet zich niet kennen, maar zei gekscherend tegen Daisy: 'En jij hebt vast wel gelezen dat Guy tijdens de opnamen van *Space Bastards* aldoor in een astronautenpak heeft rondgelopen? En dat in juli, wanneer het ruim veertig graden is in LA! Hij is toen twintig kilo afgevallen en moest twee keer worden opgenomen wegens uitdrogingsverschijnselen. Het is toch godverdomme niet te geloven!' lachte ze, maar in haar stem klonk een zweem van ergernis door.

'Dat is niets vergeleken met die keer dat jij de hoofdrol speelde in het toneelstuk *The Diary of Anne Frank*,' zei Guy weer met zijn lijzige accent.

'Wat is daarmee?' vroeg Montana.

'O niets, het was alleen een beetje ongewoon dat Anne Frank in bijna elke scène naakt was.'

'Het was functioneel bloot, Guy, eh, ik bedoel Brent,' viel Montana uit. 'En goede acteurs onderscheiden zich door ook in de theaters op Broadway spelen.'

'Liefje, dat theater van jou was helemaal niet op Broadway, maar ergens in Harlem!' riep Guy spottend.

Daisy wist niet goed wat ze van de rivaliteit tussen Guy en Montana moest denken. Ze wist zelfs niet of ze elkaar nou in de maling namen omdat zij erbij was. Op dat moment kwam mevrouw Flanagan de kamer binnengewaggeld.

'Attentie allemaal! Jullie kunnen schaften!' Ze moest schreeuwen om Lucasta's gekrijs achter de piano te overstemmen.

'Alstublieft, mevrouw Flanagan,' siste Lucasta toen de gasten zich naar de eetzaal begaven. 'Had u niet de gong kunnen gebruiken?' Ze deed de piano met een klap dicht.

'Ik heb de gong als slakom gebruikt,' antwoordde mevrouw Flanagan. 'En voor het geval u de soepterrine ook herkent: ja, het is inderdaad de po uit uw kamer. En als u niet wilt eten, dan niet.'

***

'Het spijt ons vreselijk, maar het is niet toegestaan het restaurant in een spijkerbroek te betreden,' zei de gastvrouw tegen Portia en Andrew.

'Misschien zie ik er niet uit alsof ik net van de catwalk in Milaan ben gestapt,' antwoordde Andrew glimlachend, 'maar ik heb een heleboel geld voor dit kostuum betaald en het lijkt in de verste verte niet op denim.'

'Ik doelde op de jongedame,' zei de gastvrouw terwijl ze over de rand van haar bril naar Portia keek.

'O god,' zei Portia met een blik op haar spijkerbroek. 'Het spijt me vreselijk, Andrew. Dat wist ik niet.'

'Kunt u niet voor deze ene keer een uitzondering maken?' vroeg Andrew die tevergeefs al zijn charme in de strijd wierp.

'Het spijt me. Het is nu eenmaal ons beleid.'

'Kent u mijn tafeldame?' Andrew gooide het over een andere boeg. 'Dit is juffrouw Portia Davenport, dochter van de negende Lord Davenport. Misschien heeft u van hem gehoord?'

'Al is haar vader de aartsbisschop van Canterbury, spijkerbroeken zijn niet toegestaan,' antwoordde ze en liep naar een zojuist gearriveerd stel dat er ongelooflijk trendy uitzag en uiteraard geen spijkerbroek droeg.

Portia voelde zich verschrikkelijk opgelaten. Ze wilde Andrew nogmaals haar verontschuldigingen aanbieden, toen hij werd geroepen.

'Andrew! Jij bent het!'

'Edwina,' zei Andrew verbijsterd.

Portia draaide zich om en zag een schitterend geklede vrouw met een veel oudere man die net iets te vaak onder de zonnebank had gelegen. Zij was ongeveer dertig, blond en beeldschoon. Haar perfecte figuur, maatje zesendertig, werd nog eens benadrukt door de zwarte, nauwsluitende japon die in elegante plooien rond haar enkels viel. Ze was subtiel opgemaakt met een beetje lipgloss en droeg een eenvoudig diamanten kruis om haar hals.

Al met al was ze een adembenemende verschijning, en dat kon niet van haar tafelgenoot worden gezegd. Hij zag er oud en verschrompeld uit en was bijna de helft kleiner dan zijn tafeldame. Hij had een vette grijze paardenstaart en droeg een leren broek en een overhemd dat hij tot zijn navel had losgeknoopt om met zijn zonverbrande oranje huid te pronken. Als klap op de vuurpijl droeg hij een zwembrilletje met gekleurde glazen. Om kort te gaan, hij zag eruit als een complete imbeciel.

'Wat fijn om je te zien,' kirde Edwina tegen Andrew en kuste hem op beide wangen. 'Hoe lang hebben we elkaar niet gezien? Zes weken? Hoe gaat het nu met je?'

'Heel goed, dank je. Ik ben blij om thuis te zijn,' antwoordde Andrew vlak. Als Portia zich niet zo vreselijk opgelaten had gevoeld, zou de alarmbel in haar hoofd nu zijn gaan rinkelen.

'En je ouders?' vroeg Edwina terwijl ze hem bleef aankijken. 'Je moeder heeft me vorige week mee uit lunchen genomen in de Unicorn en ze heeft me alles verteld over het nieuwe huis. Zo te horen is het prachtig geworden. Ik kom snel langs, want ik ben reuze benieuwd.'

'Je bent altijd welkom,' zei Andrew plichtmatig.

'Wil je je ouders de hartelijke groeten doen? Zeg tegen je moeder dat ik haar op een lunch trakteer wanneer ze weer in Dublin gaat winkelen.' Wat? dacht Portia. Ze staat op goede voet met zijn moeder? En schijnt haar echt te mogen? Het werd steeds ingewikkelder.

'Neem me niet kwalijk, meneer Morrissey? Uw tafel is gereed,' onderbrak de gastvrouw hen. 'Het is uw vaste tafel, in de vipafdeling.'

'Hebben jullie zin om ons te vergezellen?' vroeg Edwina die voor het eerst naar Portia keek. 'Trevor en ik willen even snel een hapje eten voordat we naar de MTV music awards in Point Depot gaan. Jullie zijn van harte welkom bij ons te komen zitten.'

Dus daarom kwam de man met de oranje huid haar bekend voor, dacht Portia. Hij was Trevor Morrissey, de rockmuzikant, ook wel de grootvader van de Ierse rock genoemd. Tussen zijn heupoperaties door ging hij af en toe nog op tournee. Hij leek net een verschrompelde wortel, dacht Portia, die zo'n huidskleur nog nooit eerder had gezien.

'Dat is heel aardig van je... maar we kunnen niet,' zei Andrew die geen betere verklaring kon bedenken voor hun haastige vertrek. 'Een andere keer, Edwina,' liet hij erop volgen en duwde Portia naar de uitgang. Ze waren al bij de auto toen Portia besefte dat hij haar niet eens had voorgesteld.

***

'Davenport-bronwater. Ik ga miljoenen verdienen. Een fluitje van een cent,' zei Lucasta tegen de gasten aan de eettafel terwijl ze nog een gin-tonic voor zichzelf inschonk.

Steve zuchtte diep. 'Lucasta, we hebben het er vandaag al honderd keer over gehad. Je kunt niet gewoon een etiket op een fles plakken en die in de supermarkt zetten. Om te beginnen moet je een bedrijf beginnen en moet je je bij de Kamer van Koophandel laten inschrijven. Je moet ook een btw-nummer aanvragen en het ministerie van Volksgezondheid vragen om de bron te inspecteren. Vooropgesteld dat die bron bestaat.'

'Och Steve, ik moet nu positieve energie om me heen hebben en jij moet echt proberen om je eens niet zo als een Stier te gedragen, lieverd. Het geld zal binnenstromen en we zullen rijk worden! Rijk, rijk, rijk!'

Steve wilde antwoorden, maar achtte het verstandiger om zijn mond te houden.

Plotseling werd het stil in het vertrek. Mevrouw Flanagan denderde de kamer binnen en duwde een piepende theewagen voor zich uit. 'Oké, iedereen. Het eten is klaar!' schreeuwde ze en doofde haar peuk in de asbak op het dressoir.

'Ik verheug me bijzonder op authentiek Iers eten,' zei Guy die naast Daisy ging zitten.

'Spek en kool, Ierse stoofpot, oesters en Guinness, hoe traditioneler, hoe lekkerder,' zei Jimmy D die zijn mes en vork al had gepakt, klaar om aan te vallen.

'Jazeker, traditioneler dan dit kan niet!' zei mevrouw Flanagan terwijl ze als een ervaren stewardess een stapel plastic dozen uitdeelde. 'Doorgeven!'

De gasten keken even verbouwereerd, maar gaven de dozen gehoorzaam door.

'Is dit soms een Ierse gewoonte?' vroeg Montana naïef.

'Pas op, brand je vingers niet. De dozen komen rechtsreeks uit de magnetron en de inhoud is gloeiend heet,' waarschuwde mevrouw Flanagan. Ze ging achter Guy staan, boog naar voren en griste de doos van zijn bord. Met een zwierig gebaar maakte ze het deksel open en zei: 'Kerriekip met pilav rijst. Eet ze!'

Het werd stil aan tafel. Alleen de rinkelende ijsblokjes in Lucasta's gin-tonic verbraken de stilte.

Uiteindelijk nam Montana het woord. 'Het spijt me vreselijk, maar ik eet geen vlees,' zei ze en schoof de doos van zich af.

'Er ligt niet alleen vlees op je bord, liefje,' zei mevrouw Flanagan. 'Dan eet je toch alleen de rijst op.'

'Juffrouw Jones eet 's avonds na zes uur geen koolhydraten meer,' legde Caroline uit terwijl ze minachtend naar de kant-en-klaar-maaltijd keek.

'Geen wonder dat je zo schriel bent,' zei mevrouw Flanagan die Montana meelevend aankeek. 'Je lijkt wel een gratenpakhuis.'

'Het spijt me vreselijk dat ik dit... eh... verrukkelijke maal niet kan eten,' zei Montana lief, 'maar ik moet heel voorzichtig zijn met koolhydraten.' Mevrouw Flanagan voelde zich in het geheel niet beledigd, maar je kon duidelijk aan haar gezicht zien dat ze er geen snars van begreep. 'U moet namelijk weten dat je op het doek altijd ruim drie kilo zwaarder lijkt,' vervolgde Montana.

'Nou ja, de kans dat ik ooit nog een Bond-meisje wordt, is dus ver-keken,' antwoordde mevrouw Flanagan die met haar negentig kilo fluitend de eetzaal verliet.

'Eten jullie dit altijd?' vroeg Guy aan Daisy, met een zuidelijk ac-cent.

'Tja, de Hall heeft uiteraard geen Michelinster,' antwoordde ze opgelaten. 'We zijn niet gewend gasten te ontvangen.'

'Ik heb nog een hele mooie fles Jack Daniel's op mijn kamer staan. Die moet vanavond op, het liefst in gezelschap van een mooie dame,' fluisterde hij.

Daisy kon zich vergissen, maar ze had kunnen zweren dat ze zijn hand heel even langs haar dij voelde strijken.

'Vooropgesteld dat je geen bezwaar hebt tegen een vloeibaar diner. Ik kan vanavond wel een opkikkertje gebruiken,' voegde Guy eraan toe.

Ditmaal vergiste ze zich niet. Zijn hand lag op haar been en gleed langzaam naar boven. Daisy merkte dat haar ademhaling zwaarder ging. Jezus christus. Guy Van der Post betastte haar! Een van de al-lerbekendste filmsterren ter wereld zat tijdens het eten met zijn hand in haar kruis! Daisy liet nooit een kans door haar vingers glippen en boog zich zo dicht naar hem toe dat haar lippen zijn oor raakten. 'Verontschuldig je en ga naar je kamer,' fluisterde ze opgewonden. 'Ik kom over vijf minuten.'

***

Het was zo gemakkelijk gegaan, bijna te gemakkelijk. Tony Pitt onderdrukte de neiging zichzelf te knijpen om te bewijzen dat hij niet droomde. Maar wat kon er nog fout gaan? Het was hem toch gelukt?

Hij ging er altijd prat op dat hij heel slim was. Niemand bij de *National Intruder* was zo snel van begrip als hij. Natuurlijk had hij de geruchten over Montana Jones gehoord: ze was net uit de ontwenningskliniek ontslagen en was voor opnamen in Ierland, in een of ander statig landhuis. Toegegeven, het was maar een tweedelige miniserie en geen speelfilm. Maar gezien de reputatie van Montana Jones mocht ze God op haar blote knieën danken dat ze überhaupt nog werk aangeboden kreeg.

En dan was er Guy Van der Post (die in de showbusinesskringen waar Tony graag toe wilde behoren, bekend stond als Ed Wood, vanwege zijn houterige acteerprestaties). Ooit was hij een van de meest gewilde mannen van Hollywood en nu zag niemand hem meer staan. Tony herinnerde zich nog goed dat een kiekje van Guy terwijl hij een discotheek verliet (meestal in gezelschap van Leo of Ben of Tom: de schijtbende zoals de journalisten hen noemden) vroeger een fortuin opleverde. Maar dat was de laatste tijd niet meer zo. Guy Van der Post had in jaren geen kassucces meer gemaakt en zijn oude schijtbende-kameraden schenen hem een voor een in de steek te laten, althans volgens Tony's bronnen. Niet dat zijn bronnen in LA betrouwbaar waren (een van hen werkte als chauffeur voor Paramount en een andere bron was net bevorderd tot hoofd straatveger in de achterbuurten bij Warner), maar het waarheidsgehalte van een verhaal was niet iets waar zijn bazen in Amerika wakker van lagen. 'Kom jij nou maar met een foto,' zei zijn redactrice Tracey Reeves altijd, 'dan vullen wij de rest wel in.'

Dus vloog Tony met Aer Lingus naar Dublin en reed linea recta in een huurauto naar het graafschap Kildare. Godallemachtig, hij was helemaal niet voorbereid op het Ierse wegennet en het ontbreken van borden. Uiteindelijk, nadat hij tientallen keren de weg had gevraagd, kwam hij min of meer per ongeluk in Ballyroan terecht.

Hij nam een kamer in een Bed & Breakfast (waar ook enkele leden van de filmploeg logeerden en dat kwam heel goed uit) en wachtte tot het donker werd. Rond een uur of tien zei hij tegen de eigenaresse van het B&B dat hij een eind ging wandelen en liep in de richting van Davenport Hall. Het was vrij gemakkelijk te vinden, de gigantische toegangspoort was van veraf zichtbaar (iemand had in graffiti op de poort gespoten: Laat alle hoop varen, gij die hier binnentreedt. Dat was erg bemoedigend, dacht Tony). Hij had veiligheidsmensen verwacht, grote, stevige kerels die het landgoed bewaakten, maar niemand hield hem tegen toen hij over de lange oprijlaan liep. En toen, na een eindeloos lange wandeling in het pikdonker, stond hij ineens voor de Hall. Het monumentale pand zag er inderdaad enigszins vervallen uit, dacht Tony, maar van binnen was het natuurlijk fabelachtig mooi en weelderig ingericht, een beetje zoals het landhuis in het graafschap Monaghan waar Paul McCartney was getrouwd.

Hij liep over het gras om de Hall heen (het grind zou onder zijn voeten knerpen en wie weet waren er waakhonden, Tony nam geen enkel risico). Hij zocht naarstig naar een deur of een raam dat open stond, of nog beter, een kamer vol mensen die hij vanaf veilige afstand kon fotograferen. Hij kon zijn geluk niet op toen hij langs de oostelijke vleugel liep en stemmen, gelach en rinkelende glazen hoorde. Hij keek door een openstaand raam en yes!! Daar zat zijn prooi, een chagrijnige en mokkende Montana Jones met het eten op haar bord te spelen. Maar wat hem nog vreugdevoller stemde, was dat hij door zijn telelens net Guy Van der Post kon zien. Hij zat met zijn rug naar hem toe en betastte een beeldschoon blond meisje onder tafel. Bingo!

Alleen deze foto was de reis al dubbel en dwars waard, dacht hij en knielde in het hoge gras om zijn eerste rolletje vol te schieten.

Hoofdstuk elf

'Twee patat en twee cola light,' zei Andrew. 'Wil je nog iets anders?'
'Mag ik een patat speciaal, alsjeblieft,' zei Portia. 'Om de een of andere reden heb ik ineens ontzettend veel trek in uitjes.'

'Eén patat speciaal!' riep Andrew boven het lawaai van de mensen achter hen in de rij uit. 'God, je kost me handen vol geld, Portia. Straks wil je ook nog papieren servetjes,' zei hij met twinkelende ogen.

Portia zei niets en bloosde verlegen. Met haar verstand wist ze dat ze geen schijn van kans meer maakte, niet alleen omdat het sjiekste restaurant in de stad hem de deur had gewezen vanwege haar kleding, maar ook omdat ze had voorgesteld patat te halen en die op het strand op te eten. In de stromende regen. Het gekke was echter dat het haar niet kon schelen. Ze vond het heel gezellig met Andrew en wilde de pret niet laten bederven door de gedachte dat dit waarschijnlijk de laatste keer was. Wat maakte het ook uit, dacht ze, als ik maar geniet.

'Nou, deze afspraak zal ik niet snel vergeten,' zei Andrew toen ze als giechelende pubers met hun vette etenswaren naar zijn auto renden.

'Je gaat me toch niet vertellen dat je in Manhattan geen lekkere zak patat kunt kopen? Hoe heb je het daar in hemelsnaam volgehouden?' zei Portia spottend terwijl ze het portier dichttrok.

'Waar nu heen, milady?' Hij streek met zijn vingers door zijn natte blonde haren.

'Naar Killiney strand. Dat is de uitgelezen plek om patat te eten,' antwoordde Portia, die de vette zakken angstvallig vasthield om geen vlekken op de leren bekleding te maken.

'Ken je Dublin goed?' vroeg hij toen ze door de natte straten via de welvarende voorsteden Ballsbridge en Dalkey in zuidelijke richting naar het kustplaatsje Killiney reden.

'Toen Daisy en ik nog klein waren, gingen we vaak naar de grote stad,' begon ze, maar maakte haar verhaal niet af. 'Waarom lach je?'

'Omdat je zo grappig bent.'

'Verklaar je nader!'

'Ik ken niemand die het over de grote stad heeft.'

'Misschien mag ik mijn verhaal even afmaken, alsjeblieft?' zei Portia die net deed alsof ze geërgerd was. 'Toen Daisy nog een baby was, logeerden we vaak bij onze oma in Killiney.'

'Ik dacht dat je tot de negende generatie van adellijke Davenports behoorde. Je gaat me toch niet vertellen dat er gewoon bloed door die mooie aderen van je stroomt, milady.'

'Ik had het over de moeder van mijn moeder, slimmerik. Ik ben trouwens geen lady.'

'Dat je dat zomaar durft op te biechten!'

'Mijn vader is een lord dus is mijn moeder automatisch een lady, maar Daisy en ik moeten genoegen nemen met het predikaat "hooggeboren". Niet dat dat ons iets interesseert.'

'De hooggeboren Portia... Dat klinkt wel. Vertel verder over je oma.' Hij parkeerde de auto langs de weg zodat ze uitkeken op het strand.

'De familie van mijn moeder heet Elgee. Mijn moeder was enig kind en groeide hier op, vlak bij zee. Daisy en ik kwamen vaak bij oma op bezoek. Ik veronderstel dat wij precies het tegenovergestelde waren van normale mensen, in die zin dat wij boerenkinkels waren die de vakantie in de grote stad doorbrachten.'

Hij schaterde het opnieuw uit.

'Wat is daar zo grappig aan?'

'Je had zeker stro in je haar. Arm, rijk meisje.'

'Alleen iemand die de Hall nog nooit vanbinnen heeft gezien, kan zoiets zeggen! Rijk? De enige in mijn familie die ooit geld had, was deze oma. Zij liet een fortuin na.'

'Wat is er met het geld gebeurd?'

'Ze heeft het aan het plaatselijke dierenasiel geschonken. Volgens mij was ze bang dat mijn vader de erfenis er op de paardenrennen doorheen zou jagen. Terecht overigens.'

'Ozzie en Sharon Osbourne zouden jaloers op je zijn! En ik dacht nog wel dat Amerika het monopolie had op gestoorde gezinnen. Is je vader echt zo erg?'

'Andrew, hij heeft Daisy ooit als onderpand ingezet bij een kaartspel. Ze was toen zeven! Toevallig won hij die keer, goddank. Als een maatschappelijk werkster maar half had geweten wat zij en ik als kind hebben meegemaakt, zouden we meteen naar een verbeteringsgesticht zijn gestuurd. Waar we overigens waarschijnlijk beter af zouden zijn geweest.'

Andrew keek naar haar en het leek hem verstandig van onderwerp te veranderen. 'Luister, het regent niet meer zo heel hard. Heb je zin om een eindje langs het strand te wandelen, hooggeboren vriendin?'

Portia stemde direct toe, alhoewel ze niet goed wist wat ze ervan moest denken dat hij haar 'vriendin' noemde.

Ze daalden de stenen trap af naar het strand en omdat de treden glad waren, hield Andrew heel attent Portia's hand vast. Ze liepen al patat etend langs de vloedlijn en leken in alles op een verliefd stel dat een romantische strandwandeling maakte. En hoewel Portia het heerlijk vond om zo veel aandacht van een man te krijgen, besefte ze dat het niet beleefd was dat het hele gesprek over haar ging. Aarzelend sneed ze het onderwerp aan dat haar al bezighield vanaf het moment dat ze het restaurant hadden verlaten. 'Andrew, mag ik je iets vragen?'

'Ga je gang.'

'Die vrouw die we in het restaurant hebben ontmoet. Wie is dat?'

Hij zuchtte diep en liep zwijgend verder. Portia bekeek hem van opzij en zag dat hij uitdrukkingsloos voor zich uitstaarde. O god, dacht ze, had ze iets verkeerds gezegd?

'Het was niet mijn bedoeling om opdringerig te zijn, Andrew. Als je er liever niet over praat...'

'Het geeft niet. Ik vroeg me al af wanneer je het zou vragen.' Hij klonk afwezig en afstandelijk. 'Wil je het echt weten?'

'Ik was benieuwd, meer niet. Zo te horen kan ze heel goed met je moeder opschieten.' Portia had spijt als haren op haar hoofd dat ze erover was begonnen.

'Edwina en ik zijn acht jaar samen geweest en zouden deze zomer trouwen. Volgende maand, om precies te zijn.'

Portia had het gevoel alsof ze een stomp in haar maag had gekregen. Ze voelde het bloed uit haar gezicht wegtrekken en was blij dat het donker was. Ze keek naar de zee en deed alsof ze van het uitzicht genoot.

'Je bent ineens heel erg stil, milady,' zei hij op iets mildere toon. 'Luister Portia, ik ben vijfendertig en op die leeftijd heb je nu eenmaal een verleden. De meeste mensen van mijn leeftijd zijn getrouwd, gescheiden of zijn uit elkaar. Ik prijs mezelf gelukkig dat ik er tot dusver zonder al te veel kleerscheuren vanaf ben gekomen.'

Nou, dat was dan duidelijk, dacht Portia. Hij had haar dus alleen mee uit genomen omdat het uit was met de mooie, elegante Edwina. Ze liepen zwijgend verder en gingen op een kletsnat bankje zitten vanwaar ze op zee uitkeken. Portia was blij dat ze hem niet hoefde aan te kijken en staarde voor zich uit. Verdomme, dacht ze, ik lijk wel een zwerfster vergeleken met die vervloekte Edwina in haar haute-couture japon. Zij heeft natuurlijk zelfs nog nooit iemand ontmoet die de toegang tot een sjiek restaurant is geweigerd. Na een lange stilte pakte Andrew een pakje sigaretten uit zijn binnenzak en stak er een op. Hij moest aanvoelen dat ze onzeker was, want hij draaide zich naar haar toe en bracht het onderwerp weer ter sprake.

'Edwina zou van z'n levensdagen niet met mij op het strand in de regen patat eten.' Hij werd beloond met een flauwe glimlach.

Portia bleef voor zich uitkijken, alsof ze van het uitzicht genoot. Er viel weer een stilte. Het lijkt wel een toneelstuk van Samuel Beckett, dacht ze.

'Portia, laat het me alsjeblieft uitleggen,' zei hij. 'Ik weet dat er niets ergers is dan mensen die het altijd over hun ex hebben, maar ik vind dat ik je een verklaring schuldig ben. Edwina en ik hebben acht jaar een yuppenleven in New York geleid. We aten altijd buitenshuis, bezochten het theater, gaven feesten en gingen weekendjes weg. Mijn god, we sloegen geen opening of feest over. Ik moest voor mijn werk relaties opbouwen en als ik er nu op terugkijk, was Edwina eigenlijk een soort trofee. Ze hield ontzettend van dat leven. Iedereen zei dat ze de ideale vrouw voor me was.'

'Aha,' was het enige dat Portia kon uitbrengen. Ze verschoof niet op haar gemak op de natte bank en ontdekte een vetvlek op haar spijkerbroek. Ineens voelde ze zich heel erg onbehaaglijk en wenste dat er een eind kwam aan dit gesprek. Ze begon langzaam boos te worden. Had hij haar alleen daarom mee uit gevraagd? Om over zijn ex-vriendin te praten? Beschouwde hij haar soms als zijn therapeut?

'Ik weet dat ik het niet goed uitleg,' zei Andrew die merkte dat ze zich ongemakkelijk voelde. 'Op papier was ze misschien de ideale vrouw voor mij, maar de werkelijkheid was anders. Het begon me op te vallen dat we altijd omringd werden door mensen en dat we nooit iets samen deden. Voor een buitenstaander hadden we waarschijnlijk een ideale relatie, maar in werkelijkheid heb ik me nog nooit zo een-zaam gevoeld. Het was alsof we ons met mensen omringden om niet alleen met z'n tweetjes te hoeven zijn.'

'En jullie zouden volgende maand trouwen?'

Hij zuchtte diep. 'We hadden Adare Manor geboekt en zouden op huwelijksreis naar een wildpark in Afrika gaan, maar het leek wel als-of de tafelschikking en de goudgerande uitnodigingen belangrijker waren dan de vraag of we de rest van ons leven samen wilden zijn.'

'En toen heb je alles maar afgezegd?'

Hij trapte zijn sigaret uit. 'Een paar maanden geleden, vlak na kerst, had ik een vreselijke dag op mijn werk. Ik verloor een grote rechtszaak voor het advocatenkantoor waar ik werkte en ik belde Ed om erover te praten. Ik had echt behoefte om stoom af te blazen en iemand in vertrouwen te nemen. Zodra ze de telefoon oppakte, begon ze te schelden op de korte levensduur van de ijssculpturen die als tafelversiering tijdens het bruiloftsmaal zouden dienen. Ik pro-beerde uit te leggen dat ik deze ene keer behoefte had om te praten, maar zij reageerde alsof ik enorm egoïstisch was en dat terwijl zij zo'n verschrikkelijke dag had. Ik herinner me dat ik het kantoor in Wall Street verliet en naar Central Park liep om mijn gedachten te ordenen. Ik ging op een bankje zitten, tegenover een jong stel. Hij had zijn stropdas afgedaan, zij had haar schoenen uitgeschopt en ze hadden hun diplomatenkoffertjes in het gras gegooid. Ze smulden van hun broodjes en gierden van het lachen als een van hen iets grap-pigs zei. Het klinkt heel afgezaagd, maar toen ik hen zag, dacht ik: zo hoort een relatie te zijn. Je kunt geen dag zonder elkaar en grijpt elke gelegenheid aan om bij elkaar te zijn, en je lacht samen om een of ander intiem grapje zoals alleen stelletjes dat kunnen. En toen wist ik: dat is wat ik wil. Dat is wat ik wil maar wat ik niet heb. O, ik wist precies wat me die avond te wachten stond. Ik wist dat als ik terug zou gaan naar ons appartement op Park Avenue, ze zich zou hebben opgetut om uit te gaan en dat ze mij zou vertellen welk kostuum ik aan moest trekken en dat ik tien minuten had om me te verkleden. Er zou geen tijd zijn voor een gesprek, het drukke leven ging door. In de taxi zou ze uitgebreid vertellen hoe haar dag was geweest en geen detail overslaan, bij voorbeeld dat er geen rek zat in het elastiek van de onderbroeken van de bruidsmeisjes. En op dat moment besloot ik dat ik er genoeg van had.'

'Jeetje. Hoe nam ze het op?'

'Ed is een taaie. Ze besloot toch met mij terug te gaan naar Ierland, zoals we oorspronkelijk van plan waren. Ze zei dat ze behoefte had aan een verzetje.'

Portia dacht snel na. Wat had ze te verliezen? Nu was het moment om erachter te komen. 'Denk je dat jullie weer bij elkaar komen?' vroeg ze in de hoop dat haar stem niet al te veel trilde.

Andrew zuchtte en keek naar de zee. 'Als het aan mijn moeder ligt, wel. Ze is helemaal stapelgek op Edwina, ze zijn net moeder en dochter. Ik denk dat het voor mijn moeder erger is dat we uit elkaar zijn dan voor Ed of mij.'

Nou, dat is dan duidelijk, dacht Portia. Hij heeft me alleen mee uitgevraagd omdat hij bij zijn ouders in Ballyroan was en behoefte had aan afleiding. Het is mijn verdiende loon. Hoe heb ik ooit kunnen denken dat ik een man als hij zou kunnen strikken? Bovendien kan ik de vergelijking met Edwina toch niet doorstaan. Mijn hemel, zelfs die draak van een moeder at uit haar hand. Portia keek op haar horloge. Het was half drie.

'Het is al laat. Wat denk je ervan? Zullen we maar gaan?' zei ze en stond op.

'Zoals je wilt, milady,' antwoordde hij enigszins uit het veld geslagen omdat ze plotseling weg wilde.

Ze liep kordaat voor hem uit en zocht koortsachtig naar een onderwerp dat niets met Edwina te maken had. Ten slotte gaf ze het op: alle gespreksonderwerpen zouden uiteindelijk toch weer leiden tot het onveranderlijke feit dat hij de volgende maand zou trouwen.

Wat kon het haar ook verdommen, dacht ze. Dan gingen ze maar zwijgend naar huis terug.

***

'Nou, deze ervaring zal ik beslist niet snel vergeten,' zei Guy met zijn lijzige accent en schonk het lege whiskyglas op het nachtkastje nog eens vol.

'Mmm,' was alles wat Daisy kon uitbrengen. Ze lag nog half in coma door de glazen pure whisky die ze samen naar binnen hadden geslagen en bedacht dromerig dat ze het gelukkigste meisje op aarde moest zijn. Ze kon het nauwelijks geloven, maar ze lag met Guy Van der Post in bed, de meest sexy man van de wereld! Vanuit haar oog-hoeken zag ze vaag haar kleren op de grond liggen die ze in alle haast had uitgetrokken. Was dat trouwens haar doorzichtige roze beha die aan de spijl van het ledikant hing? Ze giechelde onhoorbaar en wilde geen seconde missen van deze onvergetelijke nacht. Guy was inmid-dels rechtop gaan zitten en dronk zijn glas leeg. Toen ging hij weer naast haar liggen en streek een losse blonde krul uit haar slaperige gezicht.

'Jij bent echt een bijzonder mooie dame.' Hij sloeg zijn armen om haar heen en zag dat zijn bruine kleurtje aan het vervagen was. Dat vervloekte Ierse klimaat ook! Het was verdomme juni. Scheen in dit afschuwelijke oord dan nooit de zon? Hij nam zich voor om zo snel mogelijk een zonnebank in zijn trailer te laten installeren.

Hij bekeek zijn naakte lijf vluchtig en stelde vast dat hij er voor de rest nog redelijk goed uitzag. Natuurlijk, zijn buikspieren waren een ietsepietsie slap, maar dat was alleen maar goed, want volgens het script leefde Brent Charleston op whisky. Een paar extra pondjes konden dus geen kwaad, het paste helemaal bij zijn rol.

Hij dacht aan LA en de jonge acteurs met wie hij optrok. Hij zou dat stelletje bloedhonden heel wat te vertellen hebben als hij weer terug was! Jezus, dat diner van vanavond was me ook wat! Deze fa-milie was toch volkomen geschift? De moeder had al jaren geleden opgesloten moeten worden! Zonder Daisy zou hij die verschrikkelijke avond nooit hebben overleefd. En wat deed Montana krengerig tegen hem, terwijl ze God op haar blote knieën mocht danken dat ze met een acteur van zijn kaliber mocht werken! Nou, hij zou haar eens een poepje laten ruiken. Wacht maar tot ze morgen hun eerste scène moesten spelen, dan zou hij de vloer aanvegen met die zelfvoldane trut. Hij zou haar laten zien wat acteren was en zij zou niet weten wat haar overkwam!

Hij grinnikte in zichzelf en bedacht hoe fantastisch het zou zijn om zijn ervaringen aan Leo, Ben en Tom te vertellen. Niet dat hij nog veel met Leo, Ben en Tom omging. Nee, hij moest toegeven dat het minder goed met hem ging sinds zijn laatste film zo was geflopt. Hij mocht niet eens auditie doen voor rollen waar ze hem anders voor zouden smeken. De filmindustrie was ook zo'n walgelijk zooitje, dacht hij, en schopte kwaad het beddengoed weg. Je speelt in tien kassuccessen achter elkaar en dan heb je een keer pech en beland je in een film die maar een paar weken draait, een misser, en je bent weer terug bij af. En op papier had het nog wel zo'n kassucces geleken! *Waterworld*, de musical... *Moulin Rouge* in bikini! Hoe was het toch mogelijk dat die film zo'n flop was geworden?

Nou, daar zou verandering in komen. Wacht maar tot deze film uitkwam, dan zou hij weer aan de top staan. Verdorie, hij zat nog een paar maanden met Montana opgescheept, maar er waren ergere dingen. Voor hij het wist, was hij weer thuis. Guy keek naar de slaperige Daisy, die net een engeltje leek. Yep, er was beslist genoeg afleiding, dacht hij en dronk grinnikend zijn glas leeg.

'Waar lach je om?' fluisterde Daisy die zijn hals streelde en dichter tegen hem aan kroop.

'Ach, ik bedacht net dat ik mezelf wel heel gelukkig mocht prijzen met zo'n mooie vrouw,' antwoordde hij zonder een spier te vertrekken.

***

Toen Portia en Andrew de snelweg opreden, begon het weer hard te regenen. Afgezien van een enkele beleefde opmerking over het vreselijke weer hadden ze niets meer tegen elkaar gezegd.

Uiteindelijk kon Portia er niet langer tegen. En wat dan nog als hij haar mee had uitgevraagd omdat het uit was met Edwina, dacht ze. Hij is per slot van rekening een zeer aantrekkelijke man en zeg nou eerlijk, die zijn heel schaars in deze streek. Misschien dat ze gewoon vrienden konden zijn. Was dat nu zo erg? Afgezien van Steve had ze geen enkele vriend. Ze keek naar hem, net op het moment dat de koplampen van een tegenligger zijn gezicht beschenen. God, wat zag hij er goed uit, dacht ze, zelfs in dit felle licht. Zijn blauwe ogen waren op de weg gericht en de gouden ring met zijn initialen fonkelde. Zelfs de manier waarop hij de auto bestuurde, was sexy. Geen wonder dat Edwina hem naar Ierland was gevolgd. Ze hoopte natuurlijk heimelijk dat ze hem, bijgestaan en aangemoedigd door zijn moeder, op andere gedachten zou kunnen brengen. Heel even had Portia medelijden met deze vrouw. Het moest verschrikkelijk zijn als je huwelijk op het laatste nippertje niet doorging, maar als je dan ook nog iemand als Andrew verloor, was dat natuurlijk een regelrechte ramp.

'Andrew?' begon ze aarzelend toen ze de buitenwijken van Bally-roan bereikten.

Hij keek even opzij. 'Ja, milady? Ik vroeg me al af of je ooit nog van plan was tegen me te praten.'

'Natuurlijk praat ik nog tegen je,' zei ze glimlachend. 'Waarom niet?'

'Omdat het nogal een onaangename verrassing voor je was wat ik je op het strand vertelde.'

'Tja, ik was even overdonderd, maar—'

'Neem me niet kwalijk dat ik je in de rede val, maar ik moet hier naar links, toch?'

'Ja, en dan rechtdoor,' antwoordde ze toen de grote stenen pilaren van de toegangspoort van de Hall in zicht kwamen.

De gammele poort was vier meter hoog en moest hoognodig geschilderd worden. De drie kilometer lange oprijlaan was natuurlijk niet verlicht en daardoor een soort stormbaan voor de onfortuinlijke, late bezoeker. Terwijl Andrew handig de gaten in de onverharde weg omzeilde, greep Portia haar kans.

'Eh, ik ben hier niet goed in, maar ik wilde alleen even zeggen dat ik... eh... een ontzettend leuke avond heb gehad en dat je uiteraard altijd bij me terecht kunt als je over—'

'Je hebt het vanavond naar je zin gehad?' onderbrak hij haar.

'Je klinkt verbaasd.'

'Natuurlijk ben ik verbaasd. Ik dacht dat ik het helemaal had verpest met mijn gezeur over Edwina.'

'Nee hoor,' antwoordde ze, blij dat het pikdonker was en hij niet kon zien dat ze een hoofd als een biet kreeg. 'Het is toch je goed recht om over haar te praten. Ik bedoel, je zou binnenkort met haar trouwen. En dat probeer ik je duidelijk te maken. Ik weet dat je maar kort in Ballyroan blijft, Andrew, maar we zijn buren en... eh... je weet waar je me kunt vinden als je behoefte hebt aan een luisterend oor.'

Hij deed er het zwijgen toe en glimlachte in zichzelf. Toen ze langs de tennisbanen reden, zei hij ten slotte: 'Ik zat net te denken dat jij zo volkomen anders bent dan Edwina. Je bent eigenlijk totaal anders dan alle andere mensen die ik ooit ontmoet heb.'

Portia was niet gewend complimentjes te krijgen en wist niet goed hoe ze moest reageren. 'Omdat ik word geweigerd in sjieke restaurants?'

'Omdat je mooi, leuk, sexy en hartelijk bent en je daar absoluut niet van bewust bent. Volgens mij ben jij de minst pretentieuze persoon die ik ooit ontmoet heb, en dat wil wat zeggen, aangezien jij van adel bent.'

Voordat ze kon antwoorden, stonden ze voor de Hall. O god, dacht Portia, wat doen normale vrouwen in zo'n situatie? Moet ik hem uitnodigen voor een kop koffie? Moet ik hem kuis op de wang kussen en uit de auto springen? Er zouden cursussen moeten worden gegeven om alleenstaande vrouwen te leren hoe ze dit mijnenveld van sociale omgangsvormen moeten omzeilen, dacht ze.

Ze werd gered door een luide knal die uit de Hall kwam. In een oogwenk waren zij en Andrew uit de auto gesprongen en renden naar de voordeur. Portia duwde de deur open en deed het licht aan. Een grote gipsen harp was in de ontvangsthal op de grond gevallen en had enkele marmeren tegels aan diggelen geslagen.

'Goddank, niemand is gewond geraakt,' zei Portia. Plotseling hoorden ze een snerpende kreet boven aan de trap.

'Verlaat dit huis, kwade geest, ik veroordeel je tot de eeuwig brandende hel!' gilde Lucasta die in een lange, wapperende witte nachtjapon de trap afrende. 'O hallo, lieverd. Heb je een leuke avond gehad? En dit is natuurlijk Andrew, over wie ik zo veel heb gehoord.' Ze zweeg, alsof ze ineens midden in een tuinfeest was terechtgekomen. Omdat ze zich altijd afsloot voor alles wat onaangenaam was, herinnerde ze zich absoluut niet meer dat ze Andrew de vorige avond had gezien toen hij Daisy naar de auto sleepte.

'Mam, wat is er aan de hand?' vroeg Portia die het antwoord eigenlijk liever niet wilde weten.

'Het is oudtante Cassandra weer. Dat stomme wijf zwerft al de hele nacht door de Hall en kijk eens wat ze heeft gedaan,' antwoordde Lucasta die naar de kapotte harp op de marmeren vloer wees.

'Je oudtante leeft nog?' vroeg Andrew aan Portia. De aanblik van Lady Davenport in haar nachtjapon en het lange grijze haar bracht hem absoluut niet van zijn stuk, ook al leek ze op de waanzinnige vrouw van de zolder in een bijzonder slechte, amateuristische opvoering van *Jane Eyre*.

'Ze is in 1966 gestorven,' antwoordde Lucasta, 'maar ze was tijdens haar leven een kreng en dat is ze nu nog.'

'Sigaret?' vroeg Andrew die nonchalant een pakje uit zijn zak viste.

'O, je bent een engel,' zei Lucasta die gulzig een sigaret nam.

'En haar geest zwerft 's nachts door de gangen?' vroeg hij kalm alsof ze het over de weersvoorspelling hadden en gaf haar een vuurtje met zijn elegante aansteker.

'Vervelend mens, nietwaar?' zei Lucasta. 'Weet je, niemand vindt het erg dat ze overdag rondzwerft. Er wonen hier heel veel geesten en ik doe mijn best hen het gevoel te geven dat ze welkom zijn. Ik maak hen niet boos en doe niet aan geestenbezweringen, maar oudtante Cassandra is werkelijk onuitstaanbaar. Ze is zo verdomd agressief.'

'Mama, denkt u niet dat het verstandiger is om weer naar bed te gaan?' vroeg Portia.

'Heeft ze zoiets wel eens eerder gedaan?' vroeg Andrew oprecht geïnteresseerd.

'De hele tijd, lieverd. Ze smijt voortdurend met dingen en richt heel veel schade aan. En iemand moet dat weer opruimen, toch?' (Dat zei ze zonder ook maar een poging te ondernemen Portia te helpen, die intussen op haar knieën zat om de brokstukken op te rapen.)

'Het zijn de katten, moet je weten,' vervolgde Lucasta. 'Ze had altijd een vreselijke hekel aan mijn katten en zwoer op haar sterfbed dat ze wraak op hen zou nemen, dood of levend.'

'Waar is ze aan gestorven?' vroeg Andrew die beleefd bukte om Portia te helpen.

'Toxoplasmose. Haar verdiende loon,' antwoordde Lucasta. Ze zwiepte het lange grijze haar over haar schouders en liep weer naar boven.

Ze was nog niet uit het zicht, of Andrew en Portia kregen de slappe lach.

'Ik ben dol op je familie,' was het enige dat Andrew tussen twee lachsalvo's kon uitbrengen. 'De filmploeg zou geen nieuwe bewerking van *A Southern Belle's Saga* moeten maken, maar een documentaire over je familie en dit huis. Dat is toch honderdduizend keer interessanter? Je moeder is een wandelende, komische tv-serie. Ik vind haar enig.'

Portia keek hem stralend aan. 'Ik kan bijna niet geloven dat ze je niet heeft weggejaagd. Mama kan heel veel van iemand vergen en dan heb ik het nog niet eens over Daisy.'

'Ik laat me niet zo gauw wegjagen,' zei hij zacht en legde zijn arm om haar middel. Het enige wat Portia zich daarna kon herinneren, was dat hij zich naar haar toeboog om haar te kussen, aanvankelijk langzaam en teder maar al snel inniger. Ze beantwoordde zijn kus en verbaasde zich over de intensiteit van haar gevoelens voor een man die ze nauwelijks kende.

'Dat heb ik nou al uren willen doen,' zei hij en omvatte haar gezichtje om haar weer te kussen.

Portia kon geen woord uitbrengen. Ze sloeg haar armen om zijn nek, beantwoordde zijn kus, streek met haar vingers door zijn haar en drukte zich zo dicht mogelijk tegen hem aan.

Als ze had geweten dat al haar handelingen op de foto werden vast-gelegd, zou ze waarschijnlijk zijn flauwgevallen.

Hoofdstuk twaalf

Zondaars kregen geen rust, althans niet op Davenport Hall. Even na zeven uur 's morgens stormde Daisy Portia's slaapkamer binnen en sprong uitgelaten op het bed op en neer, net als toen ze nog een kind was. 'Portia, wakker worden! Ik heb je zo veel te vertellen!' smeekte ze en trapte per ongeluk op haar been.

'Jezus, hoe laat is het?' vroeg Portia die slaperig haar ogen opendeed en rechtop ging zitten.

'Het is kwart over zeven, luiwammes,' zei Daisy. Ze trok ruw het beddengoed weg en ging naast haar zitten.

'Ben je helemaal betoeterd? Het is midden in de nacht!' zei Portia die nog half sliep.

'Niet waar. Guy moest om zes uur bij de make-up zijn. Vraag maar hoe ik dat weet!'

'Oké Daisy. Hoe weet je dat?' Portia wist dat ze geen minuut rust zou krijgen als ze het spelletje niet meespeelde.

'Omdat ik de nacht met hem heb doorgebracht! En, ben je verbaasd?'

Portia was ineens klaarwakker. 'Dat verzin je! Je zei dat je helemaal onder de paardenstront zat toen hij je voor het eerst zag en dat je hem nooit meer onder ogen durfde te komen.'

'Nou, dat geeft alleen maar aan hoe geweldig hij is en dat zijn eerste indruk van mij niet belangrijk was.' Daisy zuchtte dromerig. 'We hebben een ongelooflijke nacht gehad en ik ben stapelverliefd op hem. Ik wil met hem naar LA en zijn kinderen baren.'

'O Daisy, loop toch niet zo hard van stapel,' zei Portia vriendelijk. Haar zusje had altijd de neiging om zich halsoverkop in een relatie te storten. Voor je het wist, waren de uitnodigingen voor het huwelijk al verstuurd. 'Jullie hebben alleen de nacht samen doorgebracht, dus laten we het nog even niet hebben over verhuizen en baby's krijgen. Je weet bijna niets van hem, hij komt uit een totaal andere wereld.'

'Moet je jezelf nou toch eens horen, Nancy Drew. Waarom doe je toch altijd zo verdomd negatief over alles?' jammerde Daisy, die ineens niet meer vrolijk was. 'Waarom kun je niet gewoon blij voor me zijn?'

'Natuurlijk ben ik blij voor je. Ik zeg alleen dat je niet te hard van stapel moet lopen, dat is alles,' antwoordde Portia die wel gewend was dat Daisy tegen haar snauwde.

'Ik weet het, ik weet het,' zei Daisy iets minder geïrriteerd. Al deed ze nog zo haar best, het was onmogelijk om lang boos te blijven op haar zus. Ze kon beter gewoon van onderwerp veranderen en maken dat ze wegkwam.

'Hoe dan ook, het ontbijt staat klaar in de cateringwagen, dus kom je bed uit, luiwammes.' Ze verliet de kamer en sloeg de deur achter zich dicht.

Portia liet zich weer in de grote donzen kussens zakken en glimlachte wrang. Wat ironisch dat ze Daisy op de gevaren wees van halsoverkop verliefd worden, terwijl ze zelf min of meer hetzelfde had gedaan.

Ze dacht aan Andrew en hoe moeilijk ze het had gevonden om hem los te laten toen ze de vorige avond bij zijn auto afscheid namen, maar hij had zich als een echte heer gedragen en zich niet opgedrongen. Hij had haar bedankt voor de heerlijke avond en beloofd dat hij haar zou bellen. In haar hart wist Portia dat hij die belofte zou nakomen, maar hoewel hij haar bewust had gemaakt van haar romantische gevoelens die al jaren sluimerden, zei de praktische, resolute Portia dat ze zich niet, zoals Daisy, door het moment mocht laten meeslepen. Als hij aardig was, dan belde hij, punt uit. Een golf adrenaline schoot door haar lichaam, alleen al bij de gedachte aan hem. Ze had heel veel over hem gedroomd en nauwelijks een oog dichtgedaan. In de hoop nog even te kunnen slapen, trok ze de dekens over zich heen. Ze strekte haar lange witte armen uit en gaapte. Haar laatste gedachte was aan Daisy... Haar zusje moest echt helemaal hoteldebotel zijn van Guy Van der Post, want ze had niet eens gevraagd hoe Portia's avond was geweest.

***

'Welk recht heb jij, Brent Charleston, om me helemaal naar het groene Erin te volgen en eisen te stellen? Waarom denk je dat ik O'Mara ooit zal willen verlaten en naar Atlanta zal terugkeren, zo lang als ik leef?'

Jeetje, ik ben vandaag in vorm, dacht Montana, terwijl ze door het raam van het rijtuig keek, een traantje plengde en haar mooie gezicht zo hield dat ze op haar voordeligst werd belicht.

'Jij bent de koppigste vrouw die ooit heeft geleefd, Magnolia. Je doet wat ik zeg en gaat met me mee naar huis. Anders ben ik niet langer verantwoordelijk voor jou!'

Godallemachtig, wat was Montana ontzettend bot vandaag, dacht Guy, die zijn tekst bijna in haar gezicht spuugde. Hij vroeg zich af of ze überhaupt wel op haar zuidelijke accent had geoefend. Ze klonk als een typisch Californisch meisje dat auditie deed voor een rol in een soap. Als hij bedacht hoe uiterst nauwgezet en met aandacht voor elk miniem detail hij zijn personage gestalte gaf, hoe hij Brent Charleston wás... Jezus, hij was zelfs bereid om net zo lang op een paard te zitten tot hij blaren op zijn billen had. Montana leek haar rol echter heel anders te benaderen... zij zorgde dat ze op tijd op de set was, maar daar was dan ook alles mee gezegd. Met hoeveel studiobazen zou ze hebben geslapen om deze rol te krijgen, dacht Guy verbitterd.

'Stop de band!' schreeuwde Jimmy D vanuit zijn regisseursstoel waar hij de scène aandachtig op een piepkleine, flikkerende monitor had gevolgd. 'We pauzeren even,' gromde hij tegen de crew en beende met grote passen naar het rijtuig waar de opname plaatsvond. Hij negeerde de gigantische paraplu die zijn assistent voor hem gereed hield, want inmiddels kwam de regen met bakken uit de hemel vallen.

'We nemen even pauze,' herhaalde Johnny in zijn walkietalkie voor de mensen van de make-up en de garderobe, die buiten gehoorsafstand waren. Ze filmden de rijtuigscène bij Loch Moluag aan de rand van het Davenport landgoed, maar omdat de zandweg waar het rijtuig stond heel smal was en geheel omzoomd met grote eiken, was er alleen ruimte voor de cameraman en zijn assistent, terwijl de rest van de crew in grote groene regenjassen geduldig bij het meer wachtte en alles via de monitors volgde.

Montana en Guy zaten ongemakkelijk naast elkaar en negeerden elkaar opzettelijk toen Jimmy D over de modderige weg kwam aangelopen en hen door het open raam van het rijtuig aansprak.

'Voor het geval jullie niet op de gedachte zijn gekomen om het script te lezen,' zei hij op zachte en dreigende toon, 'Brent en Magnolia worden verondersteld VERLIEFD op elkaar te zijn!' Een grote paarse ader klopte zichtbaar op zijn linkerslaap. 'Ik wil chemie zien, ik wil vonken zien, ik wil twee mensen zien die niet van elkaar kunnen afblijven, niet een stel kibbelende idioten dat in een derderangstheater in Santa Barbara optreedt.'

'Het is verschrikkelijk moeilijk voor mij, Jimmy D,' zei Guy die absoluut niet van slag was door de opmerking over derderangstheaters. 'Ik kan net zo goed tegen een muur praten. Ik geef en geef en geef en krijg helemaal geen enkele respons. Hoe moet ik deze scène in vredesnaam spelen als zij niet eens oogcontact wil maken?'

'Jij geeft en geeft en geeft?' snauwde Montana. 'Het enige wat jij ooit gratis weggeeft, is syfilis.' Ze rukte het microfoontje af dat Paddy op de kraag van haar rijkostuum had bevestigd. 'Zullen we ruilen, Jimmy D, dan ondervind je aan den lijve hoe het is. Het is al erg genoeg dat Guy zo veel knoflook heeft gegeten dat hij een hele kolonie vampiers kan uitroeien, maar dat hij ook nog naar whisky stinkt, is toch echt het toppunt. Maar ja,' – ze keek Guy weer aan – 'je had het gisteravond natuurlijk zo druk met Daisy dat je vanochtend geen tijd had om je tanden te poetsen.'

'Godallemachtig, is dat waar?' Paddy zette zijn koptelefoon af, draaide zich om en keek Daisy ongelovig aan. Daisy zat ongemakkelijk op een canvas stoel naast hem en deed net alsof ze zich in het script verdiepte en hem niet hoorde. 'Ben je met die imbeciel de koffer ingedoken?'

Hoewel ze een grote parka droeg en haar gezichtje bijna helemaal door de capuchon werd bedekt, voelde ze dat ze tot aan haar haarwortels bloosde.

'Zeg maar niets,' zei Paddy wrevelig. 'Maar ik zou graag willen weten wat die klootzak heeft en ik niet. Ik bedoel, afgezien van zijn huis in de heuvels van Hollywood en zijn geld en zijn verzameling oldtimers en zijn wijngaard in de Napa Valley en zijn appartementen in New York en, als de *National Intruder* gelijk heeft, zijn penisverlenging, wat zie je in godsnaam in hem?'

'O Paddy,' begon Daisy die zag dat hij echt gekwetst was, 'ik kan het niet uitleggen, het is gewoon...'

'Ach, bespaar me dat vrouwengedoe,' zei hij en zette bedroefd zijn koptelefoon weer op. 'Ik wil alleen nog even zeggen dat je wel wat beters had kunnen krijgen.'

***

'Verbind hem maar door,' zei Steve tegen zijn secretaresse en vroeg zich af waarom Paul O'Driscoll hem in vredesnaam belde.

'Steve, hoe gaat het ermee?' klonk de nerveuze stem van O'Driscoll.

'Ik sta net op het punt om weg te gaan,' antwoordde Steve. 'Ik moet naar een afspraak en ben al aan de late kant.' Hij ging naar Davenport Hall om Lucasta het rapport te overhandigen waar zijn assistent uren aan had gewerkt. Steve wist echter van tevoren dat het tien pagina's tellende rapport in de kattenbak zou eindigen.

'In dat geval zal ik je niet langer ophouden. Ik wilde je alleen vragen of je vanavond tijd hebt om de bijzondere vergadering van de gemeenteraad van Kildare bij te wonen. De afdeling stadsplanning heeft een voorstel ontvangen dat vanavond wordt besproken.'

Steve, die mappen en folders bijeenzocht, verstijfde plotseling. De gemeenteraad hield nooit bijzondere vergaderingen, om geen enkele reden.

'De afdeling stadsplanning? Paul, wat is er gaande?'

'Dat leg ik je vanavond wel uit. Ik zie je om acht uur in het Dunville Arms Hotel in Kildare.'

***

Tony wierp een laatste blik op de foto die hij op het punt stond naar de *National Intruder* te mailen. Geweldig materiaal. Guy Van der Post die een beeldschone blondine op de trap van dat vervallen statige huis uitkleedt, terwijl Montana Jones met een gezicht als een oorwurm in haar eentje in de eetzaal zit. Deze foto was een fortuin waard! Plotseling flitsten de hoofdlijnen van het verhaal door zijn scherpe, snelle journalistenbrein. Guy die een affaire had met een mooi Iers meisje, pal onder de neus van zijn geliefde... (Montana en Guy waren nooit een stel geweest, maar wat was nu belangrijker: de waarheid of een goed verhaal?)

En dan was er nog dat andere stel, de lange blonde man en die sexy uitziende vrouw die elkaar in de vroege ochtenduurtjes op de trap kusten. Jammer dat geen van tweeën beroemd was, maar Tony had zulke geweldige plaatjes van hen geschoten dat het gewoon doodzonde was om niets met die foto's te doen.

Een ander verhaal vormde zich in zijn hoofd... de lord van het landgoed en zijn huishoudster, in een vurige omhelzing. De man leek een beetje op de broer van prinses Diana, trots en arrogant, en zij op een arm meisje uit de arbeidersklasse dat zich in dit statige landhuis in het zweet werkte om de herniaoperatie van haar moeder te kunnen bekostigen. Wat een prachtige liefdesgeschiedenis tegenover het verhaal van Guy en Montana!

HIJ WAS EEN VAN DE MACHTIGSTE GRAVEN VAN IERLAND EN ZIJ EEN EENVOUDIGE KEUKENMEID. ZE WAREN ONBEREIKBAAR VOOR ELKAAR TOT HUN BLIKKEN ELKAAR OP EEN NOODLOTTIGE DAG BOVEN DE KOLENBAK KRUISTEN. KAN HUN LIEFDE DE MAATSCHAPPELIJKE KLOOF OVERBRUGGEN?

De lezers van de *National Intruder* zouden het verhaal verslinden. Bovendien was het komkommertijd wat betreft de geruchten over beroemdheden. In maanden was er geen scheiding of knokpartij geweest, onderwerpen die trouwens nooit voor goede oplagecijfers zorgden. Hij had zelfs een kop bedacht:

SEX EN INTRIGES IN DAVENPORT HALL! ER HANGT IETS IN DE IERSE LUCHT... IEDEREEN DOET HET!

En wie zou nu moeten weten dat het niet waar was? Hij had toch foto's om het te bewijzen?

***

'Wat zie je er geweldig uit, Susan, en wat fijn om je weer te zien,' jubelde Edwina en kuste haar uitverkoren schoonmoeder heel voorzichtig op beide wangen om geen lippenstift achter te laten. 'En gefeliciteerd met je nieuwe huis... zo te horen moet het werkelijk fantastisch zijn!'

'Wat lief van je om dat te zeggen. Je moet zo snel mogelijk een keertje langskomen,' antwoordde mevrouw De Courcey en nam het cadeau voor het nieuwe huis in ontvangst. Ze legde het ongeopend weg, want het getuigde van slechte etiquette om het open te maken in aanwezigheid van de schenker. Dat was een walgelijke gewoonte van de arbeidersklasse.

'Luister Edwina, dat Michael en ik boerenkinkels zijn geworden, betekent nog niet dat je niet meer op bezoek kunt komen. Integendeel, we verwachten je heel vaak te zien. We hopen alleen dat ons nieuwe huis niet te eenvoudig is voor een vrouw van de wereld als jij.'

Edwina protesteerde uit beleefdheid en kirde dat ze heel snel langs zou komen. 'Weet je, Susan, ik vond het heel erg dat ik niet op je housewarmingparty kon komen, maar ik had Peter O'Brien nu eenmaal beloofd in zijn modeshow te lopen en ik wilde hem niet in de steek laten.'

Mevrouw De Courcey glimlachte welwillend. Wat een geweldige schoondochter zou Edwina toch zijn! En wat zouden Andrew en zij haar mooie kleinkinderen schenken. Ze nam naast Edwina op de roomkleurige kasjmier sofa in de sjieke foyer van het Dublin's Clarence Hotel plaats.

'Andrew was uiteraard erg teleurgesteld dat je er niet was.' Edwina aarzelde even, alsof ze overwoog om Susan in vertrouwen te nemen. 'Ik ben hem gisteren tegengekomen,' zei ze zo gewoon mogelijk. 'In Hôtel du Paris nog wel! Hij was in gezelschap van een heel vreemd gekleed meisje... ik geloof dat ze Portia heet...' Opzettelijk maakte ze de zin niet af. Meer hoefde ze niet te zeggen.

Het met botox opgevulde en perfect opgemaakte gezicht van mevrouw De Courcey verstrakte. 'Ja, ik weet wie je bedoelt.

Portia Davenport. Een van onze buren. Ze komt uit een door inteelt voortgebrachte familie. Het kan niet anders of alle neven en nichten zijn in de afgelopen twee eeuwen met elkaar getrouwd. Ik praat er eigenlijk liever niet over. Het was ronduit shockerend zoals zij en haar moeder en zusje zich op het feest hebben gedragen. En ik moet zeggen dat zij zich min of meer aan Andrew's voeten wierp. Je weet hoe wanhopig en volhardend ongetrouwde vrouwen van in de dertig kunnen zijn. Ik weet bijna zeker dat ze net zo lang aan zijn hoofd heeft gezeurd om haar mee uit nemen tot die arme Andrew zich gewonnen heeft gegeven. Je weet hoe goedhartig hij is.'

Edwina glimlachte ontspannen. 'Ach Susan, je weet dat ik de laatste ben die andere vrouwen afkraakt, maar ze had net zo goed een enorme w op haar voorhoofd kunnen laten tatoeëren, de wanhoop straalde van haar af. En als je had gezien hoe ze gekleed was! Voor hetzelfde geld had ze kaplaarzen aangehad. Die plattelandstypes zijn werkelijk een slag apart. Ik dacht dat Andrew een weddenschap had afgesloten of hij met een zwerfster Hôtel du Paris zou inkomen.'

'Ja, ze voelen zich te sjiek om zich te wassen.' Mevrouw De Courcey lachte onbarmhartig en probeerde de aandacht van een ober te trekken. 'Je moet die arme Portia Davenport echt uit je hoofd zetten, lieverd. Het is zeer onwaarschijnlijk dat Andrew haar ooit nog zal zien.'

***

Portia kon haar ogen niet geloven toen ze wakker werd en de staande klok in de hal twaalf keer hoorde slaan. Ze sliep nooit uit. Nooit! Ze trok snel een trainingspak aan en liep naar beneden om koffie te drinken, toen ze stemmen hoorde in de oude dienstkeuken.

'Hoe moet ik in godsnaam de lunch voorbereiden als u tweehonderd van die rotflessen met water op tafel hebt gezet!'

O god, dacht Portia. Mevrouw Flanagan had weer een van haar buien. Ook dat nog.

'Ik probeer een zaak op te bouwen en een beetje steun en aanmoediging zouden geen kwaad kunnen!' schreeuwde Lucasta terug. 'Ik kijk naar kostuumfilms hoor, en ik weet hoe de adel door het personeel bejegend dient te worden. Huishoudsters worden geacht zinnen te gebruiken als "Heeft u gebeld, milady?" en niet "Wat mot je nou weer!'"

Portia zuchtte diep en vroeg zich af welke hel ze nu weer zou betreden. Ze deed de deur open en zag Lucasta tussen overvolle asbakken zitten, omringd door tientallen dozen met lege gin- en wijnflessen, die ze geduldig in heet water weekte om de etiketten te verwijderen.

'Goedemorgen, lieverd,' zei haar moeder. 'Je komt als geroepen.'

'Mam, wat bent u in hemelsnaam aan het doen?' vroeg Portia die het antwoord eigenlijk liever niet wilde weten.

'Bill Gates hier heeft besloten dat het zonde van de moeite is water uit de put te halen,' snoof mevrouw Flanagan minachtend. 'Nee, want dat zou een normaal mens doen.'

'Nou, ik had heus wel naar de put willen gaan, maar... het regent,' zei Lucasta als een nukkig kind van zes. 'En sla niet dat sarcastische toontje tegen me aan, mevrouw Flanagan. Ik overweeg serieus om u te dwingen naar elke Merchant Ivory-film te kijken die ooit is gemaakt, dan kunt u leren hoe u uw werkgevers moet aanspreken. U kunt de video's als oefenmateriaal gebruiken.'

'Denk maar niet dat ik voor het salaris dat u me betaalt uw kont ga likken. Ik verdien godverdomme meer bij McDonald's.'

'Ja, maar je moet wel kunnen koken om bij McDonald's te worden aangenomen!'

'Mam, houd op,' smeekte Portia die wel gewend was om tussenbeide te komen. 'Wilt u me alstublieft vertellen wat er gaande is?'

'Dit,' zei Lucasta en zwaaide theatraal met een lege wijnfles onder Portia's neus, 'is jouw toekomst. Eau de Davenport. Natuurlijk bronwater. Praktisch honderd procent zuiver. Ja, ik kan fantasieloos te werk gaan en een berg geld uitgeven door het water uit de put te laten oppompen. Maar waarom zou ik al die moeite doen? Het is veel eenvoudiger om ouderwets kraanwater te gebruiken. Uiteindelijk is het toch allemaal hetzelfde. Bovendien misleid ik de klanten niet, want op het etiket zal duidelijk "Eau de Davenport" staan en dat is precies wat ze krijgen. Weet je, ik voel me net als Michael O'Leary. Ik heb ook de vooruitziende blik van een ondernemer. Eau de Davenport zou wel eens het Ryanair van het bronwater kunnen worden.'

'Waar komen al die lege flessen in vredesnaam vandaan?' vroeg Portia terwijl ze ruimte probeerde te maken voor mevrouw Flanagan.

'Och, het zou je verbazen hoeveel drank er in dit huis doorheen gaat.' Lucasta keek een beetje schaapachtig. 'Ik zei net nog tegen Andrew dat ik eenvoudig niet kan geloven hoeveel flessen er bij de vuilnisbak liggen—'

'Andrew?' onderbrak Portia haar. 'Is hij hier?'

'Ja lieverd, hij is hier al de hele ochtend en hij heeft me geweldig geholpen. Hij is nu lege flessen halen.'

'Leuke vent,' zei mevrouw Flanagan goedkeurend en dweilde het water op dat Lucasta overal op de stenen vloer had gemorst. 'Guy Van der Post is natuurlijk veel knapper, maar ik denk dat hij nogal veel onderhoud vergt. Nee, dan kun je beter voor een vent gaan die normaler is. En God weet dat normale mensen een zeldzaamheid zijn in dit huis.'

Voordat Portia de tijd kreeg om haar gedachten te ordenen, ging de achterdeur open en daar stond hij, beladen met lege flessen. Volkomen doorweekt en toch verschrikkelijk sexy.

'Goedemorgen!' Hij grinnikte naar haar en zette de flessen op de lange eiken keukentafel. 'Mag ik me even voorstellen?' vroeg hij met twinkelende ogen. 'Ik ben de nieuwe compagnon van je moeder.'

Hoofdstuk dertien

'Oké, mensen, dat was het voor vandaag,' zei Johnny vermoeid in zijn walkietalkie. De crew pakte de apparatuur in en liep naar de heuvels. Iedereen was tot op het bot doorweekt.

'Jezus christus, ik heb aardig wat afschuwelijke opnamen meegemaakt, maar dit slaat alles,' kreunde Jimmy D terwijl Johnny en hij over de twee kilometer lange, onverharde weg (die intussen meer op een modderlawine leek) van Loch Moluag naar de Hall strompelden.

'Ach, kop op,' zei Johnny die een sigaret opstak. 'Denk aan de verrukkelijke cordon bleu die die geschifte huishoudster voor ons heeft klaargemaakt.'

'We hebben nu een week buiten gefilmd en ik heb misschien twee minuten bruikbare film,' vervolgde Jimmy D, die de spottende opmerking over de culinaire kunsten van mevrouw Flanagan negeerde. 'Wat zal Harvey Brocklehorst Goldberg zeggen? Als het zo doorgaat, kan hij de opnamen stilleggen. Dat zal verdomme niet de eerste keer zijn.'

Johnny gaf geen antwoord, maar sleepte zwijgend zijn vermoeide lijf door de stromende regen. Het was inderdaad al eens eerder gebeurd. Enkele jaren geleden was hij regisseursassistent bij een megaproductie met een gigantisch groot budget over de landing in Normandië (de opnamen vonden plaats op het Dollymount strand in Dublin). De film heette *D Is For Deliverance* en zou in Amerika een groot kassucces moeten worden. Drie weken nadat de opnamen waren gestart, trokken de producenten zich terug. De film ging niet door, met als gevolg dat niemand, de acteurs noch de crewleden, een cent kreeg. De crew gaf de film over de bevrijding dan ook prompt de bijnaam *Deel II: B staat voor Bijstand*.

Het was inderdaad al eens eerder gebeurd.

***

'O Guy, je was vandaag geweldig,' fluisterde Daisy ademloos en sloeg haar armen om zijn hals. 'Ik heb de scène op de monitor gevolgd en je was werkelijk onweerstaanbaar!'

'Meen je dat?' vroeg hij en schonk zijn whiskyglas nog eens vol. 'Ach, weet je, het script is goed en de regisseur is goed, maar ik ben duidelijk beter.' Op de een of andere manier slaagde Guy er altijd in om te klinken alsof hij in de Johnny Carson Show werd geïnterviewd.

'Toen je Magnolia's hand vastpakte en haar vertelde dat je zo veel van haar hield dat je haar een klap in het gezicht kon geven... O Guy, de tranen stonden in mijn ogen. Het was allemaal zo echt!'

Dat klonk hem natuurlijk als muziek in de oren. 'Liefje, omdat je zo enthousiast bent, mag je naar me kijken als ik onder de douche sta,' zei hij met het lijzige accent. Hij zat op de bank in zijn Winnebago en probeerde zijn Victoriaanse rijlaarzen uit te trekken en tegelijkertijd zijn whisky op te drinken. Hij had een handdoek om zijn nek gehangen en leek net een bokser na een wedstrijd.

'Mmm, wat een heerlijke manier om een sombere dag af te sluiten, lieveling,' antwoordde Daisy. Ze trok haar natte regenjas uit, liep heupwiegend naar de badkamer en trok onderweg haar spijkerbroek en dikke wollen truien uit. Een noodzaak in Ierland, ook al was het juni, tenzij je graag tbc kreeg. Ze bleef in de deuropening van de badkamer staan, woelde met haar vingers door haar blonde krullen en leek net een jonge Brigitte Bardot. Verleidelijk keek ze hem aan en zei: 'En als je echt heel erg braaf bent, kom ik misschien bij je onder de douche staan.'

***

'Caroline, ik heb een dringende boodschap voor Daisy,' zei Montana op bevelende toon terwijl Serge geduldig het enorme haarstuk losmaakte dat min of meer op haar hoofd was vastgeniet.

'Bedoelt u nu, juffrouw Jones?' vroeg Caroline die delen van het doorweekte kostuum opraapte die Montana overal had laten vallen.

'Ja, nu,' siste Montana geïrriteerd.

'Nou, succes,' zei Serge vrolijk met de haarpennen tussen zijn tanden geklemd. 'Ik zag haar net de trailer van Guy binnengaan. Wat is dat stel hitsig! Ik heb een Winnebago nog nooit zo op en neer zien gaan. Ik was zelfs even bang dat ze een modderlawine zouden veroorzaken!'

'Wat meneer Van der Post buiten zijn werk om doet, gaat ons niet aan,' snauwde Caroline.

'Ach, maak je toch niet zo druk, moeder Theresa,' zuchtte Serge die Montana's make-up verwijderde met iets dat op een troffel leek. 'Weet je dan niet dat roddel en achterklap voer is voor elke filmcrew?'

'Wat is de boodschap, juffrouw Jones?' vroeg Caroline die Serge negeerde.

'Geef haar dit maar,' antwoordde Montana en overhandigde haar een opgevouwen papiertje waar ze iets op had gekrabbeld. 'En zeg dat ik haar later zie.'

Caroline liep over een glibberig grasveld in de stromende regen naar de trailer van Guy en kon de verleiding niet weerstaan. Bovendien betaalde Romance Pictures haar veel te goed om haar plicht te verzaken. Of Montana het leuk vond of niet, zij was verantwoordelijk voor haar en ze werd betaald om Montana tijdens de opnamen op het rechte pad te houden. Ze vouwde het briefje open en zorgde dat het niet natregende.

DAISY, DE BRON IS OPGEDROOGD. URGENT.
EN ALS JIJ DIT LEEST, CAROLINE, DAN BEN JE EEN
NOG GROTERE TRUT DAN IK DACHT.

Caroline trok zich niets van die laatste opmerking aan en wilde het briefje weer wegstoppen toen ze ineens een stem achter zich hoorde.

'Waarom vallen de leukste vrouwen altijd op zakkenwassers?' Het was Paddy die in de stromende regen met meters geluidskabels zeulde. Hij keek bedroefd in de richting van Guy's trailer. 'En ik was nog wel van plan Daisy vanavond uit te nodigen om naar McDonald's te gaan.'

Caroline keek hem aan alsof hij het schuim der aarde was. 'Is dat zo, Paddy? McDonald's. Welke vrouw wil dat nu niet?'

'Mocht je daar naar binnen gaan, zeg dan tegen haar dat ze mij had kunnen krijgen.'

***

'De motie is met tweeëntwintig stemmen tegen één aangenomen!' Met een zwierig gebaar sloeg Paul O'Driscoll met zijn hamer op tafel, ten teken dat de bijzondere vergadering was afgelopen.

'Jezus, het had niet beter kunnen gaan,' verklaarde Shamie Nolan trots tegen iedereen die het wilde horen. Toen wendde hij zich tot zijn vrouw Bridie die zichzelf vanavond qua kledingstijl had overtroffen: ze droeg een felroze, slecht nagemaakt Chanel-pakje, compleet met corsage. Sarah Jessica Parker zou er misschien nog mee wegkomen, maar Bridie zag eruit alsof ze op klanten wachtte. 'Luister liefje, ik ga de jongens op een paar rondjes trakteren als dank dat ze zo snel zijn gekomen. Zou jij zo lief willen zijn om een paar woordjes met Steve Sullivan te wisselen?'

'Met het allergrootste genoegen,' antwoordde ze sarcastisch. 'Laat die lul maar aan mij over, Shamie.'

Ze controleerde of de zelfbruinende crème niet in straaltjes langs haar benen liep (het regende nog steeds heel hard) en koerste kordaat op de arme Steve af, die alleen in een hoekje van de vergaderzaal stond. Hij speelde met een ballpoint en keek naar buiten.

'Nou, ik hoop dat je trots bent op jezelf,' begon ze. 'Je realiseert je toch wel dat je niets hebt bereikt en je alleen de woede van het plaatselijke parlementslid op de hals hebt gehaald. En dat terwijl Shamie je de afgelopen jaren nota bene heel veel opdrachten op juridisch gebied heeft bezorgd.'

Steve zuchtte bedroefd. Hij wist dat de strijd verloren was. 'Bridie, je begrijpt het niet. De Davenports zijn oude vrienden van mij. De Hall en het land is alles wat ze hebben. Dat landgoed wordt al ruim twee eeuwen door de Davenports bewoond. Het is hun erfenis en ons nationale erfgoed.'

'Nationaal erfgoed, m'n reet. Als ze de Hall beter hadden onderhouden, zou dit nooit zijn gebeurd. Shamie Junior, die nu elf is, was daar met een schoolreisje en is gewoon door de vloer gezakt! Het arme kind moest naar de eerste hulp in Kildare en heeft twee weken lang elke dag penicilline-injecties gekregen.'

'Wat vervelend. Ik hoop dat hij er niets ernstigs aan over heeft gehouden.'

'Shamie Junior is een meisje. Hoe dan ook, de Hall had al jaren geleden moeten worden afgebroken.'

'Nee Bridie,' zei Steve die absoluut geen zin had in dit gesprek. 'Het gaat erom dat geen enkel lid van de familie Davenport toe zal staan dat de gemeenteraad de Hall onbewoonbaar verklaart, hen onteigent, de Hall laat afbreken en het landgoed volbouwt met goedkope woningen. Ze zullen zich met hand en tand verzetten, als het moet tot de dood.'

'Je vergeet even dat Lucasta en haar dochter niet de wettige eigenaren zijn, Steve. Lord Blackjack is de wettige eigenaar van Davenport Hall en ik heb gehoord dat hij het reuze naar zijn zin heeft in Las Vegas. En om het erfgoed van zijn familie heeft hij zich nooit bekommerd, toch? Iedereen weet dat Blackjack zijn organen zou verkopen om aan geld te komen. Ik denk dat hij een gat in de lucht springt. Nog meer geld om met zijn jonge vriendinnetje uit te geven.'

***

Het leed geen twijfel. Andrew was verliefd. Hij was helemaal in de ban van Davenport Hall, en zei gekscherend tegen Portia dat hij nooit meer weg zou gaan. Op zijn aandringen had Portia hem de hele avond geduldig door de Hall rondgeleid en hem de eetzalen, diverse zitkamers, de muziekkamer, de biljartkamer, de ijskoude balzaal, de Long Gallery en de grote slaapkamers laten zien. Andrew had onvermoeibaar vragen gesteld over de geschiedenis van de Hall en over de weinige kunstvoorwerpen die wonder boven wonder niet waren verpatst.

'Waarom is de balzaal anders dan de rest van de Hall?' had hij gevraagd, want niets ontsnapte aan zijn waakzame blik.

'Goh, er is bijna niemand die dat opvalt,' antwoordde Portia onder de indruk. 'De balzaal is iets later gebouwd, in 1801 om precies te zijn. De derde Lord Davenport was namelijk dikke maatjes met de prins-regent, die destijds een verhouding had met Lady Coyningham van Slane Castle. Hij zocht haar regelmatig op en wipte dan altijd even bij de derde Lord Davenport binnen voor een stevige borrel en om zijn paarden te laten drinken. Lord Davenport ruïneerde zijn familie bijna door de balzaal te laten bouwen, in de veronderstelling dat zijn koninklijke gast onder de indruk zou zijn, maar de zaal was nog niet klaar of de prins dumpte zijn Ierse maîtresse en zette geen voet meer in Ierland. Lord Davenport stierf in bittere armoede. Naar verluidt waren zijn laatste woorden: "Steek die vervloekte balzaal in de fik en dank God dat ik in elk geval langer heb geleefd dan die dikke schoft van een Hannoveraan."'

Andrew wierp het hoofd in de nek en schaterde het uit. 'Ga verder, alsjeblieft,' drong hij aan. 'Ik wil nog meer anekdotes uit de familie-archieven horen. Tussen twee haakjes, waarom zit het damestoilet op slot?'

'Omdat de vuilnis pas donderdag wordt opgehaald,' antwoordde Portia schaapachtig. 'En als we de zakken buiten zetten, krijgen we ratten.'

Het was ongelooflijk dat Andrew zo in de Hall was geïnteresseerd. Portia had nog nooit iemand een rondleiding gegeven die zo veel be-langstelling toonde voor monumentale panden. Meestal schaamde ze zich dood als ze mensen van de ene krakkemikkige kamer naar de andere leidde en hun van walging vertrokken gezichten zag als dui-delijk werd in welke vervallen staat het huis verkeerde. Maar Andrew kon er niet genoeg van krijgen en de verhalen over de capriolen van haar kleurrijke voorouders leken hem echt te boeien.

Zoals het legendarische familieverhaal over de woeste vierde Lord Davenport die een verhouding had met Emily Brontë en volgens de geruchten de inspiratie was voor het personage Heathcliff, tot groot vermaak van hemzelf.

Of het verhaal over George, de tweede Lord Davenport, oprich-ter en actief lid van de United Irishmen. Zijn goede vriend, Robert Emmet, had hem eind achttiende eeuw gerekruteerd, waarschijnlijk alleen omdat hij puissant rijk was. Arme George Davenport stond plaatselijk bekend als de domste revolutionair die Ierland ooit had gekend, en dat was geen geringe prestatie. Volgens historici hadden zijn verdwaasde republikeinse denkbeelden tot gevolg dat de Britse heerschappij in het graafschap Kildare minstens twintig jaar langer duurde. Tijdens de opstand van 1798 werd hem een simpele taak toevertrouwd, maar Lord George kreeg het toch voor elkaar om er een potje van te maken. Emmet droeg hem op enkele vaten buskruit en honderden geweren uit Frankrijk op te slaan, tot de glorieuze dag aanbrak waarop de provincie Leinster in opstand zou komen. Maar de arme, stompzinnige George was zo achterlijk om de munitie in het koetshuis op te slaan en het vervolgens glad te vergeten. Volgens de legende betastte hij op een noodlottige avond een melkmeid achter het koetshuis en stak daarna een pijp op. Hij gooide de lont van zijn lantaarn achteloos weg, boven op een vaatje buskruit. Ooggetuigen beweerden dat de explosie tot in het graafschap Carlow te zien was. Lord George was op slag dood en Frederick Davenport, zijn zoon van negen, erfde de titel en het land. Frederick ging maar kort als lord door het leven. Hij overleed een jaar later onder verdachte omstandigheden, en zijn oom kreeg de Hall. De plaatselijke bewoners noemden hem Richard III, de nevenmoordenaar.

Van Frederick was alleen bekend dat hij zijn gouvernante haatte en haar onmiddellijk ontsloeg zodra hij de titel van lord kreeg en iedere school in de wijde omgeving liet sluiten. Hij was misschien niet de indrukwekkendste opvolger die de Davenports hadden voortgebracht, maar beslist verreweg de populairste lord onder de kinderen van Ballyroan.

Andrew schaterde het uit en spoorde Portia aan om nog meer familiegeheimen te onthullen. Hij mopperde niet eens toen ze ontdekten dat een van Lucasta's katten op een antieke ottomane een nest had geworpen. Ten slotte ploften ze uitgeput in de enorme Louis xv-fauteuils voor de open haard in de gele salon neer, want daar verspreidden de smeulende kooltjes in de haard tenminste nog enige warmte.

'Heb je de film *Pacific Heights* gezien?' vroeg Andrew. Hij stak een sigaret op, leunde achterover en bekeek de salon. Portia schudde haar hoofd. 'Die gaat over een huurder die weigert zijn huis te verlaten. Dat zou mij ook kunnen gebeuren.'

'Wil je iets drinken?' vroeg Portia. Ze stond op en liep naar het dressoir aan de andere kant van de kamer (inderdaad het enige meubelstuk in het hele vertrek dat niet was bedekt met spinrag en dode vliegen, een teken dat er veelvuldig gebruik van werd gemaakt).

'Een gin-tonic graag.'

Portia schonk de drankjes in en zei over haar schouder: 'Je hebt geen idee hoe leuk ik het vind om de Hall aan iemand te laten zien die niet meteen gillend wegrent. Als ik een rondleiding voorstel, begint de persoon in kwestie meestal hysterisch te lachen, gevolgd door een doodse stilte, wanneer duidelijk wordt dat ik het meen. Vervolgens doet men er steevast het zwijgen toe en zoekt naarstig naar een excuus om zo snel mogelijk weg te komen.'

Andrew schaterde het weer uit. Portia gaf hem zijn gin-tonic en ging naast hem op het beschimmelde Perzische kleed zitten. Hij legde zijn arm om haar schouder en speelde nonchalant met een lok haar.

'Portia, heb je enig idee hoe veel fantastische dingen je met dit huis zou kunnen doen?' vroeg hij en schoof dichter naar haar toe. 'Het kost een beetje, maar als er een nieuw dak komt en alles grondig wordt opgeknapt, zal dit een van de mooiste huizen in het land zijn.'

'Het kost een beetje? Andrew, we hebben het over miljoenen,' lachte ze. 'De laatste architect die dit huis heeft bezocht, was Charles Gandon, de man die het heeft gebouwd. En dat was in 1770.'

'Herinner je je L'Hôtel du Paris in Dublin nog?' Portia staarde recht voor zich uit en knikte. Dat was de avond dat ze Edwina en haar geriatrische vriend had ontmoet. Die avond zou ze nooit meer vergeten. 'Dat hotel was een bouwval,' vervolgde Andrew, 'tot Dermot O'Brien het kocht en het volledig restaureerde. Nu is het een van de best lopende hotels in het land. Als je dit huis opknapt, kun je het voor het publiek openstellen en een fortuin verdienen. Of je kunt er een golfclub, een hotel of zelfs een kuuroord van maken.'

Portia nam een slok van haar gin-tonic en zuchtte. 'Het is altijd mijn droom geweest om de Hall helemaal te restaureren en er een country-style hotel van te maken. Ik weet zeker dat het een groot succes zou worden. Maar ik heb er de middelen niet voor. Het geld dat ik van Romance Pictures krijg, is nauwelijks toereikend om het dak gedeeltelijk te laten repareren. Bovendien heb ik een deel moeten gebruiken om de rekening van mijn moeder bij de drankwinkel te betalen. En ik moet wachten tot ze klaar zijn met de opnamen. Volgens Jimmy D is het niet erg Victoriaans als de Hall in de steigers staat.'

'Waarom neem je dan geen binnenhuisarchitect in de arm om je te helpen met het renoveren van de slaapkamers? Dan kun je toch je hotel beginnen?' vroeg hij verbaasd.

'Jij hebt duidelijk nog nooit in een pand uit de achttiende eeuw gewoond, meneer Park Avenue.' Ze glimlachte naar hem. 'Al zou Terence Conran het huis voor mij inrichten, geen gast vindt het leuk om natgeregend te worden. Nee, eerst moet het dak worden gerepareerd.'

'Maar kijk naar Lord Harry Fitzherbert, hij wordt rijk door Navan Castle aan rocksterren te verhuren.'

In gedachten zag Portia U2 of Bruce Springsteen met een magnetronmaaltijd van mevrouw Flanagan op schoot, terwijl de twintigduizend fans buiten van mobiele toiletten gebruik moesten maken. Ze giechelde. 'Ik denk dat alleen geharde Glastonbury-fans die echt van modder houden het in de Hall naar hun zin zullen hebben. Het is heel lief van je dat je wilt helpen, Andrew, maar ik heb het geld gewoon niet.'

Hij glimlachte weer en zijn twinkelende ogen bezorgden Portia vlinders in haar buik. 'Maar ik wel, milady.' Hij drukte zijn lippen in haar hals en kuste haar alsof hij alle tijd van de wereld had. Portia kroop tegen hem aan, streek met haar vingers door zijn haar en verlangde naar een echte kus.

'Dat was een fantastische rondleiding, milady.' Hij schoof zijn hand onder haar shirt en speelde met haar behabandje. 'Zou ik de slaapkamers nog een keertje mogen zien?'

***

Lucasta wachtte tot de kopieermachine in de Spar in Ballyroan klaar was en maakte een praatje met Lottie O'Loughlin, de eigenares van de plaatselijke supermarkt. 'Het is me nogal wat,' zei Lottie die nieuwsgierig over de toonbank leunde, 'vijfduizend etiketten! Zijn die soms voor de film die op Davenport Hall wordt opgenomen?'

'Nee hoor,' antwoordde Lucasta en tilde een kat op die zich onder de diepvrieskist had verstopt. 'Ze zijn voor mijn nieuwe onderneming. Gnasher, loop daar niet te donderjagen, lulhannes!' Ze pakte het bovenste vel van de stapel kopieën en zwaaide er trots mee onder Lottie's neus. 'En, wat vind je ervan? Volgens mij is dit de grootste uitvinding sinds een of ander genie op het idee kwam om gin bij de tonic te schenken.'

Lottie griste het vel uit haar handen en las: EAU DE DAVENPORT. 100% WATER. PRAKTISCH ZUIVER. Lucasta had alle etiketten in haar kinderlijke handschrift geschreven, en op elk etiket stond een logo van een zwarte kat die uit een put dronk. Bij de put stond een bord met het opschrift: VETVRIJ. KAN GEBRUIKT WORDEN ALS ONDERDEEL VAN EEN CALORIEARM DIEET. KAN OOK WORDEN GEBRUIKT OM MET ANDERE DRANKEN TE MIXEN. GETEKEND, DE REGERING.

'Geweldig, nietwaar?' jubelde Lucasta. 'En het mooie is dat de politie me niets kan maken, want er is geen woord van gelogen.'

Lottie wilde antwoorden toen een klant ongeduldig haar keel schraapte. 'Mevrouw De Courcey, goedendag. Wat kan ik voor u doen?'

'Ik heb eigenlijk een klacht,' zei mevrouw De Courcey bits. 'Om de een of andere reden is de *Irish Times* vanochtend niet bezorgd.'

'O, die werd vroeger ook op de Hall bezorgd,' zei Lucasta, die op handen en knieën was gaan zitten om Gnasher onder de diepvrieskist vandaan te trekken. 'Maar op een gegeven moment kregen we hem niet meer. Ik heb geen idee waarom.'

Lottie hoestte discreet achter haar hand. 'Omdat u me nog drie jaar abonnementsgeld was verschuldigd, daarom. Tussen twee haakjes, hebt u Lady Davenport al ontmoet?' vroeg ze aan mevrouw De Courcey toen het ineens onaangenaam stil werd.

'Ja, ik geloof van wel,' antwoordde mevrouw De Courcey die snel haar been optrok zodat de kat van Lucasta geen ladder kon maken in haar dure, transparante Woolford-kousen. 'Lady Davenport was zo vriendelijk onze gasten tijdens onze housewarmingparty vorige week te onthalen op enkele van haar favoriete nummers,' voegde ze er droog aan toe.

Lucasta, die naar de stijlvol en sjiek geklede vrouw keek alsof ze zich afvroeg waar ze haar toch van kende, klaarde ineens op. 'O, nu weet ik het weer! Godzijdank, ik was al bang dat u iemand was die nog geld van ons kreeg. U bent dus de moeder van Andrew! Ja, ik ben die avond helemaal vergeten, ik hoop van harte dat ik niet al te lazarus was. Mijn dochter zegt dat ik dan net een straathoer ben. En ik kan haar niet eens tegenspreken want de volgende dag herinner ik me niets meer. Misschien heb ik wel een nummertje met uw man gemaakt.' Ze lachte onschuldig.

'Het spijt me dat uw krant vanochtend niet is bezorgd, mevrouw De Courcey,' zei Lottie die geen aandacht schonk aan het gekwetter van Lady Davenport. 'Uiteraard krijgt u uw geld terug en de krant van morgen is gratis.'

Mevrouw De Courcey knikte minzaam. Ze wilde zich omdraaien en vol walging op haar Jimmy Choo-schoenen de winkel verlaten, toen Lucasta op haar toeliep.

'Mevrouw De Courcey,' zei Lucasta, die geen flauw idee had hoe aanstootgevend haar opmerkingen waren. 'U moet mij de kans geven uw gastvrijheid te beantwoorden door aanstaande zaterdag naar mijn jaarlijkse midzomernachtbal te komen. Dan vieren we dat de zon op zijn hoogste punt staat en betonen we eer aan de godin van Samhradt. We zouden het enig vinden als u komt. Allejezus, Andrew hoort inmiddels bij de inboedel. En dan kunt u al die leuke mensen van de film ontmoeten die bij ons logeren, het zijn echt allemaal schatten...'

Voordat mevrouw De Courcey kon reageren, kwam Lottie met een tijdschrift aangerend. 'Wacht even, mevrouw De Courcey. U vergeet de *National Intruder* van deze week.'

***

Andrew schopte de deur van Portia's kamer dicht zonder de kus te verbreken. Ze tuimelden op haar ledikant, boven op een berg vuile was. Portia wreef met haar lange benen langs de zijne terwijl hij haar shirt uittrok en zijn hoofd boog om haar borsten te kussen. O shit, dacht ze, mijn beha... Het laatste waar ze die ochtend aan had gedacht, was dat ze met hem in bed zou belanden en nu schoot het haar te binnen dat ze een oude, versleten beha en slip van Marks & Spencer had aangetrokken. Bovendien was het setje vreselijk grauw omdat ze haar wasgoed in de Aga droogde. Er was geen seconde te verliezen. Ze ging op hem liggen, trok het laken over zich heen, maakte de zware gesp van zijn Gucci-riem los en kleedde hem uit. Andrew was echter sneller. In een oogwenk had hij haar beha losgemaakt en liet hem plagend en luidkeels lachend boven haar hoofd bungelen.

'Ik had net even een flashback,' zei hij. 'Ik moest denken aan de periode op het internaat en al die verspilde jaren waarin ik meisjes van de nonnenschool verderop probeerde te versieren. Eigenlijk is het heel erg sexy...' Hij boog weer voorover om haar te kussen en zijn tong was zo zacht als fluweel. Portia beantwoordde zijn kus hartstochtelijk en bedacht toen iets...

'Condooms, Andrew.'

'Mmmm, wat zeg je, lieveling?' mompelde hij tussen haar borsten.

'In het medicijnkastje in de badkamer. Kom Andrew, de badkamer is aan het einde van de gang.' Verlegen glimlachend voegde ze eraan toe: 'Condooms halen is de taak van de man.'

Hij drukte een kus op haar voorhoofd, sprong uit bed en liep in zijn onderbroek de gang op. Wat een lichaam, dacht Portia, blij dat ze even alleen was en haar tot op de draad versleten slip kon uittrekken en onder het bed gooien.

In de veronderstelling dat hij niemand zou tegenkomen, liep Andrew de gang door en deed de deur van de badkamer open. Het licht was aan en daar, op het toilet met haar gebreide onderbroek om haar enkels, zat mevrouw Flanagan met een brandende peuk in haar mond en het tijdschrift *Model Makeover* op haar knieën.

'Ik heb vier dagen moeten wachten tot mijn darmen eindelijk in beweging kwamen. Kun je niet effe wachten?'

'Neem me alstublieft niet kwalijk,' zei Andrew alsof ze ergens op een etentje waren. 'Ik wacht buiten wel even.'

Even later lag hij weer veilig in Portia's bed en vertelde gierend het verhaal. 'Dus heb ik in de gang gewacht.' De tranen stroomden over zijn wangen. 'Omdat ik natuurlijk een heer ben, leek het me beter om mezelf enigszins te bedekken. Dus heb ik het schild van het harnas op de overloop even geleend en gewacht tot de dame klaar was.'

'En toen?' vroeg Portia.

'Uiteindelijk kwam ze al spuitend met luchtverfrisser naar buiten, keek me aan en zei: "Och scheet, het is dat je dat schild voor je houdt, anders had je een oude vrouw heel erg blij gemaakt!"'

Ze hielden elkaar gillend van de lach vast.

'Het spijt me, liefste,' zei Andrew die zijn tranen wegveegde. 'Ik beloof je dat we het de volgende keer beter doen.'

Hoofdstuk veertien

Jimmy D leunde achterover in de grote groenleren fauteuil in de bibliotheek en zocht in zijn zak naar een sigaar. Niet zo maar een sigaar, maar een Havana die driehonderd dollar had gekost en die hij voor een heel bijzondere gelegenheid had bewaard. Hij had net een zwaar gesprek gevoerd met Harvey Brocklehurst Goldberg (in LA werd hij Golden Balls genoemd, vanwege zijn talent om met het maken van troep veel geld te verdienen) en voor het eerst in weken kon Jimmy D opgelucht ademhalen.

Ella Hepburn had net haar handtekening gezet. Ella Hepburn! Godverdomme! Hij nam een flinke haal van zijn sigaar en bekeek het troosteloze uitzicht. De afgelopen weken hadden Golden Balls en hij onder enorme druk geleefd, want ze hadden nog steeds niemand voor de gastrol van Blanche Charleston, de moeder van Brent. Geen enkele beroemde Hollywoodfilmster die haar botox-injecties waard was, verwaardigde zich met Montana of Guy te werken, laat staan dat ze bereid was in zo'n afschuwelijk oord als Davenport Hall te verblijven. Bovendien, en dat kon iedere Hollywoodagent beamen, wist iedere ster dat een gastrol een eufemisme was voor een piepklein, kutrolletje waar ze niemand voor konden krijgen.

Dus zaten de producent en de regisseur met een groot probleem. De film liep toch al niet op rolletjes en bovendien werden ze door ongeluk achtervolgd: slecht weer, slecht moreel en slecht acteerwerk. Er was gewoon een oppepper nodig om alles draaiende te houden en Ella Hepburn was op dit moment manna uit de hemel, dacht Jimmy D zachtjes grinnikend. Haar naam op het witte doek kon het verschil betekenen tussen een succes of een ramp.

Ella Hepburn... Jimmy D herinnerde zich haar nog goed uit de zwart-wit tienerfilms die hij als kind samen met zijn vader in Colorado had gezien. Op vijfjarige leeftijd maakte ze haar debuut in een reeks films met Bob Hope, getiteld *And Baby Makes Three* en heel

Amerika was voor haar kinderlijke gebrabbel gevallen. Sindsdien was ze een ster, die boven die vreselijke, genotzuchtige en door angst overheerste tienerfilms uit 1950 uitgroeide en na ongeveer tien huwelijken en scheidingen (zelfs de *National Intruder* was het spoor bijster geraakt), diverse verblijven in de Betty Fordkliniek en een aantal overdoses, eindelijk de officiële status van filmgodin had gekregen. Zij was een van die sterren van wie je niet kon geloven dat ze nog leefde en nog steeds actief was. En zij had net getekend voor de rol van Blanche Charleston.

Jimmy D nam nog een haal van zijn sigaar en keek weer naar buiten (hoewel je door het raam van de bibliotheek alleen de septic tank kon zien). Na drie gruwelijke weken zag het er eindelijk weer een beetje rooskleurig uit.

***

Steve had het altijd vervelend gevonden om de boodschapper van slecht nieuws te zijn, vooral als het de Davenports betrof, maar hij had geen keus. Verdomme, dacht hij ongerust, Shamie Nolan hoefde zich alleen maar tot de afdeling stadsplanning in Dublin te wenden (van wie de helft zijn golfvrienden waren) en de bouwplannen zouden doorgaan. De Hall zou onbewoonbaar worden verklaard, de Davenports zouden onmiddellijk worden onteigend en alles verliezen wat hun dierbaar was: hun huis, hun land en hun twee eeuwen oude familiegeschiedenis.

Steve's enige hoop was op Blackjack gevestigd. Als hij hem te pakken kon krijgen voordat Shamie Nolan daarin slaagde, was er misschien nog een kans, hoe klein ook, dat hij Blackjack kon overtuigen om niet te verkopen. Steve reed de oprijlaan op en zuchtte. Dit was dezelfde Blackjack die zijn gezin door zijn gokverslaving keer op keer tot op de rand van de afgrond had gebracht en van wie bekend was dat hij niet bepaald veel eerbied had voor de titel noch het landgoed. (Naar verluidt had hij eens een fles Glenmorangie Schotse whisky opgedronken en de Hall ingezet tijdens een spelletje poker. Wonder boven wonder had hij gewonnen.) Steve wist donders goed dat de kans dat Blackjack harde valuta voor zijn eigendom zou afwijzen vrijwel nihil was. En hoe het dan met Lucasta en Portia en Daisy verder moest...

Hij werd uit zijn deprimerende gedachten gewekt door een flitsende sportauto die hem op de oprijlaan passeerde. Hij ving een glimp op van Portia die naar hem zwaaide, maar hij kon niet zien wie er achter het stuur zat. Shit. Hij moest haar dringend spreken en het was al ver na lunchtijd. De kans was dus klein dat Lucasta nuchter genoeg was om de immense omvang van dit probleem te begrijpen. En hij wilde eigenlijk liever niet dat Daisy het slechte nieuws van hem hoorde, maar nu zag het er naar uit dat hij geen keus had. Hij remde hard zodat de jeep met piepende banden tot stilstand kwam, pakte een enorme stapel mappen van de passagiersstoel en liep via de ommuurde tuin naar de achterkant van het huis.

'Voor de zoveelste keer, ik leg die stomme kippenvleugels pas in de marinade ná *Emmerdale Farm*, dus flikker nu op en laat me met rust,' riep mevrouw Flanagan, die in de stoel voor het piepkleine draagbare tv-toestelletje in de keuken plofte.

'Doe wat u niet laten kunt, laat de gasten maar gewoon verhongeren, dat is typisch Maagd,' snauwde Lucasta terug. 'In een vorig leven was u beslist een ss-er.' Ze wilde net de tv-gids uit haar hand rukken toen Steve binnenkwam.

'Godallemachtig, mijn hart!' gilde mevrouw Flanagan toen ze de achterdeur hoorde opengaan. Zodra ze zag wie het was, ontspande ze zich zichtbaar.

'Hé Steve, gaat ie? Sorry als ik je de stuipen op het lijf jaag,' zei ze. 'Maar elke keer dat die deur opengaat, hoop ik dat het Ella Hepburn is.'

'Waarom zou zij u opzoeken?' sneerde Lucasta. 'Om een duster te lenen?' Ze wendde zich tot Steve en haar chagrijnige bui verdween als bij toverslag. 'Steve, wat leuk dat je langskomt! Je bent toch niet vergeten dat vanavond mijn midzomernachtbal wordt gehouden? Het halve dorp komt en jij moet ook komen. Het wordt een groot succes!'

'Eh, natuurlijk kom ik, Lucasta, maar ik heb iets belangrijks met je te bespreken. Dus als je even een momentje hebt—'

'Niet nu, lieverd.' Lucasta liep naar de achterdeur. 'Ik moet de godin van Samhradh vragen haar zegen aan dit feest te geven en dat moet nu gebeuren. De Verlichte Meesters houden er niet van om te moeten wachten, begrijp je?'

Steve sprak zichzelf moed in. Nu bleef alleen Daisy over, en de hemel wist hoe ze het nieuws zou opnemen.

'Mevrouw Flanagan, u weet natuurlijk ook niet waar Daisy is, hè?' Hij moest zijn stem verheffen omdat ze een stroom van vloekwoorden naar de tv slingerde, haar standaardreactie op reclamespotjes die haar goedkeuring niet konden wegdragen.

'Die stomme vloerdoekjes zijn de grootste lulkoek die er bestaat en ja, ik heb de natte al geprobeerd!' schreeuwde ze.

'Mevrouw Flanagan, het spijt me dat ik u in de rede moet vallen, maar ik moet haar echt dringend spreken.'

'Wie?'

'Daisy. Heeft u haar vandaag gezien?'

'O, Daisy. Die is aan het rijden,' antwoordde mevrouw Flanagan zonder op te kijken.

'Weet u ook welke kant ze is opgegaan? Dan kan ik haar in de auto volgen.'

'Haha, dat bedoelde ik niet met rijden,' grinnikte mevrouw Flanagan terwijl haar ogen aan het toestel waren vastgekleefd. 'Blijkbaar heb je dit nog niet gezien,' vervolgde ze en reikte hem een gekreukt exemplaar van de *National Intruder* aan.

Steve staarde naar het roddelblad en viel bijna steil achterover van verbazing. Op de voorpagina prijkte een kleurenfoto van een halfnaakte Daisy. Ze stond met haar rug tegen de trapleuning en had haar benen om het middel van Guy Van der Post geslagen, die haar hartstochtelijk in haar hals kuste. Zijn ene hand lag op een blote borst en zijn andere op haar billen. DE LADY EN DE VAGEBOND. GUY EN MONTANA IN EEN IERSE DRIEHOEKSVERHOUDING. Steve bladerde door het blad en zijn mond viel open toen hij een foto van Portia zag. Ze zat op de onderste trede van de trap in de ontvangsthal, in een innige omhelzing met de zoon van de opperrechter, Andrew De Courcey. Als Daisy's gedrag hem niet zo had geschokt, zou hij om de kopregel hebben gelachen. EEN EXCLUSIEF LIEFDESVERHAAL. DE MACHTIGSTE GRAAF VAN IERLAND EN ZIJN EENVOU-

Toen *Emmerdale Farm* was afgelopen, kwam mevrouw Flanagan uit haar stoel en zag dat Steve nog steeds gebiologeerd naar de *National Intruder* staarde.

'Ja, volgens dat blad doen ze het allemaal,' zei ze en stroopte haar mouwen op. 'Jezus Steve, straks doen wij het ook nog met elkaar! Maar dan moet je wel eerst iets aan jezelf doen, vriend. Er lopen tegenwoordig een heleboel knappe kerels in de Hall rond en je moet wel een beetje concurreren, als je begrijpt wat ik bedoel.'

Arme Steve begreep er helemaal niets meer van.

'Begrijp me niet verkeerd,' vervolgde mevrouw Flanagan die naar de vrieskist waggelde. 'Ik bedoel, je bent heus een aardige vent, maar... tja, je bent soms een beetje... hoe zal ik het zeggen... kleurloos.'

'Kleurloos?'

'Je zou overdag wat meer tv moeten kijken.' Ze haalde grote zakken kippenvleugels uit de vrieskist. 'Ik mis geen enkele aflevering van Oprah. Neem maar van mij aan dat niemand "makeovers" doet zoals zij. Koop eens een modetijdschrift voor mannen, Steve. Alle Hollywoodsterren dragen tegenwoordig een zwarte coltrui, geen gebreide trui met een schreeuwend patroon waar je koppijn van krijgt. En dat haar van je. Wacht je soms tot dat kapsel weer in de mode komt? Mijn god, het kapsel van prins Charles is nog hipper.'

Steve zei niets en keek weer naar de *National Intruder*.

'Een leuk, pittig geknipt koppie en je ziet er tien jaar jonger uit.' Mevrouw Flanagan zag naar welke foto hij keek en voegde eraan toe: 'Misschien dat je dan de aandacht van de door beroemdheden verblinde juffrouw Daisy trekt. En gebeurt dat niet, dan heb je altijd mij nog.' Ze knipoogde veelbetekenend en zei: 'Wat denk je ervan, lekker ding?'

***

Andrew was echt een schat. Hij had Portia niet alleen naar Kildare gebracht om drank in te slaan voor Lucasta's midzomernachtfeest, maar hij had er ook op gestaan de rekening te betalen. Portia protesteerde hevig, maar hij liet zich niet vermurwen.

'Luister, sinds ik jou heb ontmoet, woon ik min of meer in de Hall,' zei hij terwijl ze de dozen drank in de auto laadden. 'En ik kan het me veroorloven. Ik ben de machtigste graaf van Ierland of lees je de *National Intruder* niet?'

Portia lachte. Andrew en zij konden niet meer ophouden met lachen sinds dat belachelijke artikel was verschenen. Vooral Andrew had zich een breuk gelachen omdat zij als een 'eenvoudige keukenmeid' werd afgeschilderd.

'Bovendien,' zei hij en hield het portier voor haar open, 'is toch duidelijk dat ik de ideale schoonzoon probeer te zijn?'

Ze glimlachte bij het idee dat iemand in de gunst bij haar moeder wilde komen. 'Nou, dat mag in de krant, want de laatste keer dat iemand indruk op mijn arme moeder probeerde te maken, was in 1966 toen Blackjack haar het hof maakte.'

'Vertel.'

'Hij kocht een renpaard en noemde hem Lucky Lucasta, maar het dier was die naam niet waard. Het arme beest was zo traag als een ezel, het leek wel alsof hij een zwaar beladen melkkar trok. Uiteindelijk heeft Blackjack hem doodgeschoten.'

'Zo te horen is je vader een nogal kleurrijke figuur,' zei Andrew. 'Heb je nog iets van hem gehoord sinds... sinds hij...'

'Het is geen taboe, hoor,' zei Portia glimlachend. 'Je bedoelt sinds hij de benen heeft genomen.' Normaal gesproken was haar vader een eeuwigdurende bron van schaamte voor haar, maar om de een of andere reden had ze daar bij Andrew geen last van. Hij luisterde aandachtig naar haar verhalen en sprak nooit een oordeel uit of – en dat was nog erger – veinsde medeleven. 'Nee, ik niet,' beantwoordde ze zijn vraag, 'maar hij heeft Daisy een ansichtkaart van Caesar's Palace in Las Vegas gestuurd.'

'Caesar's Palace? Dat is heel andere koek dan de Hall.'

'Over hem hoef je je geen zorgen te maken. Hij waant zich in het paradijs tot zijn geld op is. En zijn geld raakt altijd op, Andrew.' Ze glimlachte in zichzelf.

'Wat is er zo grappig, milady?'

'Niets, ik moest ineens denken aan het midzomernachtbal van vorig jaar,' antwoordde ze en stapte in de auto.

Als iemand haar toen had verteld dat nog geen jaar later een filmploeg zijn intrek in Davenport Hall zou nemen, zou ze hebben gelachen. En als iemand haar toen had verteld dat ze Andrew zou ontmoeten, een man die zo volmaakt was dat het net een droom leek, zou ze ter plekke in coma zijn geraakt. Dat was het... Ze had onbedoeld de spijker op de kop geslagen! Hij was te mooi om waar te zijn. In tegenstelling tot al haar vorige vriendjes behandelde hij haar goed, hij maakte haar aan het lachen, hij loerde niet de hele tijd naar Daisy, hij vond Davenport Hall geweldig en kon heel goed met haar moeder opschieten en dat laatste was wel het verbazingwekkendste van alles.

Ja, het was echt veel te mooi om waar te zijn...

Zoals altijd leek hij haar gedachten te kunnen lezen. Hij nam achter het stuur plaats, zweeg even alsof hij een beslissing nam en draaide zich toen naar haar toe. Hij pakte haar hand en masseerde die zachtjes. Zijn blauwe ogen waren op haar vingers gericht. Portia wist dat er iets ging komen, maar ze had geen idee wat. O god, dacht ze, laat het alsjeblieft niets met Edwina te maken hebben.

'Portia, ik heb zo lang in New York gewoond, dat het een tweede natuur is geworden de dingen recht voor zijn raap te zeggen. Vind jij dat we moeten praten over wat er tussen ons gebeurt? Over onze gevoelens voor elkaar?'

Portia kon zich er niet toe zetten iets te zeggen. Ze had niet veel vergelijkingsmateriaal, maar alles ging zo goed tussen hen, waar zou hij in hemelsnaam over willen praten? Toen maakte een misselijk-makend gevoel zich van haar meester. Edwina. Het had natuurlijk met Edwina te maken, wat kon het anders zijn? Hij moest hebben aangevoeld dat ze met de dag verliefder op hem werd en hij wilde haar waarschijnlijk vertellen dat hij net een relatie achter de rug had en zich niet wilde binden, blablabla. Verdomme. Wat kon hij anders bedoelen met een opmerking als 'onze gevoelens ten aanzien van elkaar'? Tranen welden in haar ogen op. Ze wendde haar gezicht af en keek door de zijruit. Iedere alleenstaande vrouw van vijfendertig zou precies weten hoe ze in een dergelijke situatie moest reageren, maar zij niet. Iemand met meer sexuele ervaring zou zich niet laten kennen en zijn opmerking waarschijnlijk al flirtend wegwuiven. Het ging er immers om dat alles luchtig en leuk bleef. Het mocht niet bedreigend zijn voor de man. Als ze al iets uit de vrouwenbladen had geleerd, was het dat een man hard wegrende als hij het gevoel kreeg dat een vrouw verliefder was dan hij. Lieve god, dacht ze, wat moet ik nu doen? Ze was nooit iemand geweest die graag spelletjes speelde en ze was te oud om daar nu nog mee te beginnen. Er was zo veel dat ze tegen hem wilde zeggen, maar ze kon het gewoon niet. Ze had geen idee hoe ze moest beginnen en wat ze hem moest vertellen. Niet nu.

'Laten we naar huis gaan,' was het enige wat ze kon uitbrengen. 'Ik moet de lamskebab nog uit de vriezer halen.'

Andrew keek haar even bevreemd aan en startte zonder iets te zeggen de motor. Portia kon zichzelf wel voor haar kop slaan toen ze zwijgend naar de Hall terugreden.

***

Daisy had er helemaal geen zin in. Serge had beloofd haar haar en make-up te doen voor het midzomernachtfeest en ze was al laat voor haar afspraak toen ze de pech had mevrouw Flanagan tegen het lijf te lopen.

'Maak dit even aan de vlaggenstok vast, wil je?' vroeg mevrouw Flanagan die druk bezig was voorbereidingen voor het feest te treffen, en drukte Daisy de gescheurde banier met het familiewapen in de hand.

'O mevrouw Flanagan, waarom moet ik altijd de rotklusjes opknappen? U weet hoe vreselijk ik het vind om de toren te beklimmen. Volgens mama waart de duivel daar rond...'

'Als je liever de buitentoiletten desinfecteert, mij best.'

Daisy overwoog wat het minst erg was en griste de vlag uit mevrouw Flanagans hand.

'Je wilt natuurlijk niet dat Guy Van der Post je met keukenhandschoenen en een fles bleekmiddel ziet! Ik wist het wel,' zei mevrouw Flanagan tevreden.

Toen Daisy de tweehonderd treden van de stenen wenteltrap

was opgeklauterd en buiten adem op het dak van de Hall stond, vervloekte ze de familietraditie om altijd een banier tijdens het midzomernachtfeest te laten wapperen. Bovendien was de vlag zelf een lachertje. Hij was gescheurd, door de motten aangevreten en zo vaal geworden dat je het familiewapen nauwelijks nog kon onderscheiden. (Twee vechtende katten, met de Latijnse inscriptie SEMPER FIDELIS. Daisy had geen flauw idee wat dat betekende en maakte de toeristen vroeger wijs dat het vertaald kon worden met: ALLE MANNEN ZIJN SCHOFTEN.)

'Reageer jij nooit op een bericht?'

Daisy viel bijna van het dak af toen ze zag dat Montana haar tot boven aan de trap was gevolgd. Ze had krulspelden in en was slechts gekleed in een dun, doorzichtig ochtendgewaad.

'Montana!' riep ze geschokt. 'Hoe wist jij in vredesnaam dat ik hier was?'

Montana negeerde de vraag. 'Ik dacht dat we een afspraak hadden. Maar jij hebt het blijkbaar te druk met Guy en neukt je helemaal suf. Wanneer gaan je ogen open, Daisy? Zie je dan niet dat die klootzak je gebruikt?'

Daisy zei niets en keek Montana woedend aan.

'Ik dacht dat we vriendinnen waren en het minste wat je kunt doen, is je belofte houden. Ik heb urine nodig voor de test. Die had ik gisteren al moeten inleveren. Ben je nog van plan me te helpen of hoe zit dat?'

Een golf van woede welde langzaam in Daisy op. Hoe durfde Montana zo tegen haar te spreken en hoe durfde ze zo krengerig te doen over Guy! Stomme, egoïstische trut, dacht ze, terwijl ze rood aanliep.

'Nou?' vroeg Montana.

Daisy dacht koortsachtig na.

'Godsamme Daisy, ik heb wel wat beters te doen dan op een koud en winderig dak staan en wachten tot die Barbie-hersens een beslissing hebben genomen. Hebben we een afspraak, godverdomme, of niet?'

Het was de Barbie-opmerking die de doorslag gaf. Daisy haalde diep adem om haar woede te onderdrukken en glimlachte oogverblindend. 'Je hoeft je nergens zorgen om te maken, Montana. Vanavond heb ik het voor je.'

Montana bedankte haar niet eens. Ze draaide zich op haar laaggehakte muiltjes om en liep weer naar beneden. Zodra ze uit zicht was, begon Daisy te grinniken. Haar besluit stond vast. Montana zou haar verdiende loon krijgen en wel vanavond. Terwijl ze langzaam de vlag hees, schoot ze telkens weer in de lach. Wacht maar tot Guy hoorde wat ze van plan was! Hij zou het prachtig vinden dat ze hem hielp Montana een toontje lager te laten zingen. Hij zei altijd dat Montana Jones de George Bush van de filmwereld was: dom, gespeend van enig talent en absoluut hopeloos. Wacht maar tot hij hoorde welke poets ze Montana zou bakken!

'Je zou toch denken dat goed kunnen acteren een eerste vereiste is voor een acteur, maar je kunt nog beter een houten paal tegenover je hebben dan die talentloze trut,' had Guy de vorige avond in een van zijn meer poëtische momenten tegen Daisy gezegd toen ze in zijn grote ledikant dicht tegen elkaar aan lagen. 'Sommige acteurs moeten het gewoon bij porno houden,' was zijn laatste opmerking over de professionele vooruitzichten van Montana Jones geweest.

Daisy controleerde of de vlag recht hing en bekeek het uitzicht vanaf de balustrade. Als kind had ze zo vaak op het dak gespeeld dat ze absoluut geen hoogtevrees had. Ieder normaal mens zou een bungeetouw hebben geëist voordat ze gevaarlijk op de balustrade balanceerden zoals Daisy nu deed. Het was een prachtige, heldere dag en ze stond zo hoog dat ze Ballyroan duidelijk kon zien liggen. Ze keek naar de rivier de Kilcullen die links van haar stroomde en kon vaag haar moeder onderscheiden die een magisch ritueel uitvoerde. Lucasta stond poedelnaakt in het water en zwaaide met een stok. Daisy giechelde. Dat was het jaarlijkse midzomerritueel van haar moeder om de zegen van een of andere heidense godin voor de festiviteiten van vanavond af te smeken. Nou, dacht ze, ik hoef geen oude godin, met een naam die als maandverband met vleugels klinkt, aan te roepen om een leuke avond te hebben!

Verderop, in de buurt van het mausoleum, kon ze de filmploeg aan het werk zien. Kleine, ploeterende stipjes die zo te zien bezig waren een opname voor te bereiden. Ze herkende zelfs Guy in zijn

Victoriaanse kostuum. Hij zag eruit als een Griekse god, dacht Daisy liefdevol. Het was een wandelkostuum van wit linnen en Guy had haar verteld dat dit zijn lievelingskostuum was (hoe graag wil je me in dit kostuum neuken? had hij letterlijk gevraagd), en liet het elke dag door de meisjes van de garderobe wassen en strijken.

Ze hoorde in de verte een helikopter en keek in de richting van het geluid. Pas nu zag ze het kleine groepje fotografen dat zich bij de toegangspoort had verzameld en een tv-ploeg. Daisy giechelde nerveus. Ze hadden natuurlijk de *National Intruder* gelezen en hoopten op een vervolgverhaal en foto's die nog aanstootgevender waren, voor zover dat mogelijk was.

Toen de helikopter in zicht kwam, keek iedereen omhoog. Daisy vergat op slag haar afspraak met Serge en bezorgde zichzelf bijna een whiplash door haar hoofd met een ruk om te draaien. Ze stond nog steeds op de balustrade en probeerde te zien wie er in de heli zat die zich inmiddels op ooghoogte bevond. Door de enorme wind die de ronddraaiende propellers veroorzaakten, stond haar haar recht-overeind. De piloot leek tevergeefs te zoeken naar een plek om te landen, want overal stonden trailers of lagen kabels. Intussen had Daisy de grootste moeite zich staande te houden. De piloot besloot dat er geen geschikte landingsplek was en wilde verder vliegen, toen hij vlak achter de tennisbanen een modderig uitziend veld ontdekte. Plotseling zwenkte de heli met een sierlijke, spectaculaire, scherpe bocht naar rechts. Dat was net even te veel voor de arme Daisy die haar evenwicht toch al kwijt was. Door de enorme luchtverplaatsing viel ze van de balustrade en viel en viel en viel.

Nu weet ik hoe Alice in Wonderland zich voelde, was de krankzinnige gedachte die door haar heen schoot. Alles gebeurt in slow motion. Straks zie ik nog een wit konijn. Ze zeggen dat je leven aan je voorbij trekt vlak voordat je verdrinkt, maar Daisy kon alleen aan de boeken van Lewis Carroll denken. Zonder dat ze het besefte, gilde ze in doodsangst en toen... boem!

Een onderdeel van een seconde vroeg Daisy zich af of ze dood was en in het vagevuur was beland. Ze lag op haar rug en keek naar de lucht en dacht: vreemd dat het vagevuur er net zo uitziet als het uitzicht vanaf het dak van onze balzaal. Meteen daarop werd ze zich bewust van een scherpe, brandende pijn in haar linkerenkel en keek omlaag. Haar enkel was twee keer zo dik als normaal. Godverdomme, dacht ze. De grootste knalfuif van het jaar en ik heb mijn enkel verstuikt. Aarzelend betastte ze de grond waar ze op lag en voelde... plastic. Heel voorzichtig en langzaam richtte ze zich op. Ze leefde nog! Lucasta zei altijd dat Daisy net een gereïncarneerde kat was met negen levens, en dit was het bewijs. Ze hield zich met bevende handen aan een richel vast en realiseerde zich dat ze twee verdiepingen lager op het leien dak van de balzaal was gevallen. Wonder boven wonder hadden de zwarte vuilniszakken waar ze de gaten in het dak mee hadden afgedekt haar val gebroken. Allejezus, dacht ze, ik dank mijn leven aan de extra sterke en extra grote vuilniszakken van de Spar!

Bevend van schrik keek ze naar het veld waar de heli inmiddels was geland. Het had de laatste tijd zo veel geregend dat het veld in een grote modderpoel was veranderd. Daisy zag dat de piloot tot aan zijn enkels in de modder stond. Hij deed de passagiersdeur open en Ella Hepburn stapte op de treeplank. Althans, dat moest haar zijn, dacht Daisy. Ze droeg een zonnebril en was geheel in bont gehuld, ook al was het juni. Onder haar arm klemde ze een witte, wollige handtas die bij nader inzien een kleine Pekinees bleek te zijn. Ze maakte absoluut geen aanstalten om verder te lopen, alsof ze haar hoge hakken niet wilde ruïneren en op een Chinese draagstoel wachtte die haar over de modder zou dragen. Als koningin Elizabeth die op Sir Walter Raleigh wachtte. Als Daisy niet zo'n vreselijke pijn had, zou ze hebben gegiecheld. Stomme diva, dacht ze. Wacht maar tot Guy haar ziet, dan krijgt hij de slappe lach.

Op datzelfde moment rende Guy, op de hielen gevolgd door de meeste crewleden, naar de helikopter en gaf Ella Hepburn een handkus. Mooi, dacht Daisy, als ik hard genoeg gil zal hij me horen en me naar binnen dragen. Als een Kiri te Kanawa die haar aria begon, zoog ze haar longen vol en schreeuwde zijn naam zo hard dat ze haar in Wales konden horen. Maar Guy reageerde niet. Hij ging zo op in de ontmoeting met zijn schoonmoeder van het witte doek dat hij Daisy niet hoorde.

Even later tilde Guy Ella Hepburn op en droeg haar met hond en al door de kniediepe modder naar de Hall.

Daisy kon haar ogen nauwelijks geloven. Guy droeg nota bene zijn witte linnen pak.

Hoofdstuk vijftien

'Zijn de heikneuters er al?' vroeg Lucasta, die op het punt stond de eiken trap af te dalen en haar entree te maken.

'Het halve dorp is er. Iedereen wil zich voor niets laten vollopen,' snauwde mevrouw Flanagan die naar boven liep om op het laatste moment luchtverfrisser in de toiletten te spuiten.

'Mooi, mooi, mooi. Dan kan het feest beginnen!' Lucasta zette haar tulband recht en vroeg: 'Hoe zie ik eruit?' Dit was de enige avond van het jaar dat ze haar stinkende waxcoat uittrok en haar best deed om er mooi uit te zien. Helaas had ze nu eenmaal in haar hoofd gezet dat ze zich voor deze gelegenheid als een hogepriesteres moest kleden en droeg haar midzomernachtgewaad, dat ze een jaar of tien geleden op een rommelmarkt in Thurles had gekocht. Lucasta was er absoluut van overtuigd dat ze er met haar tulband en het wijde gewaad uitzag als een heidense godin, hoewel een heks van middelbare leeftijd die een laken met een gat erin over haar hoofd had getrokken, dichter bij de waarheid was.

'Hoeveel rekent u om in een huis rond te spoken?' vroeg mevrouw Flanagan sarcastisch.

Lucasta trok zich niets van mevrouw Flanagan aan en daalde de trap af om haar gasten welkom te heten. Het halve dorp was inderdaad gekomen, maar de eerste die ze tegen het lijf liep was Steve. Hoewel hij tot over zijn oren in het werk zat, had hij toch tijd weten te vinden om het advies van mevrouw Flanagan gedeeltelijk op te volgen. Hij droeg nog steeds zo'n kenmerkend felgestreept overhemd dat twintig jaar geleden in de mode was, maar hij had zijn haar drastisch laten knippen. Mevrouw Flanagan had gelijk: hij zag er inderdaad zeker tien jaar jonger uit.

'Godallemachtig Steve, ben jij dat? Ik herkende je nauwelijks. Wat heb je met jezelf gedaan?' vroeg Lucasta die hem onderzoekend aankeek. Toen viel ze moeiteloos in de rol van gastvrouw en jubelde:

'Goh, wat geweldig dat je bent gekomen! Heb je gehoord wat die arme Daisy is overkomen?'

'Ja, dat heb ik gehoord, maar ik hoopte eigenlijk dat je even een momentje had. Ik heb namelijk iets heel belangrijks met je te bespreken...'

'Lieverd, ik kan niet geloven dat je het tijdens een zuipfestijn over zaken wilt hebben. Later, Steve, later. Nu moet ik echt verder en controleren of alle flessen Eau de Davenport duidelijk zichtbaar op de tafel met drank staan uitgestald...' Lucasta liep naar de balzaal, waar een schragentafel met een laken erover als bar fungeerde. Ze baande zich lomp een weg door de gasten. Eerst moest ze een paar flinke borrels hebben, anders raakte ze niet in een feeststemming. Ze botste tegen Paddy op die met precies hetzelfde doel bij de geïmproviseerde bar stond.

'Eh... hoe maakt u het... uwe majesteit?' zei Paddy die geen idee had hoe je landadel aanprak.

'En wie mag jij wezen?' vroeg Lucasta die zichzelf een driedubbele gin inschonk met een heel klein scheutje tonic. 'Heikneuter of filmtype?'

'Eh... ik werk bij de film, uwe majesteit,' antwoordde Paddy. 'Verdomme, ik zou dit T-shirt nooit hebben aangetrokken als ik had geweten dat ik iemand van het koninklijk huis zou ontmoeten.' (Op zijn T-shirt waren borsten van het formaat dubbel D afgebeeld en daaronder stond de tekst SUCK 'EM AND SEE.) In een nerveuze poging indruk te maken op de moeder van het meisje op wie hij zijn oog had laten vallen, zei hij: 'Is de koningin uw zuster of hoe zit dat?'

'Tja, ik weet dat mijn man in de verte familie van haar is,' antwoordde Lucasta die oneindig veel spraakzamer was nu ze een drankje binnen handbereik had, 'want ik herinner me vaag dat hij haar heeft geschreven dat hij geld wilde lenen, want dat flikte hij bij al zijn bastaardfamilieleden. Ik kan me niet herinneren hoe het afliep, ik veronderstel dat dat stomme wijf net als alle anderen heeft gezegd dat hij kon opsodemieteren.'

Paddy grijnsde breed. Hij had nooit en te nimmer verwacht dat de lady van het landgoed zulke taal zou uitslaan. 'U bent best een tof wijf,' zei hij bewonderend. 'Ik heb ontzettend veel kameraden die eh... laten we maar zeggen dat ze zich hebben aangesloten bij een zekere republikeinse beweging en ik zal hun vertellen dat ik een sjieke Brit heb ontmoet die niet verkeerd is.'

'Maar ik ben helemaal niet Brits, lieverd. Ik ben misschien dronken, maar zeker niet Brits,' antwoordde Lucasta die geen flauw idee had wat Paddy bedoelde.

'Ik weet dat Daisy en Guy iets met elkaar hebben, maar denkt u dat het oké is als ik haar probeer te versieren?'

'Ga je gang, ze zit naast de vleugel in de Long Gallery. Ze is vanavond immobiel omdat ze van het dak is gevallen. Verdomme, ik hoop dat die onhandige kluns de vuilniszakken niet heeft gescheurd, want als het gaat regenen, zijn we allemaal zwaar de pineut.'

***

Shamie en Bridie Nolan waren al een uur te laat voor het feest en dat was de schuld van die vervloekte, onbetrouwbare kinderoppas. Die stomme tiener presteerde het om een uur te laat te komen met het excuus dat ze naar de zaterdagavondmis was geweest.

'Ik zou wel eens willen weten wat voor een religieuze dienst dat is geweest dat je met een zuigzoen in je nek thuiskomt!' had Bridie toen ze van huis gingen sarcastisch opgemerkt. De druppel die de emmer deed overlopen, was de ontdekking van een grote ladder in haar panty toen ze door Ballyroan reden. Na heel wat gekibbel kreeg ze Shamie eindelijk zo ver zijn gloednieuwe Jaguar voor de Spar te parkeren, zodat ze even naar binnen kon wippen om een nieuwe panty te kopen. Bridie was bijzonder trots op haar outfit voor deze avond en peinsde er niet over om het geheel door een ladder in haar kous te laten verpesten. Het was een modieuze paarsrode creatie, een kopie van de trouwjurk van Posh Spice. Het aardigste wat je erover kon zeggen, was dat de jurk waarschijnlijk meer geschikt was voor een Flamenco-danseres of een paaldanseres.

'Jezus Bridie, schiet godverdomme nou toch eens op, anders missen we het eten!' zei Shamie toen ze met een nieuwe panty (extra extra large) de winkel uitkwam.

'Ach, rot toch op,' antwoordde zijn vrouw die weer instapte. 'Als we weer hetzelfde te vreten krijgen als vorig jaar, bewijs ik je alleen maar een dienst, driedubbel overgehaalde idioot. Sandwiches met hardgekookte eieren en een paar vol au vents die van binnen nog bevroren waren! Dat zet je je gasten toch niet voor? Ik ben toen verdomme een hele week niet naar de plee geweest.'

Shamie lachte en krabde op zijn hoofd omdat zijn geruite pet jeukte. 'Ach liefste, dit is misschien de laatste keer dat we op uitnodiging van de Davenports een feest in de Hall meemaken!'

Bridie ontspande zich enigszins. 'Goddank is het donker. Niemand kan zien dat ik een andere panty aantrek.' Het kostte haar de grootste moeite om haar dikke blubberdijen op te tillen en haar voeten op het dashboard te leggen. Niet bepaald elegant trok ze de kapotte panty uit en duwde haar enorm brede heupen omhoog, zodat ze bijna op de pook zat. Al met al was het niet bepaald een aanblik voor iemand met een gevoelige natuur.

Toen Shamie links afsloeg naar de Hall, werden ze ineens verblind door een hele batterij flitslichten. 'Moeder Maria! Wat was dat in godsnaam?' gilde Bridie met overslaande stem.

'Journalisten,' antwoordde Shamie die het nooit vervelend vond om de heren van de pers te zien. Elke regel die over hem werd geschreven, was nectar voor een plattelandspoliticus die hogerop wilde komen. 'Ze denken waarschijnlijk dat we filmsterren zijn!' voegde hij eraan toe en lachte uitbundig om zijn eigen grap.

'Maar ze hebben vast en zeker mijn kruis gezien!' gilde zijn vrouw. 'Ik zie de kopregel al voor me: EEN HELE TOER of nog erger: FLINKE REET. Verdomme, Shamie, de avond begint goed.'

Terwijl de Jaguar over de gaten en kuilen in de oprijlaan vloog, bleven ze kibbelen. Bridie zag niet dat enkele onverschrokken verslaggevers, aangevoerd door Tony Pitt van de *National Intruder*, hen te voet volgden en hun geluk niet opkonden dat er helemaal geen bewakers op het landgoed rondliepen. ('Waarom proberen we niet binnen te komen?' had Tony aan een collega van de Ierse pers gevraagd. 'Als iemand onuitgenodigd het verjaardagsfeest van prins William kan bezoeken, lukt het ons toch zeker wel om hier binnen te komen?')

Als Bridie dat had gehoord, zou ze werkelijk reden hebben gehad om te klagen.

***

Nu de arme Daisy gewond was, had Portia nauwelijks tijd om zich voor het bal te verkleden, laat staan zich op te maken. Andrew had haar eerder die middag bij de Hall afgezet en haar zwijgend geholpen de dozen wijn en bier uit te laden. Hij was niet onvriendelijk of onbeleefd, maar alleen stil en dat was een hemelsbreed verschil met de bruisende, gezellige Andrew die ze kende. Terwijl ze de dozen naar de balzaal droegen, pijnigde Portia haar hersens hoe ze het onderwerp weer te berde kon brengen. Ze wilde hem heel graag vragen wat hij tegen haar had willen zeggen, maar ze had geen idee hoe ze het moest aanpakken. Wat ben je toch een stommeling, zei ze tegen zichzelf toen ze zwijgend naar zijn auto terugliepen. Enfin, je hebt vandaag een wijze les geleerd. Er is een tijd om over bevroren lamskebab te praten en er is een tijd om je kop te houden.

Het was Daisy die een einde maakte aan haar martelende besluiteloosheid. Ze gilde als een mager speenvarken. Ze lag al uren op het dak, de arme schat. Natuurlijk had Andrew, altijd een heer, Daisy naar de bibliotheek gedragen en Portia was naar beneden gerend om ijs te halen. Maar hij was niet gebleven. Hij mompelde iets over naar huis gaan en zich verkleden en dat hij haar later zou zien.

Portia verbaasde zich erover dat hij haar geen kus gaf en keek hem na toen hij wegscheurde. Ze had een naar gevoel in haar maag en wist dat hij behoorlijk van streek was. Ze moest hem vanavond tijdens het bal onder vier ogen spreken, maar dat was makkelijker gezegd dan gedaan. Haar moeder had heel Ballyroan uitgenodigd. Ze wenste dat ze de moed had om hem openlijk over haar gevoelens te vertellen en dat de afgelopen weken met hem de heerlijkste weken van haar leven waren. En over de vlinders in haar buik, de slapeloze nachten omdat ze aan hem lag te denken en dat haar knieën begonnen te knikken als hij haar met zijn blauwe, twinkelende ogen aankeek, maar vooral dat het pijn deed om hem weg te zien rijden in de wetenschap dat ze hem van streek had gemaakt.

Het ergste van alles was het stemmetje in haar hoofd. Het stemmetje dat niet meer had gezwegen sinds ze Andrew had ontmoet en dat steeds weer hetzelfde zei.

Waarom zou iemand als Andrew in hemelsnaam op mij vallen?

***

Ze deden er veel langer over dan ze hadden gedacht, maar ten slotte bereikten de zusjes de tweede etage. Portia ondersteunde Daisy die bij iedere stap 'au, au, au' riep. Ze herinnerde zich dat er in de kinderkamer nog een stel oude krukken moesten staan die van hun overgrootvader Earnest Davenport waren geweest. Tijdens de Eerste Wereldoorlog had hij zijn been in een loopgraaf in Vlaanderen gebroken. Een gebroken been was in die tijd een geluk: dan mocht je naar huis om te herstellen en hoefde je geen oorlog meer te voeren. (Tot op de dag van vandaag betekent de uitdrukking 'breek een been' veel geluk en is zeer populair onder de toneelspelers.)

Portia liep naar boven om de krukken te halen. Ze belde de huisarts, maar die had geen dienst en zijn plaatsvervanger verschuilde zich achter een of ander zielig smoesje en zei dat hij niet in de gelegenheid was om te komen. Vol afschuw legde Portia de hoorn neer. De verhalen dat de Davenports zelfs niet in staat waren om dringende medische hulp te betalen, waren blijkbaar wijd en zijd bekend.

'Het geeft niet, lieverd,' zei ze troostend tegen Daisy die met haar krukken oefende. 'Sean Murphy komt vanavond ook en ik vraag hem wel om even naar je enkel te kijken. Daar heeft hij vast geen bezwaar tegen.'

'Die stomme veearts!' riep Daisy kwaad. 'Zijn we dan zo diep gezonken?'

Portia zei niets en liep naar haar eigen kamer om zich te verkleden. O god, dacht ze, het is al laat! Het was al acht uur en ze hoorde de eerste auto's arriveren.

Ze had haar japon voor die avond met zorg uitgekozen (een adembenemende avondjurk van witte zijde die haar slanke figuur prachtig accentueerde. Zelfs de omhooggevallen verkoopster in Kildare waar ze de jurk enkele dagen geleden had gekocht, had gezegd dat ze net een Griekse godin leek en het gebeurde niet vaak dat Portia een complimentje kreeg). Maar nu was er nauwelijks tijd om zich te verkleden en haar haar op te steken voordat de deurbel ging. Het kon Portia echter niet schelen hoe ze eruitzag. Vanavond had ze andere dingen aan haar hoofd.

***

Een paar dagen eerder had Daisy op aanraden van Guy een dj gehuurd om de feeststemming erin te brengen.

'De vorige midzomernachtfeesten waren vreselijk,' had ze hem verteld. 'Mama had een Keltische band ingehuurd die de hele avond hetzelfde stomme nummer speelde. Zo klonk het tenminste.'

De dj was al aardig op dreef en draaide het ene na het andere swingende nummer. Hij had totaal niet in de gaten dat grote regendruppels door de gescheurde vuilniszakken op het dak druppelden en op zijn geluidsapparatuur vielen.

Portia was net de balzaal ingelopen en keek om zich heen of ze Andrew ergens kon ontdekken, toen er ineens een hard geknetter klonk en de dj in een blauwe rookwolk verdween. Portia en Steve renden om het hardst om te zien of de dj ernstig gewond was.

'Gaat het een beetje?' vroeg Portia bezorgd aan de man die languit op de grond lag.

'Raak me in godsnaam niet aan,' antwoordde de dj die lijkwit was. 'Volgens mij sta ik onder stroom.'

'Kan ik iets voor je doen? Wil je een glas water, misschien?' vroeg Portia angstig.

'Je kunt zeker iets voor me doen en dat is me hier zo snel mogelijk weghalen,' antwoordde hij. 'Ik heb het gevoel alsof ik op de Titanic werk.'

'Hij mankeert niets,' zei Steve geruststellend. 'Frisse lucht zal hem goed doen.'

Ineens stond Serge naast Portia. Hij was vreselijk opgewonden en kon niet stil blijven staan. 'Liefje, mijn hele leven heb ik op een kans als deze gewacht... de kans om Boy George te zijn of een leukere versie van Fat Boy Slim! Tussen twee haakjes, wat zie jij er geweldig uit vanavond! Fantastisch gewoon! Een beetje als Nicole Kidman... Die Andrew is toch maar een mazzelkont. Geef me twee minuten, dan ben ik weer terug!' Voordat Portia iets kon zeggen, vloog hij door de openslaande tuindeuren en verdween in de duisternis. Even later was hij weer terug, helemaal doorweekt en gewapend met een draagbare cd-speler en een gigantische stapel cd's.

'Geen enkele make-up trailer waar ik ooit in heb gewerkt, kan zonder sfeervolle muziek,' zei hij tegen Portia bij wijze van uitleg. In één sierlijke beweging sprong hij over de draaitafel van de dj, had de koptelefoon opgezet en zocht tussen de honderden cd's die varieerden van Barbra Streisand tot de Village People.

'Je ziet er inderdaad schitterend uit,' zei Steve die haar bewonderend bekeek. 'Die japon is werkelijk een plaatje.'

'Dank je,' antwoordde ze glimlachend. 'Je haar is trouwens leuk geknipt, Steve. Je ziet eruit als je jongere broertje.' Ze wilde hem net iets te drinken aanbieden toen Steve haar aan haar elleboog meetrok zodat Serge hen niet kon horen.

'Luister,' zei hij met die vermoeide, bezorgde blik die Portia zo goed kende. 'Ik heb de hele dag geprobeerd je te pakken te krijgen en ik weet dat dit niet het geschikte moment of de geschikte plek is, maar... ik moet je iets vertellen en dat kan ik net zo goed nu doen.'

'Steve, wat is er?' vroeg Portia die aannam dat het met Daisy en die vreselijke foto's in de *National Intruder* te maken had.

'Laten we een plekje opzoeken waar we in alle rust kunnen praten.'

***

Ik heb heel wat kutavonden meegemaakt, maar dit slaat alles, dacht Daisy woest. Sean Murphy had net haar enkel onderzocht en ze zat moederziel alleen in de Long Gallery. Ze had hem alleen verstuikt en er was geen reden tot ongerustheid, maar intussen was ze voorlopig tot de reservebank veroordeeld.

'Rust, ijs, een strak verband en je voet omhoog houden,' luidde zijn advies. 'En absoluut geen alcohol.'

Daisy's blauwe ogen hadden vuur geschoten. Verbitterd herinnerde ze zich die laatste keer dat ze elkaar bij De Courcey's hadden ontmoet en ze hem had uitgescholden voor alles wat mooi en lelijk was. Dit is nou echt niet de manier om een ex-vriendje te ontmoeten, dacht ze. Ze had er oogverblindend willen uitzien met niemand anders dan een adorerende Guy aan haar zijde. Ik ben nu met deze man en vergeleken met hem ben jij maar zielig geval, was de boodschap die ze luid en duidelijk aan Sean Murphy had willen overbrengen.

Maar ze had Guy de hele middag niet gezien. Ze had mevrouw Flanagan opgedragen hem in te lichten over haar val en dat ze nog leefde, maar dat ze tot haar slaapkamer was veroordeeld en hem heel graag wilde zien. Hij was niet gekomen. Er moest iets gebeurd zijn, redeneerde ze. Hij moest opgehouden zijn of misschien waren er moeilijkheden op de set, maar toch... hij had toch wel even zijn hoofd om de deur kunnen steken om te zien hoe het met haar ging?

'Waar heb je het gelaten?'

Daisy werd uit haar sombere overpeinzingen opgeschrikt en keek op. Montana stond in een soort zijden pyjama voor haar.

'Luister Daisy, Caroline laat me niet eerder met rust tot ik urine heb afgestaan, dus ik moet het godverdomme nu hebben. Komt er nog wat van of hoe zit dat?'

Daisy keek haar aan zonder een spier te vertrekken. 'Het staat in de koelkast in de oude dienstkeuken, Montana. Maar ik moet er wel bij zeggen dat het niet van mij afkomstig is.'

'Wat?' vroeg Montana ijzig.

'Guy en ik hebben gisteren gedronken, dus ik was niet bepaald clean. Maar wees niet ongerust, de urine die voor je in de koelkast staat, is zo zuiver als van een baby, gegarandeerd.'

'Waar heb je het dan vandaan?'

Hoewel haar enkel veel pijn deed, grinnikte Daisy tegen wil en dank. 'O, van ene Kat Slater.'

'Daisy, ik weet niet wat je in je schild voert, maar ik laat me niet meer in de zeik nemen. Als je ook maar één seconde denkt dat ik—'

'O, hou toch je kop!' schreeuwde Daisy die er schoon genoeg van had. 'Dringt het dan niet tot die botte hersens van je door dat ik je een enorme dienst bewijs? Als Jimmy D of Caroline te weten komt dat het niet je eigen pis is, word je op staande voet ontslagen en naar

La La-land teruggestuurd, en dan zul je weer in pornofilms moeten spelen. Donder nu op en laat me met rust. Zie je dan niet dat ik gewond ben?'

Montana zei niets. Ze keek Daisy heel vuil aan, liep naar de deur en zei hatelijk: 'Tussen twee haakjes, mocht je op zoek zijn naar Guy, hij is het laatst gesignaleerd toen hij Ella Hepburn naar haar kamer bracht. En weet je wat nou zo vreemd is? Sindsdien heeft niemand hem meer gezien.'

'Sodemieter op!' schreeuwde Daisy haar na. Montana dacht zeker dat ze achterlijk was, maar Daisy geloofde geen seconde dat Guy iets had met een vrouw die zijn moeder kon zijn. Hij wilde Ella waarschijnlijk niet meteen aan haar lot overlaten of misschien moesten ze hun tekst oefenen. Daisy zocht er echt niets achter en begon te giechelen.

Over een paar dagen zou een laboratorium ergens in Californië een urinemonster ontvangen met Montana's naam erop. Daisy had niet gelogen toen ze zei dat het monster (dat ze met heel veel moeite had verkregen) van ene Kat Slater was.

Wat ze niet had verteld, was dat Kat Slater een tweejarige fokmerrie was.

***

'Luister Susan, als je geen zin hebt om te gaan, waarom heb je dat dan niet meteen gezegd?' Normaal gesproken was Michael De Courcey de beruchte chagrijnige buien van zijn vrouw wel gewend, maar zelfs hij begreep niet waarom ze erop stond om naar het midzomernachtfeest op Davenport Hall te gaan. 'Sinds je de Davenports hebt ontmoet, kraak je ze alleen maar af. Eerlijk gezegd begrijp ik niet waarom je niet gewoon hebt afgebeld. Ik ga met alle plezier alleen, dat weet je. De kans om een glimp van Ella Hepburn op te vangen, laat ik niet door mijn vingers glippen.'

Susan keek hem nijdig aan en betastte intussen haar kapsel dat de zwaartekracht tartte. 'Je weet heel goed waarom ik mee ben gegaan. Zodra ik een woordje met juffrouw Davenport heb gewisseld, gaan we weer weg. Met of zonder Ella's handtekening.'

Ze beklommen voorzichtig de treden van het bordes. Susan zag dat haar man haar afkeurend aankeek en veranderde van tactiek. 'Lieveling, ik bewijs die vrouw alleen maar een dienst. Jij hebt die foto's in dat afschuwelijke tijdschrift toch ook gezien? Kennelijk heeft ze besloten om zich op Andrew te werpen en je weet zelf hoe gemakkelijk hij zich laat uitbuiten. Als ze beseft dat ze loopt te rotzooien met een man die zo goed als getrouwd is, zal ze wel tot bezinning komen. Neem maar van mij aan dat Portia Davenport me uiteindelijk dankbaar zal zijn.'

Na een huwelijk van veertig jaar wist Michael inmiddels wanneer hij een onherroepelijk besluit van zijn echtgenote moest bestrijden en – en dat was nog veel belangrijker – wanneer niet. Omwille van de vrede was hij tot alles bereid, dacht hij toen ze de ontvangsthal betraden.

'O, kijk eens, Andrew's moeder is er! Wat leuk dat u bent gekomen,' zei Lucasta. Ze was de voornaam van mevrouw De Courcey vergeten en richtte haar aandacht op Michael. 'En deze appetijtelijke man is natuurlijk uw echtgenoot,' zei ze en knipoogde veelbetekenend naar de opperrechter. 'Nu zie ik waarom Andrew zo'n lekker ding is.'

'We hebben elkaar al eens eerder ontmoet,' zei Michael.

'Echt? Dan moet ik straalbezopen zijn geweest, anders zou ik me zo'n spetter heus wel herinneren. Tussen twee haakjes, waar is Andrew?'

'Hij moest onverwacht naar een belangrijke afspraak in Dublin en komt later,' antwoordde mevrouw De Courcey bits. Ze vond het duidelijk niet leuk dat Lady Lucasta met haar man flirtte.

'Is het niet geweldig dat Andrew en Portia elkaar hebben gevonden?' vervolgde Lucasta. In haar opwinding morste ze gin-tonic op de marmeren vloer. 'Hij is werkelijk zo'n leuke en geweldige vent! Willen jullie wel geloven dat Portia in geen vijf jaar een nummertje heeft gemaakt? Andrew schijnt echt dol op haar te zijn...'

Mevrouw Flanagan kwam op het nippertje tussenbeide.

'Hoe maken jullie het? Willen jullie nog wat drinken of hoe zit dat?' zei ze tegen het echtpaar De Courcey.

'Een moutwhisky graag, zonder ijs,' bulderde de opperrechter.

'Voor mij een appelsap,' zei zijn vrouw.

'Dat is het? Een appelsap?' vroeg mevrouw Flanagan, niet gewend aan geheelonthouders.

'Ja. Ik drink niet.'

'Ach, arm ding,' mompelde Lucasta meelevend. 'Bent u alcoholiste?'

En dat werd zelfs mevrouw De Courcey, die doorgaans toch over stalen zenuwen beschikte, te veel.

'Laat maar, ik ga zelf wel wat te drinken halen,' zei ze en liet haar man in Lucasta's vuurlinie achter.

***

Op het moment dat Daisy dacht dat de avond niet erger kon worden, gebeurde dat juist wel. Het was al erg genoeg dat Guy zich de hele dag niet had laten zien, maar toen ze eindelijk haar trots overwon en naar hem op zoek ging, was ze helemaal niet voorbereid op wat ze te zien kreeg. Ze was net op haar krukken de Long Gallery uitgestrompeld toen ze merkte dat alle gasten in de ontvangsthal ineens zwegen. Ze stond op de overloop van de eerste verdieping en zag dat iedereen naar boven keek. O god, staat mijn haar soms in brand? Ze hoorde een ruisend geluid achter zich en keek over haar schouder. Ella Hepburn maakte een grootse entree. Ze liep met opgeheven hoofd en leek op Gloria Swanson aan het einde van *Sunset Boulevard*. Ze droeg een prachtig wit broekpak met een lange roodzijden sjaal die tot grond reikte en drukte haar Pekinees tegen zich aan. Guy liep als een trouwe schoothond naast haar en zorgde dat de gasten als de Rode Zee voor haar uiteenweken. Er werd beleefd geapplaudisseerd en een hele batterij flitslichten ging af. Ella wuifde nauwelijks zichtbaar met haar hand en Guy begeleidde haar naar de bibliotheek en sloot de deur achter hen. Wel godverdomme, dacht Daisy, aan deze Ella kon de koningin-moeder nog een puntje zuigen. Voorzichtig daalde ze op haar krukken uit de Eerste Wereldoorlog de trap af en hobbelde naar de bibliotheek. Ella zat kaarsrecht in een leren fauteuil met haar hondje op schoot en Guy zat aan haar voeten. Daisy had nooit om formaliteiten gegeven en kwam meteen terzake.

'Guy, wat is er aan de hand? Heb je de boodschap soms niet gekregen? Ik heb de hele middag op je gewacht!'

Hij zei niets, maar verontschuldigde zich tegenover Ella en beende met grote passen naar Daisy die op het punt stond te gaan huilen.

'Is het zo moeilijk voor je om eens heel even niet aan jezelf te denken maar aan een ander?' siste hij. 'Ella heeft een vermoeiende reis achter de rug en is nog steeds in shock vanwege de kamer waarin ze is ondergebracht. Bovendien is ze allergisch voor de katten van je moeder. Ze zegt dat een van hen heeft geprobeerd haar aan te vallen. Ze had hem per ongeluk opgetild in de veronderstelling dat het haar minken mof was. En dat was natuurlijk niet leuk. Dus als je een beetje consideratie wilt tonen...'

Ella zei geen woord, ze zat daar als een filmster uit de stomme film, rookte een Sobranie sigaret en liet Guy het vuile werk opknappen.

'Maar lieveling, ik heb een afschuwelijke val overleefd en ik wilde alleen...'

Guy keek haar ijzig aan. 'Ik, ik, ik. Kun je bij wijze van uitzondering ook eens aan iemand anders denken?' fluisterde hij alsof stemverhef de breekbare Ella nog meer van streek zou maken.

Dat was te veel voor Daisy. Met tranen in haar ogen probeerde ze onhandig driekwart slag te draaien en strompelde naar buiten, waar ze onmiddellijk tegen Paddy opbotste.

'Maakt die zakkenwasser je verdrietig?' vroeg hij bezorgd. Daisy zei niets en vocht tegen haar tranen van woede. 'Die Ella Hepburn is minstens vijfentachtig,' vervolgde hij, onder de indruk dat hij haar opbeurde. 'De meeste films die ze heeft gemaakt, zijn hartstikke slecht. Dat is niet erg, als ze iemand was die echt iets aan de wereldcultuur had toegevoegd, zoals bij voorbeeld Cilla Black of zo, maar zij is te erg voor woorden. Je zou denken dat ze in *Dallas* heeft gespeeld zoals zij zich gedraagt.' Toen hij zag dat Daisy echt van streek was, veranderde hij van tactiek.

'Kom schatje, dan trakteer ik op een gratis drankje.'

Met een krampachtige glimlach en ondersteund door Paddy liet Daisy zich dankbaar naar de bar leiden.

Als ze niet zo vreselijk moe en emotioneel was geweest, zou ze misschien hebben gemerkt dat Shamie Nolan in een verbeten discussie was verwikkeld met niemand anders dan opperrechter De Courcey.

***

Kalm blijven, zei Portia steeds weer tegen zichzelf, gewoon kalm blijven. Steve had haar mee naar buiten genomen en haar het nieuws zo voorzichtig mogelijk verteld. Maar aangezien de regen met bakken uit de hemel kwam, was het prieel naast de keukentuin de enige plek waar ze een beetje privacy hadden.

Portia liep nerveus op en neer in de ijdele hoop dat de koele avondlucht een kalmerend effect zou hebben, maar dat was niet zo. Wat Steve haar had verteld, maakte haar vreselijk van streek en haar slapen bonsden.

'Had ik je het beter niet kunnen vertellen?' vroeg hij oprecht bezorgd, maar Portia was helemaal in paniek en hoorde de vraag nauwelijks. Ze kon geen woord uitbrengen en kreeg haast geen adem. Lijkbleek keek ze hem aan. 'Portia, het spijt me vreselijk, maar we leggen ons er niet bij neer. Ik zal alles doen wat in mijn macht ligt...'

Verslagen en lamlendig drukte ze zich tegen hem aan en liet haar tranen de vrije loop. Hij liet haar op een houten bank plaatsnemen en sloeg zijn arm om haar heen.

'Sst, rustig maar, we bedenken wel iets,' zei hij troostend. 'Kom, dan breng ik je naar je kamer. Je bent nu toch niet meer in de stemming om feest te vieren. Misschien kun je beter even op bed gaan liggen. Ik zal wel even kijken of ik ergens een kalmeringspil kan vinden. Je bent aan het eind van je Latijn, Portia.'

Voor een buitenstaander leken ze op twee geliefden die elkaar in het geheim ontmoetten. Althans, dat was wat Susan De Courcey dacht. Ze had Portia overal gezocht en stond nu in de deuropening van de keuken. Ze keek naar hun silhouetten in het prieel en dacht: zo, zo, zo, dat is precies waar ik op had gehoopt. Ze schrok zelfs niet eens toen Daisy de keuken instrompelde, op zoek naar een pijnstiller voor haar kloppende enkel. Daisy besefte meteen wat er gaande was. Dat kreng van een wijf bespioneerde Portia. Een andere verklaring was er niet voor haar aanwezigheid in de dienstkeuken. Waar haalde ze het gore lef vandaan, dacht Daisy verontwaardigd. Haar zuster had eindelijk voor het eerst in jaren een vriendje en zijn moeder gedroeg zich godverdomme als Hercule Poirot.

'Kan ik u ergens mee helpen?' snauwde ze tegen mevrouw De Courcey die haar ogen met moeite losmaakte van het prieel. Maar de oudere vrouw was aan Daisy gewaagd. Als dat wicht soms dacht dat ze zich liet intimideren door een grietje dat op antieke krukken rondhobbelde, vergiste ze zich lelijk.

'Ja, graag,' antwoordde ze. 'Ik ben op zoek naar appelsap,' loog ze zonder een spier te vertrekken en keek Daisy ijzig aan.

'Maar natuurlijk,' antwoordde Daisy poeslief en deed de koelkast open. Ze pakte de kan met de urine van Kat Slater en schonk een groot glas voor mevrouw De Courcey in.

'Wilt u er ijs in, mevrouw De Courcey?'

***

Het was vijf uur 's morgens en de meeste gasten waren vertrokken. Het was al licht buiten en Lucasta ramde nog steeds op de toetsen van de vleugel in de Long Gallery. Ze had het uithoudingsvermogen van een SAS-marinier en dronk als vanouds alle gasten onder tafel.

'*There's no business like showbusiness!*' brulde ze uit eerbetoon aan alle gasten uit de amusementswereld. Ze had niet in de gaten dat iedereen al lang weg was. Alleen Jimmy D was er nog. Hij was als een reusachtige kabouter helemaal in het groen gekleed, alsof hij midzomernacht met St. Patrick's Day verwarde en lag met een sigaar half in coma in een leren fauteuil. Daisy lag op een divan in een hoek met haar krukken naast haar en sliep ook bijna.

Deze avond zal als de meest rampzalige avond van mijn leven de geschiedenis ingaan en dat wil wat zeggen, dacht ze slaperig. Ze had echt verwacht dat een berouwvolle Guy haar zou opzoeken en uit zou leggen dat hij met Ella Hepburn te doen had omdat het haar eerste dag was of iets dergelijks, maar dat had hij niet gedaan. Ze had hem de hele avond niet gezien. Ondanks dat ze verging van de pijn, was ze helemaal op haar krukken naar boven gestrompeld en had als een bezetene op zijn deur geramd, maar de deur zat op slot. Morgen, dacht ze, neem ik hem onder handen. Morgen.

Op dat moment strompelde Paddy binnen. Hij was stomdronken en kon nauwelijks op zijn benen staan. Hij zag Daisy, aarzelde even en liep toen zigzaggend naar Lucasta. Hij fluisterde iets in haar oor, ging op de kruk naast haar zitten en richtte zich tot de overgebleven gasten.

'Eh... mag ik even jullie aandacht. Ik weet dat jullie allemaal uitgeput zijn, maar ik heb een liefdesliedje gecomponeerd voor een zekere jongedame die anoniem zal blijven, maar ze weet wie ik bedoel want ze ligt daar met haar krukken naast haar.' Hij sloeg een paar akkoorden aan en begon te zingen.

> Op het moment dat ik je zag
> Ging ik bijna dood
> Je bent zo mooi
> Een ongelooflijke stoot
> O Daisy, mijn hartedief
> Wijs me niet af, ik heb je lief
> Luister alsjeblieft naar dit lied
> Ik schreef het voor jou
> Jij bent een sjieke griet
> En ik een jongen van de straat
> Maar geef me een kans, o schattebout
> Om je te tonen hoeveel ik van je houd
> We hebben meer gemeen
> Dan je wellicht zou denken
> Onze moeders kunnen het drinken niet laten
> En zijn altijd zo dronken als een tor
> Jouw huis zit vol gaten
> Maar dat interesseert me geen lor
> Als ik wist dat je op mij wacht
> Neukte ik je de hele nacht

Daisy zat rechtop en was klaarwakker. Ineens zag ze Paddy in een heel ander licht. Nou, dacht ze, als dit Guy niet jaloers maakt, wat dan wel? Ze kwam moeizaam overeind, pakte haar krukken en strompelde voorzichtig naar de vleugel. Paddy zag dat ze naar hem toe kwam en wilde opspringen om haar te helpen, maar Lucasta greep hem ruw bij zijn arm en duwde hem op de pianokruk.

'Goddank, eindelijk iemand die muzikaal is!' riep ze en nam een sigaret uit Paddy's pakje. 'Serge heeft de hele avond van die kloterige nichtenmuziek gedraaid en nu krijgen we eindelijk iets fatsoenlijks te horen. Speel nog wat, lieverd, of misschien kunnen we samen een paar duetten zingen? Ken je *Save Your Love* van Renee en Renata?'

'Was hij niet die dikke zwetende vent die een blonde griet een roos toewierp in die videoclip? Eh... ja, uwe majesteit, ik weet welk nummer u bedoelt. Ik vind het een klotenummer, maar het is uw feest, dus dan doen we het toch,' zei Paddy en begon te zingen.

Daisy stond naast hen. Ze wankelde van vermoeidheid en kon geen minuut langer luisteren naar het gebrul van haar moeder. 'Misschien zie ik je straks, Paddy,' fluisterde ze in zijn oor. 'Als je dat tenminste leuk lijkt.' Paddy keek stomverbaasd op. 'Mijn slaapkamer is op de tweede verdieping,' vervolgde Daisy. 'Links de gang in, helemaal tot het einde, en bij de buste van Napoleon op de overloop naar rechts. Dan de trap op, langs de grote kast en bij het portret van oma Davenport naar links. Mijn kamer is aan het einde van de gang, de vierde kamer links. Kun je dat onthouden?'

'Jezus, ja,' zei Paddy met dubbele tong. Hij kon zijn geluk niet op en had het gevoel alsof hij jarig was. Lucasta zong nu zo hard dat het op krijsen leek en onderbrak haar kattengejank alleen even om tegen haar dochter te zeggen: 'Hoepel nu op en laat ons met rust, Daisy. Alles goed en wel, sex is sex, maar het kan niet op tegen een potje samen zingen.'

'Tot straks misschien?' zei Daisy zonder geluid te maken tegen Paddy en hobbelde de Long Gallery uit.

Paddy keek haar zo rood als een biet na.

***

Het was acht uur 's morgens toen Andrew buiten adem de Hall binnenstormde. De eerste die hij tegenkwam, was mevrouw Flanagan. 'Het spijt me vreselijk dat ik gisteravond niet naar het bal kon komen,' begon hij. 'Maar als iemand een goed excuus heeft, ben ik het wel! Weet u waar Portia is? Het is natuurlijk nog vroeg, maar ik denk niet dat ze het erg vindt als ik haar wek. Ik heb zulk belangrijk nieuws!'

'Ze ligt nog te slapen.' Mevrouw Flanagan verzamelde gapend de lege flessen die op tafel stonden. 'Steve heeft haar gisteravond vroeg naar bed gebracht. Ik zag ze samen naar boven gaan.'

'Steve? Weet u dat zeker?'

'Ja schat,' antwoordde ze onschuldig en waggelde terug naar de dienstkeuken. 'En hij zei tegen me dat ze onder geen beding gestoord mochten worden.'

Andrew zweeg en schudde toen ongelovig zijn hoofd. Hij nam de trap met twee treden tegelijk en rende door de gang naar haar kamer. Hij klopte aan, maar er kwam geen reactie. Stilte. Hij klopte nog eens aan. Nog steeds geen teken van leven. 'Lieveling, ik ben het,' fluisterde hij zachtjes om Daisy niet te wekken die in de tegenoverliggende kamer sliep. Zachtjes deed hij de deur open en ging naar binnen.

Twee minuten later stormde hij woedend naar buiten en sloeg de voordeur achter zich dicht. Deze keer kon het hem niet schelen wie hij wakker maakte.

Hoofdstuk zestien

'Ik wil graag een handtekening van Celine Dion en mooie nepjuwelen die ik op het volgende staatsdiner kan dragen. Iets verfijnds, Shamie, bij voorbeeld een tiara met bijpassende oorbellen. De gouden regel is: wat voor Cher goed genoeg is, is goed genoeg voor mij.'

'Geen probleem,' antwoordde haar echtgenoot die plichtsgetrouw een lijstje maakte. 'Nog iets anders, schat?'

Bridie dacht diep na terwijl ze plankgas naar het vliegveld reed. Ze had haar man net bij het ministerie van Buitenlandse Zaken in het centrum van Dublin opgehaald en bracht hem nu naar het vliegveld. Shamie vloog eerst naar Londen en dan naar Las Vegas.

'Nou,' dacht ze hardop, 'een paar extra doosjes kunstnagels komen altijd van pas en als je toevallig in de buurt bent van die fantastische antiekwinkel waar Michael Jackson in die documentaire inkopen deed, koop dan wat voor me. Het geeft niet wat. Ze hadden prachtige, levensgrote pluchen tijgers en zo... Eigenlijk kun je daar net zo goed een rekening openen, Shamie.'

'Een rekening?' vroeg hij enigszins verontrust omdat zijn vrouw van plan was zo veel geld uit te geven. 'Is dat niet een beetje overdreven?' Bridie trakteerde hem op een van haar typerende dodelijke blikken. 'Luister schat, je weet toch dat ik absoluut niet krenterig ben,' krabbelde hij snel terug, 'maar als die kerels van de oppositie er nou lucht van krijgen dat ik zo veel geld voor ons nieuwe huis uitgeef? Als dat in de krant komt...'

'Ach, schei toch uit,' antwoordde Bridie totaal niet onder de indruk. 'Als dit ons droomhuis wordt, mogen we niet bezuinigen. Het is het heus allemaal waard als de halve regering ons in de weekends in de Hall komt bezoeken. Allejezus, Shamie, dan ben je net Tony Blair die gasten voor een weekend in Chequers uitnodigt.'

Shamie zweeg en dacht aan de grootse toekomst die hem wachtte. 'Jezus, dat is wel heel wat anders dan drijfmest aan veeboeren verkopen, liefje!'

'We verkochten geen drijfmest, we zaten in de recyclingindustrie van afvalproducten, achterlijke idioot,' snauwde ze en parkeerde haar Landrover bij het afzetpunt naast de ingang van de business-class vertrekhal. 'Heb je alles? Tickets, paspoort, geld?'

'Het zit allemaal hier,' antwoordde hij en klopte op de uitpuilende zakken van zijn felgele, geruite tweed colbert.

'En de minister vond het geen probleem dat je hem opspoort?' vroeg ze voor de honderdste keer.

'Geen enkel probleem,' antwoordde hij en pakte het grote valies in dezelfde felgele ruit als zijn colbert en pet van de achterbank. 'Zeg nou zelf, hoeveel mannen van zeventig zullen met hun vriendinnetje van achttien in de grote casino's te vinden zijn?'

'Een heleboel, als je dat progamma op Sky Channel over Las Vegas moet geloven,' antwoordde Bridie die in de achteruitkijkspiegel controleerde of haar mascara niet was doorgelopen.

'Maak je geen zorgen, schat. De minister kent iemand op het consulaat in Nevada en die kent weer iemand met heel veel contacten en die persoon zal me helpen. En mocht het niet lukken, dan hoeven we alleen alle blackjacktafels in de grote casino's af te struinen! Dat kan toch niet zo moeilijk zijn?'

***

'Je hebt zijn moeder paardenpis te drinken gegeven?' Portia kon haar oren nauwelijks geloven. Ze werd even heel kwaad, maar haar woede zakte meteen weer toen ze aan de nare taak dacht die haar te wachten stond. Steve en zij waren overeengekomen het slechte nieuws zo snel mogelijk aan de rest van de familie te vertellen, met inbegrip van mevrouw Flanagan. Steve had, vriendelijk als altijd, zelfs aangeboden die ochtend langs te komen om de kwestie uitgebreid te bespreken en om te kijken wat ze konden doen. Als ze inderdaad iets konden doen.

'Maar ik dacht dat je blij zou zijn!' jammerde Daisy. 'Mevrouw De Courcey is een ouwe heks en ze heeft zich gisteravond schandelijk misdragen! Godallemachtig, Portia, ik betrapte haar terwijl ze jou aan het bespioneren was! Waarschijnlijk wilde ze weten of jij wel goed genoeg bent voor haar dierbare Andrew. Ik had zin om dat liedje *Watching the Detectives* te zingen.'

Portia kwam uit bed. Ze was moe en haar hoofd bonsde nog net zo hevig als de vorige avond. Steve had in het medicijnkastje in de badkamer een slaappil gevonden en erop gestaan dat ze hem nam voordat ze naar bed ging. De pil had het gewenste resultaat, ze was de hele nacht bewusteloos geweest, maar nu had ze last van bijwerkingen: ze was versuft en traag.

'Ik zal maar niet vragen waarom er paardenpis in de koelkast stond,' zei ze en bukte zich om haar nieuwe witte japon van de vloer te rapen. Veel plezier had ze niet van haar dure aanschaf gehad, dacht ze spijtig.

'Eh... het moest gisten,' antwoordde Daisy. Toen Portia een handdoek pakte en naar de badkamer wilde lopen, ging Daisy rechtop zitten. 'Ga nog niet weg,' smeekte ze, verbaasd over de reactie van haar zuster over iets dat als een grap was bedoeld. 'Ik heb je nog heel veel te vertellen. Er is gisteravond echt iets vreselijks gebeurd tussen Guy en mij en toen heb ik iets... tja, heel doms gedaan...'

'Ik zie je over vijf minuten beneden,' zei Portia mat en verliet de kamer. Wat er ook voor vreselijks is voorgevallen tussen Daisy en Guy, dacht ze, het zal in het niet vallen bij wat ik haar te vertellen heb.

Het was een uitzonderlijke warme, zonnige morgen en terwijl Portia onder de lauwe, sijpelende douche stond (net een straaltje pis van een ouwe kerel, klaagde Daisy altijd) schoten er allerlei gedachten door haar hoofd. Niet alleen aan de enorme dreiging die als een gigantisch zwaard van Damocles boven Davenport Hall hing, maar ook aan Andrew. Hij was de vorige avond niet komen opdagen, en dat was op z'n zachtst gezegd vreemd. Hij had ook niet gebeld om af te zeggen en dat was, gezien het feit dat ze de afgelopen weken onafscheidelijk waren geweest, gewoon ronduit onbeschoft.

De hele avond had zich in een waas voltrokken, maar er waren een paar dingen die haar nog voor de geest stonden. Nadat Steve haar het vreselijke nieuws had verteld, was ze huilend in zijn armen gevallen. Ze herinnerde zich de geur van zijn aftershave toen hij haar op het bankje in het prieel had getroost. Ze herinnerde zich ook dat hij haar naar boven had gebracht, op bed had gelegd en haar alleen had gelaten in de hoop dat ze snel in slaap zou vallen. En dat was gelukt: een paar minuten later was ze in diepe slaap en had wilde dromen over Andrew.

Ze had gedroomd dat ze een trouwjurk droeg en in het kerkje van Ballyroan getuige was van het huwelijk tussen Andrew en Edwina. Vreemd. Maar het was nog vreemder dat ze tegelijkertijd steeds het idee had dat hij naast haar in bed lag. Ergens in de vroege ochtend had ze haar arm uitgestrekt, ervan overtuigd dat hij naast haar lag. Onbewust had ze geweten dat Andrew uiteindelijk toch was gekomen en direct naar haar kamer was gegaan. Zijn kant van het bed was zelfs warm, maar toch was hij er niet.

Portia stapte onder de douche vandaan. Misschien belde hij straks, dacht ze, en sloeg een handdoek om zich heen. Of misschien kwam hij gewoon naar de Hall zoals hij iedere dag had gedaan sinds ze elkaar hadden ontmoet. Ze liep op blote voeten naar haar kamer terug en keek naar buiten. De filmploeg was druk bezig alles in gereedheid te brengen voor de opnamen.

Portia zuchtte. Ik heb Andrew nodig, dacht ze. Zeker vandaag heb ik hem heel hard nodig.

***

Intussen ging de deur van Daisy's kamer langzaam open. De kust was veilig. Mooi. Hij trok zijn t-shirt binnenstebuiten aan, sloop door de gang op de tweede verdieping en probeerde de krakende planken zo veel mogelijk te mijden.

'Hé Paddy, wat leuk dat ik jou tegenkom! Jij bent een vroege vogel!'

'Jezus!' Arme Paddy schrok zich een ongeluk toen Lucasta ineens met haar armen vol lege flessen voor hem stond.

'Eh... uwe majesteit, hoe maakt u het,' zei hij nerveus. 'U vraagt zich natuurlijk af wat ik hier doe... Tja, de waarheid is dat... eh...' Hij maakte de zin niet af en zocht wanhopig naar een aannemelijke leugen.

'Het kan me geen barst schelen wat je hier doet,' antwoordde Lady

Lucasta. 'Maar nu ik je toch zie, zou je me een hele grote dienst willen bewijzen, lieverd?'

Twintig minuten later stond Paddy voor het poorthuis naast de toegangspoort van Davenport Hall waar een handjevol journalisten, enkele radioverslaggevers en een tv-ploeg van een plaatselijke nieuwszender zich hadden verzameld. De maand juni was komkommertijd op het gebied van nieuws en dus was het verhaal over een vervallen landhuis dat door een filmploeg uit Hollywood in beslag was genomen groot nieuws. Vooral wanneer een levende legende als Ella Hepburn kon worden opgevoerd. Alleen al een foto van haar kon gemakkelijk vijftienduizend euro opleveren.

Lucasta, met haar natuurlijke gave om snel geld te verdienen, had direct handel geroken. Ondanks een vreselijke kater was ze eerder die ochtend naar de poort gereden om een picknicktafel neer te zetten en haar flessen Davenport water uit te stallen. En nu stond ze achter de picknicktafel, gereed om haar mediacampagne te beginnen. Ze knikte enthousiast naar Paddy, het teken dat hij nonchalant naar de tafel moest lopen.

'Goedemorgen, Lady Davenport,' zei hij op de pompeuze manier van een bijzonder slechte amateurtoneelspeler en wel zo hard dat de heren van de pers hem konden horen. 'De beroemde filmactrice en toneelspeelster Ella Hepburn heeft me gestuurd om een paar wereldberoemde flessen Eau de Davenport te kopen. Ze zegt dat ze het verdomt om ooit nog iets anders te drinken, o shit!! Sorry, uwe majesteit,' fluisterde Paddy opgelaten tegen Lucasta.

'Hé, dat stukje knippen jullie er wel uit, toch?' riep hij naar de tv-camera die op hem was gericht. 'Mijn moeder vermoordt me als ze hoort dat ik zulke woorden op tv zeg.'

'Kom op, lieverd, het gaat fantastisch,' siste Lucasta met opeengeklemde kaken.

'En wat betreft de andere legenden van het witte doek, Montana Jones en Guy Van der Post,' vervolgde Paddy, verblind door een hele reeks flitslichten, 'zij beweren dat Eau de Davenport zuiver genoeg is om je ermee te wassen.'

Lucasta glimlachte gelukzalig naar de camera's, ontkurkte een fles en overhandigde hem met een zwierig gebaar aan Paddy.

'Wat ontzettend aardig van u,' zei ze. 'Alstublieft, dan kunt u mijn Eau de Davenport zelf ook eens proberen.'

Ook dit deel hadden ze gerepeteerd. Paddy nam een paar slokken, draaide zich weer naar de camera's toe en zorgde dat het etiket duidelijk zichtbaar was. 'Goh, het is zo lekker, ik kan haast niet geloven dat er geen alcohol in zit,' zei hij quasi-verbaasd.

'Vergeet de slogan niet,' siste Lucasta.

'O ja,' antwoordde hij. 'Dat was ik bijna vergeten.' Hij verhief zijn stem en zei: 'Eau de Davenport. Een godendrank.'

'Goed gedaan!' Lucasta klapte in haar handen, verheugd dat de gratis marketing een succes was. Toen richtte ze zich tot de verzamelde pers en vroeg: 'Zo, lieve mensen, hoeveel flessen willen jullie per persoon bestellen?'

***

Serge was in alle staten. Caroline had net op de deur van zijn make-up trailer gebonsd en wilde weten waarom hij Ella Hepburn niet opmaakte. 'Over een uur beginnen we met de scène waarin moeder en zoon herenigd worden. Het is niet te geloven dat je nog niet met haar bezig bent!'

Serge klopte nerveus op zijn borst en wuifde met zijn handen voor zijn gezicht om Caroline duidelijk te maken dat hij ademhalingmoeilijkheden had.

'Twee tellen in en vier tellen uit,' herhaalde hij steeds weer en ademde als een volleerde yogaleraar.

'Gaat het wel?' vroeg Caroline ineens bezorgd. 'Kan ik iets voor je doen?'

Serge knikte en wees naar een make-up tas die geopend op tafel stond. Caroline doorzocht de bewuste tas en vond ten slotte een klein flesje dat hij onmiddellijk uit haar handen griste. Hij nam niet de moeite de druppelaar te gebruiken, maar schroefde de dop eraf en sloeg de inhoud in één keer achterover.

'O, dat is beter,' zei hij toen hij de warmte voelde die de cognac in zijn maag verspreidde. 'Je hebt geen flauw idee hoe très difficile dit voor me is. Ella Hepburn! Ik keek al naar haar films toen ik nog luiers droeg, en mijn eerste kus was in een drive-in bioscoop waar zij de hoofdrol speelde in *Cleopatra II, Rise Of The Mummies*. En in het uitgaanswereldje waar ik deel van uitmaak in la is ze een levende icoon! Oudere mensen zeggen toch altijd dat ze nog precies weten wat ze aan het doen waren toen ze hoorden dat Kennedy was doodgeschoten? Nou, ik weet precies wat ik aan het doen was toen zij voor de tweede keer van Kent Reeves scheidde. En nu sta ik op het punt om haar make-up te doen. O god, ik ben haar zo onwaardig!'

'Je hebt precies een uur,' zei Caroline die absoluut niet onder de indruk was van zijn primadonnavoorstelling.

Serge haalde diep adem, pakte zijn make-up tas en liep naar de trailer van Miss Hepburn. Hij bleef even staan om kalm te worden en herhaalde zijn mantra. 'Levende legenden hebben ook hun zwakheden, levende legenden hebben ook hun zwakheden,' fluisterde hij telkens weer en klopte aan.

'Ja!' riep iemand.

Hij haalde diep adem, deed de deur open en ging naar binnen.

'O, Miss Hepburn, ik weet dat ik onwaardig ben om uw foundation aan te brengen, maar u hoeft maar met uw vingers te knippen en ik...'

'Ja! Ja! Ja!'

Serge viel bijna flauw. Ella Hepburn lag naakt in bed. Guy lag op haar en neukte haar of zijn leven ervan afhing.

'Ja! Ja!' Guy bereikte bijna zijn hoogtepunt en negeerde Serge die met open mond in de deuropening stond.

'Nou, ik denk wel dat dit een heel nieuwe dimensie aan de moeder en zoon scène zal geven, jullie niet?' kon Serge niet laten om op te merken en sloeg de deur met een knal achter zich dicht.

***

Later die ochtend ontvouwde zich een scène van heel andere aard in de bibliotheek van Davenport Hall.

'Nou moet je eens goed naar me luisteren,' zei mevrouw Flanagan op dreigende toon tegen Steve, alsof het allemaal zijn schuld was. 'Ik mag dan misschien niet de slimste zijn, maar ik ben niet helemaal achterlijk. Je kunt met nog zo veel verhalen komen over gemeenteraadsvergaderingen en stadsplanning en bestemmingsplannen en dergelijke, maar ook al is het nog zo'n grote lul, ik weiger te geloven dat Shamie Nolan zijn plannen werkelijk zal doorzetten.'

Steve wreef vermoeid in zijn ogen en vroeg zich af of de dames, met uitzondering van Portia, wel naar hem hadden geluisterd.

Lucasta staarde hem diep geschokt aan en Daisy zat te grienen. De vooruitziende Portia had deze reactie verwacht en reikte haar zusje een handvol Kleenex aan.

'Wat Steve probeert uit te leggen, is dat wij geen enkele invloed hebben op wat er met Davenport Hall gaat gebeuren,' zei Portia opzettelijk heel kalm. 'Shamie Nolan heeft al een voorstel bij de afdeling stadsplanning in Dublin ingediend en als zijn voorstel wordt aangenomen, hoeft de gemeente alleen nog maar een onteigeningsbesluit uit te vaardigen. En als dat gebeurt, hebben we geen andere keus en zullen we de Hall moeten verkopen.'

'Ik begrijp er niets van, lieverd,' zei Lucasta, nog steeds diep geschokt. 'Hoe kan iemand ons nu dwingen om ons huis en ons land te verkopen als we dat niet willen? Kunnen we niet gewoon zeggen dat ze moeten opsodemieteren?'

In de wetenschap dat een van hun beiden de hele kwestie nog eens zou moeten uitleggen, keek Steve naar Portia. 'De gemeenteraad kan alleen een onteigeningsbesluit uitvaardigen als het huis onbewoonbaar wordt verklaard,' zei hij zo vriendelijk mogelijk.

'Maar niemand verklaart de Hall onbewoonbaar,' zei Lucasta. Alleen al bij de gedachte raakte ze helemaal van streek. 'Het is ons huis! Het is nationaal erfgoed! Ze kunnen toch niet gewoon—'

'Mama, mag ik u eraan herinneren dat het dak vol gaten zit en de ornamenten om de haverklap van het plafond naar beneden komen? We moeten realistisch blijven, de Hall kan elk moment onbewoonbaar verklaard worden.'

'O Portia, wat ben je toch wreed!' snikte Lucasta en pakte een Kleenex.

'Kunnen we dan helemaal niets doen?' jammerde Daisy ontroostbaar.

'Er is een sprankje hoop,' zei Steve. 'Je vader is de wettige eigenaar van de Hall, dus als we hem kunnen bereiken en hem ervan kunnen overtuigen dat hij niet moet verkopen, is er een kans dat we een eventueel onteigeningsbesluit kunnen tegenhouden tot de Hall gerenoveerd kan worden en aan de eisen van bouw- en woningtoezicht voldoet. Hoe we echter aan het geld moeten komen om de Hall te renoveren, is weer een ander probleem.'

Daisy klaarde op en ging op het puntje van haar stoel zitten. 'Steve, je bent een genie!' riep ze. 'Natuurlijk, dat is de oplossing! Papa zal de Hall nooit verkopen, nooit van z'n leven! Ook al krijgt hij nog zo veel geld geboden!'

***

'Ik had nooit gedacht dat Blackjack de Hall zo snel zou verkopen,' zei Shamie in de hoorn. Hij moest hard praten want de verbinding tussen Las Vegas en Ballyroan was slecht en de lijn kraakte.

'Je bent geweldig,' zei Bridie die in haar design keuken stond. 'Ik ben trots op je, Shamie. Donald Trump had het niet beter kunnen doen. En voor hoeveel heeft hij het verkocht?'

'Dat is nog het mooiste van alles, schat. Ik zou maar even gaan zitten als ik jou was,' schreeuwde Shamie die zijn opwinding niet langer de baas kon. 'Twee miljoen! Maar twee miljoen! Als we de bouwvergunning hebben, zal alleen het land al tien keer zo veel waard zijn!'

'En is alles formeel afgehandeld: het koopcontract, de overdrachtsakte en de financiële afwikkeling?'

'Alles is in kannen en kruiken,' antwoordde haar echtgenoot voldaan. 'Blackjack rukte de cheque uit mijn hand nog voordat de inkt droog was. Vertel eens, schat, hoe voelt het om de nieuwe lady van het landgoed te zijn?'

Hoofdstuk zeventien

Edwina had geen enkele moeite met het vinden van de kamer van mevrouw De Courcey. Toen ze met een schitterend boeket lelies op haar Jimmy Choo-schoenen door de gangen van het Kildare-ziekenhuis trippelde, was ze zich terdege bewust van de bewonderende blikken van een passerend groepje co-assistenten. Een van hen vermoedde dat deze beeldschone vrouw de weg kwijt was en bood aan om haar naar de intensive care op de tweede verdieping te brengen. Op de deur van de afdeling hing een bord: ALLEEN NAASTE FAMILIELEDEN. Edwina trok zich er niets van aan en drukte lang op de bel. Enkele seconden later deed een zuur kijkende hoofdzuster open.

'Kan ik u helpen?'

'Ja, graag. Ik kom voor mevrouw De Courcey.'

'Bent u haar dochter?'

Edwina glimlachte zelfgenoegzaam. 'Bij wijze spreken, ja. Kan ik naar binnen?'

'Het spijt me vreselijk, alleen naaste familie is toegestaan.' De hoofdzuster wilde de deur in haar gepoederde, geëpileerde gezicht dichtdoen toen een specialist de gang in liep. Edwina trok met een geoefende beweging snel de clip uit het lange blonde haar zodat het in sexy golven over haar blote schouders viel.

'Ik vroeg me af of u me misschien zou kunnen helpen?' vroeg ze en trakteerde hem op haar prachtige, oogverblindende glimlach. 'Ik ben helemaal uit Dublin gekomen om een vriendin te bezoeken en het is echt niet mijn bedoeling lang te blijven... maar ik zou haar zo graag deze bloemen geven.'

Hij keek haar aan en was verkocht. De meeste mannen konden Edwina niet weerstaan als ze haar charme in de strijd gooide.

'O, ik denk dat we voor deze ene keer wel een uitzondering kunnen maken, of niet, hoofdzuster?' zei hij en hield de deur voor haar open. Edwina bedankte hem niet eens en trippelde de gang in.

'Edwina, wat lief dat je me komt opzoeken,' zei mevrouw De Courcey met een zwak stemmetje en deed een vruchteloze poging om rechtop te gaan zitten.

'Laat mij je helpen,' zei haar plichtsgetrouwe en uitverkoren schoondochter. Edwina haastte zich naar het bed en propte kussens achter haar rug. 'Hoe gaat het nu met je, arme schat?'

'Ietsje beter, dank je. Maar ik voel me nog steeds zo slap als een vaatdoek,' antwoordde mevrouw De Courcey. Moeder Theresa zou jaloers zijn op de gekwelde uitdrukking op haar bleke gezicht.

'Hebben ze enig idee wat het kan zijn?'

'Een of andere vergiftiging, maar de bloedtesten hebben niets opgeleverd, dus ze weten niet wat de oorzaak is. Ik voelde me al die tijd kiplekker, maar ik was nog niet in Davenport Hall of ik werd straalmisselijk. Zo misselijk ben ik nog nooit van mijn leven geweest. Michael heeft er twintig minuten over gedaan om me naar de auto te dragen. Wat kan ik zeggen, lieverd? Eén avondje in dat gekkenhuis en ik werd zo ziek dat ik dood wilde. En eerlijk gezegd was ik inderdaad nog liever dood dan dat ik een seconde langer in dat huis bleef.'

'Wist je dat je foto in de krant staat?' vroeg Edwina. Ze pakte een stapeltje kranten en tijdschriften uit haar Hermes Kellytas op en spreidde ze op bed uit. 'Kijk, daar sta jij tussen al die mensen, en is dat niet Ella Hepburn in het midden?'

'Weet je, ik heb zo'n medelijden met die arme vrouw,' zei Susan met een zwak, klagend stemmetje. 'Hopelijk is ze zo sterk als een os, anders kunnen ze beter ook een bed voor haar gereedhouden.'

'De pers smult ervan,' vervolgde Edwina. 'Davenport Hall krijgt meer aandacht dan de huwelijksperikelen binnen de koninklijke familie. O, kijk dit eens,' zei ze toen haar arendsblik op een grofkorrelige zwart-wit foto in de *National Intruder* viel. 'Je kunt het niet zo goed zien omdat het heel hard regent, maar is dat niet Portia Davenport met een man?'

Susan zat ineens rechtop in bed en griste de krant bijna uit Edwina's handen. Het was inderdaad een wazige foto van Portia en Steve op de avond van het midzomernachtfeest in het prieel. De foto was duidelijk met een telelens genomen, maar je kon vaag zien dat ze zich aan hem vastklampte en dat hij zijn armen om haar heen had geslagen.

HET LIJKT HIER VERDOMME WEL SODOM EN GOMORRA, luidde de kopregel. ER IS MEER SEX IN DEZE KLEINE UITHOEK VAN KILDARE DAN OP DE WALLEN IN AMSTERDAM!

'Ook al is ze nog zo lelijk, het kost haar geen moeite om mannen te versieren, nietwaar?' dacht Edwina hardop. 'Ik veronderstel dat lelijke vrouwen gewoon veel meer hun best moeten doen.'

'Dat klopt. Vlak voordat ik onwel werd, heb ik haar met een ander gezien,' zei Susan die onmiddellijk opfleurde. 'Heb je er bezwaar tegen als ik deze *National Intruder* houd, lieverd? Ik weet zeker dat Andrew later nog op bezoek komt. Normaal gesproken veegt hij nog niet zijn kont af met dat blad maar in dit geval...' Met een vermoeide glimlach liet ze zich weer in de kussens zakken en was bijna net zo wit als het laken.

Edwina kneep troostend in haar hand en keek haar verheugd aan. 'Arme Susan, ik heb zo met je te doen! Maar ik ben niet gekomen om te praten over wat de kranten schrijven. Ik heb nieuws waar je vrolijk van zult worden.'

***

Daisy kon er niet meer tegen. Dit was de derde achtereenvolgende dag die ze in het kantoor doorbracht terwijl Steve en Portia verwoede pogingen deden om achter Blackjack's verblijfplaats te komen. Het laatste wat ze van hem hadden vernomen, was een ansichtkaart van Ceasar's Palace, maar toen ze het hotel belden, bleek dat hij had uitgecheckt. 'O ja,' had de receptionist van het hotel gezegd, 'ik herinner me die twee nog, een ouwe snoeperd en een groen blaadje. Hij beweerde dat hij een Ierse hertog of lord was, maar dat zeggen zo veel mensen. Is hij uit een inrichting ontsnapt of zo?'

Intussen probeerde Steve de leden van de gemeenteraad te pakken te krijgen om uit te vinden in welk stadium de plannen voor Davenport Hall verkeerden. Portia zat tegenover hem aan het grote notenhouten bureau. Ze maakte rustig aantekeningen en hielp met nuttige suggesties. Daisy's enige aandeel in het geheel was voortdurend zuchten en telkens in tranen uitbarsten als Blackjack's naam werd genoemd, en dat gebeurde ongeveer om de vijf minuten.

Steve moest heel lang wachten voor hij werd doorverbonden met de voorzitter van de gemeenteraad en kon hem elk moment aan de lijn krijgen toen Daisy ontplofte.

'Hoe kunnen jullie zo rustig blijven terwijl de bulldozers misschien al bij de poort staan om van ons landgoed een tweede Ballymum Towers te maken?' schreeuwde ze.

Tegen haar gewoonte in keek Portia even geïrriteerd, maar ze vermande zich snel. 'Lieverd, Steve en ik doen alles wat we kunnen om een oplossing te vinden. Als je ons wilt helpen, best. Zo niet, ga dan naar buiten om een luchtje te scheppen.'

Daisy dacht even na en pakte toen haar krukken. Ze wilde Guy dolgraag zien en hem het vreselijke nieuws vertellen. Misschien wist hij een oplossing. Ze had hem niet meer gezien sinds ze de bibliotheek was uitgestormd, maar je wist maar nooit. Misschien week hij uit medelijden niet van Ella's zijde of... Hoe dan ook, er was maar één manier om daar achter te komen.

'Doe me een plezier en zeg tegen niemand iets,' zei Portia. 'Er lopen heel veel journalisten rond en we willen dit in de familie houden.'

'Ja, de enige manier om tegenwoordig op de hoogte te blijven van het wel en wee van de Davenports is de roddelbladen lezen,' grapte Steve glimlachend. Maar zijn poging om de situatie op te vrolijken, had een averechts effect. Daisy's grote blauwe ogen vulden zich met tranen toen ze aan de foto's dacht die van Guy en haar waren verschenen en hoe de *National Intruder* hen als een prachtig paar de hemel in had geprezen.

In werkelijkheid had de kopregel van het artikel KIJK EENS WAT EEN KONT geluid, maar in Daisy's herinnering was het een suikerzoete, romantische reportage over twee geliefden.

'Ik wilde je niet van streek maken, Daisy,' zei Steve toen ze woedend de kamer uitstrompelde.

'Laat haar maar,' zei Portia zachtjes. 'Het is een lang verhaal.'

Daisy schuifelde voorzichtig de trap af en hoorde de telefoon in de

bibliotheek rinkelen. Het was toch bezopen dat er geen mobiele te-
lefoons in dit huis waren, dacht ze kwaad. Ze bleef even staan, maar
toen de telefoon bleef rinkelen, zuchtte ze diep en besloot dat ze
beter kon opnemen voor het geval het iemand was van de gemeenteraad van Kildare. De lijn in het kantoor was immers constant bezet
omdat Steve al de hele middag aan de telefoon zat.

'Hallo, met Davenport Hall.'

'Daisy? Met Andrew.'

'O, hallo,' antwoordde ze dof. 'Wil je Portia spreken?'

'Ja. Is ze er?'

Daisy keek afwezig naar buiten en zag dat de filmploeg in de oude
boomgaard bezig was. Ze kon Guy en Ella zien. Hij droeg zijn favoriete witlinnen kostuum en zij een Victoriaanse hoepelrok. Ze
dacht koortsachtig na. Daisy was niet het type om zich af te vragen
wat een man bezielde, maar meer van: eerst schieten en dan vragen
stellen. Die houding had haar in het verleden vaak in moeilijkheden
gebracht, maar dat kon haar niet schelen. Wat had ze verdomme te
verliezen? Ze zou Guy op de man af vragen wat er in godsnaam aan
de hand was en besloot de confrontatie meteen aan te gaan. Ze werd
even van haar voornemen afgeleid door Andrew die vroeg: 'Daisy?
Ben je er nog?'

'Eh... luister, het komt slecht uit.' Ze popelde om de hoorn neer te
leggen. 'Ze is boven met Steve, maar ik vraag haar wel om je terug te
bellen. Goed?'

'Ik moet haar dringend spreken, Daisy. Beloof je me dat je haar de
boodschap doorgeeft?'

'Ja, ja,' mompelde ze afwezig en legde de hoorn neer.

Toen Serge haar langs de cateringtrailer zag hobbelen, legde hij
meteen zijn glutenvrije dieetsnack neer en rende haar achterna. 'Hé
Daisy, hoe gaat met je oorlogswond?' vroeg hij op haar enkel wijzend.

'Prima, dank je.' Ze was niet in de stemming voor grapjes. 'Serge,
zijn ze op dit moment aan het filmen?'

'Ja, het laatste deel van de hereniging van moeder en zoon.' Toen
hij de vastbesloten blik in haar ogen zag, voegde hij eraan toe: 'Liefje,
je weet dat je niet in de buurt mag komen als ze aan het filmen zijn...'

Daisy wachtte niet tot hij was uitgesproken en strompelde verder. Serge volgde op discrete afstand, deze kans liet hij zich niet ontnemen.

***

'Moeder, waarom bent u me helemaal uit Atlanta naar de familieboerderij van de O'Mara's in het land van heiligen en geleerden gevolgd?'

'Omdat, mijn beste jongen, ik niet kan toestaan dat je je na de schande en vernedering die ze de Charleston-clan heeft aangedaan weer met die vrouw inlaat! O Brent, lieverd, wanneer dringt het tot je door dat Magnolia gewoon een snol is!'

'Stop!' brulde Jimmy D zo hard als hij kon. 'Iemand loopt door het beeld, verdomme!'

'Ik zal hem persoonlijk vierendelen, wie het ook is...' zei Johnny, maar hij maakte de zin niet af toen hij zag dat het Daisy was, die via een ander hek de boomgaard was ingelopen en nu naar Guy en Ella hobbelde.

'Guy, goddank. Eindelijk heb ik je gevonden...' hijgde ze.

'Heb je nu je zin?' snauwde Guy woedend. 'Ella en ik hebben deze scène urenlang gerepeteerd. Het ging perfect en nu moeten we weer helemaal opnieuw beginnen! En dat terwijl ik eerlijk gezegd het gevoel heb dat ik mijn piek al heb bereikt.'

'Maar Guy, je begrijpt het niet,' zei Daisy. 'We hebben vreselijk nieuws gekregen! Ze willen de Hall onbewoonbaar verklaren en ons onteigenen en het landgoed volbouwen met appartementen en flats en—'

Hij lachte gemeen. 'Hoe eerder jullie erkennen dat jullie in een bouwval leven, hoe beter. Je zou juist blij moeten zijn dat er iemand is die de Hall wil kopen. Het is nu eenmaal een krot.'

'Davenport Krot,' zei Ella Hepburn met haar zware, schorre rokersstem en dat waren de eerste woorden die Daisy haar had horen zeggen sinds ze was gearriveerd.

'Eerlijk gezegd voer ik dit gesprek liever niet in bijzijn van Lucretia Borgia,' zei Daisy terwijl de tranen in haar ogen sprongen.

'Let maar niet op haar,' zei Guy tegen Ella. 'Ik heb alleen met haar gerotzooid omdat Brent Charleston dat gedaan zou hebben.'

'Daisy, kom mee,' zei Serge die op Daisy was toegelopen en zijn arm beschermend om haar schouders legde.

Daisy was te verbouwereerd om te protesteren en liet zich door Serge wegleiden in de wetenschap dat iedereen op de set naar haar keek. Ze wierp nog een laatste blik over haar schouder en had meteen spijt. Guy en Ella deden de scène opnieuw, maar deze keer had hij zijn hand suggestief op haar achterwerk gelegd en leken ze helemaal niet op moeder en zoon.

***

'Wind je nou niet zo op, liefje,' zei Serge in de make-up trailer. 'Mijn overheerlijke koffie verricht wonderen. Ik zeg altijd waarom zou iemand naar een psychiater gaan als ze een kapper hebben?' Hij liep naar het koffiezetapparaat in de hoek, pakte de kan met versgezette koffie, schonk een beker voor de helft vol en vulde de rest aan met cognac. 'Hier, drink op en dan zal oom Serge je enkele gruwelverhalen over het mannelijke geslacht vertellen,' zei hij en reikte Daisy de beker aan.

Daisy was krijtwit en met de deken om haar schouders zag ze eruit alsof ze een bomaanslag had overleefd.

'Weet je dat een ex van mij onze relatie heeft verbroken met een sms'je? Het is toch niet te geloven!' vervolgde Serge terwijl hij haar handen masseerde. 'We waren drie maanden samen en toen stuurde hij me een kloteberichtje met de tekst: Welkom in Dumpstad! Aantal inwoners: 1. Jij!'

Er werd zacht op de deur van de make-up trailer geklopt.

'Binnen,' zei Serge op zachte, eerbiedige toon alsof ze in een rouwcentrum waren.

Montana kwam met een bos rozen binnen en keek Daisy schaapachtig aan. 'Daisy, ik weet dat dit een slecht moment is, maar het is geen geheim dat Guy en Ella iets hebben en ik wilde je deze rozen geven en zeggen dat ik het echt heel erg voor je vind.'

Daisy staarde haar sprakeloos aan.

'Ik weet hoe rot ik de laatste tijd tegen je heb gedaan,' vervolgde Montana die naast haar ging zitten, 'terwijl jij vanaf de eerste dag zo'n schat bent geweest. Er is geen excuus voor de dingen die ik op de avond van het bal tegen je heb gezegd, maar ik kon gewoon niet uitstaan dat je met die klootzak was. Je verdient zo veel beter. Geloof je nu dat Guy een ongelooflijke lul is?'

Daisy knikte zwakjes. 'Maar het doet zo'n pijn,' snikte ze. 'Het doet echt zo'n pijn.' De cognac in de koffie begon te werken en de tranen biggelden langs haar wangen. 'Heel misschien krijgt Guy genoeg van haar en beseft hij hoe stom hij is geweest en wil hij me terug. Wat denk jij?'

'Ach gossie, ach gossie,' zei Serge die zachtjes haar schouders masseerde. 'Je klampt je aan een strohalm vast, lieverd. Het is allemaal de schuld van Meg Ryan.'

'Meg Ryan?' vroeg Montana verbaasd. 'Wat heeft Meg hier mee te maken?'

'Heb je dit dan nog niet gelezen?' antwoordde Serge en wees naar een gekreukt velletje dat op de binnenkant van de deur van de trailer zat geprikt. Hij stond op om het te pakken. 'Ik ben bezig een lijst op te stellen: de Films van Meg Ryan en haar Misdaden tegen de Mensheid.' Hij keek Montana en Daisy aan en las hardop: 'Eén: haar films houden het idee in stand dat gevoelige, kwetsbare en alleenstaande vrouwen over de hele wereld uiteindelijk de ware liefde zullen vinden. Twee: (en dit heeft betrekking op jou, lieverd) haar films verkondigen de flauwekul dat ook al begint de relatie met de man van je dromen niet goed, ook al bedriegt hij je met je beste vriendin, het maakt niet uit want uiteindelijk zal het toch op een huwelijk uitdraaien. Drie: hoe durven haar films alleenstaande vrouwen aan te moedigen om te geloven dat al hun mannelijke vrienden, ondanks hun geaardheid, voor het oprapen liggen.'

Montana keek naar Daisy, die haar tranen even vergat. Serge behoorde tot die mensen die op hun grappigst waren als dat helemaal niet de bedoeling was.

'En dan heb ik het nog niet eens over Ella Hepburn!' vervolgde Serge zijn tirade. 'Lieverd, ik heb haar eens goed bekeken toen ik vanochtend haar make-up deed en die vrouw heeft heel wat aan zich laten sleutelen! Ik durf te wedden dat er ergens in een kliniek voor cosmetische chirurgie een emmer staat met het grootste deel van haar echte gezicht.'

Montana zag dat op Daisy's mooie, vermoeide gezichtje een flauwe glimlach verscheen en besloot dat dit het juiste moment was om van onderwerp te veranderen.

'Tussen twee haakjes, ik moet je nog iets vertellen,' zei ze tegen Daisy. 'Ik ben je echt heel dankbaar, want de resultaten van het laboratorium in LA zijn bekend en je vriendin Kat Slater heeft me echt een grote dienst bewezen. Ik ben helemaal clean en gezonder dan ik ooit ben geweest!'

Daisy grinnikte tegen wil en dank. Ze vergat haar zorgen en begon steeds harder te lachen. De tranen rolden over haar wangen en ze wist niet eens waarom. Serge en Montana begonnen ook te lachen en even later klonk de make-up trailer als het ingeblikte gelach van een Amerikaanse comedyserie.

'Lachen door je tranen heen,' hikte Serge. 'De fijnste emotie die er is!'

***

Op ongeveer hetzelfde tijdstip zoefde de Jaguar van Shamie Nolan over de gaten in de oprijlaan van Davenport Hall.

'Verdomme Mickey, als ik weer langs die rottige journalisten moet, ga ik gillen,' mopperde Bridie tegen haar zwager. 'Ze bivakkeren al de hele week voor de poort en fotograferen alles wat beweegt. Neem maar van mij aan dat ik precies weet hoe prinses Diana zich gevoeld moet hebben.'

'Denk aan de primeur die je hun kunt geven als bekend wordt dat jij de nieuwe vrouw des huizes bent, Bridie, of moet ik zeggen milady!'

Hartelijk lachend parkeerde ze de auto voor de hoofdingang van de Hall. 'Kom Mickey,' zei ze en wurmde zich met haar dikke lijf achter het stuur vandaan. 'Dan gaan we aan de slag. Heb je alles wat je nodig hebt?'

'Ik dacht van wel,' antwoordde hij en pakte een schetsblok, meetlint en trapje uit de kofferbak. 'Okidoki, ga jij maar voor.'

Ze liepen het bordes op en Bridie drukte lang op de bel.

'Onderbroeken aanhouden, alsjeblieft,' hoorden ze mevrouw Flanagan zeggen (haar standaardbegroeting). De voordeur ging open en toen mevrouw Flanagan zag wie de bezoekers waren, zei ze: 'Hallo Bridie, hoe gaat het? Wat doe jij helemaal hier? Is Shamie niet bij je?' voegde ze er argwanend aan toe.

'Nee, hij is in Amerika voor zaken,' antwoordde Bridie koeltjes. 'Dit is zijn broer Mickey.'

'Tja, als jullie voor Lady Davenport komen, moet ik jullie teleurstellen. Ze is lazarus,' zei mevrouw Flanagan die onraad rook. 'Maar Portia is boven in het kantoor. Willen jullie haar misschien spreken?'

'Ja. Zeg maar tegen haar dat de nieuwe bewoners er zijn,' zei Bridie die zich niet langer kon inhouden.

Hoofdstuk achttien

'Ik heb in mijn leven heel wat waardeloze klootzakken ontmoet, maar Blackjack Davenport slaat alles,' zei mevrouw Flanagan voor de zoveelste keer in tien minuten en staarde somber voor zich uit. Niemand sprak haar tegen.

Dit lijkt wel de laatste akte van een toneelstuk van Tsjechov, dacht Portia. Het vervallen landhuis dat verkocht was onder de neus van de familie die daar al eeuwen woonde, de trouwe huishoudster die de familie al jaren diende, de beeldschone, jongste dochter die de hele dag tranen had geplengd en de vrouw des huizes die zich een stuk in haar kraag had gedronken. De hoofdrolspelers zaten verbijsterd rond een koude haard en vroegen zich in stilte af wat er van hen moest worden. Het enige wat nog ontbreekt, dacht Portia spottend, is een zeemeeuw die boven onze hoofden cirkelt.

Het was een rampzalige dag geweest. In de hoop dat ze Blackjack konden overtuigen de Hall niet te verkopen, hadden Steve en zij alles in het werk gesteld om hem op te sporen. En toen dat niet lukte, hadden ze zich op de volgende zware taak geworpen en de gemeenteraadsleden een voor een gebeld om hen te overreden de Hall niet onbewoonbaar te laten verklaren. Maar het was allemaal voor niets geweest. Zodra Bridie Nolan met een architect op de stoep stond, was de strijd zo goed als gestreden.

Bridie en haar zwager hadden de hele middag opgewekt door de Hall gestruind en gekeken wat er zoal gedaan moest worden. Bij de herinnering hoe Bridie en Mickey over het lot van de kamers en enkele pronkstukken hadden beslist, voelde Portia weer een steek in haar hart.

'Godallemachtig Mickey, om te beginnen moet dat wanproduct eruit,' had Bridie gezegd bij het zien van de antieke Victoriaanse eettafel in de rode eetzaal. 'Dat monsterlijke ding moet weg en die lelijke waterspuwers aan het plafond ook. Ze doen me aan Shamie's moeder denken. We halen die oude, verrotte vloer eruit en dan kan hier het verwarmde binnenzwembad komen dat met een druk op de knop door automatische schuifpanelen wordt afgedekt. Net zoals in de films van James Bond.'

'Maar Bridie, niemand van je familie kan zwemmen,' wierp Mickey tegen.

'Daar gaat het toch niet om, stommeling, we kunnen er tropische vissen in houden, dat lijkt me geweldig. En dat,' vervolgde ze en wees dreigend naar de muziekgalerij in de balzaal, 'zou ik er eigenhandig uit slopen als ik het kon. Wat heeft iemand daar nou aan? Er kan verdomme niet eens een karaokemachine staan.'

Zelfs de bibliotheek, waarschijnlijk het enige voorname vertrek in de Hall, vanwege het aanzienlijke aantal in leer gebonden eerste edities, ontkwam niet aan haar scherpe tong.

'Al die oude, stoffige boeken moeten in kartonnen dozen worden gestopt, dan kunnen de Davenports die meenemen als de mooie dag aanbreekt dat ze de Hall verlaten. We halen alle planken weg en zetten hier een lange Mexicaanse bar met alles erop en eraan neer. En wat die lelijke vensterruiten betreft,' vervolgde ze wijzend op de antieke schuiframen, 'hoe eerder we die kwijt zijn, hoe eerder we er dubbele beglazing in kunnen laten zetten.'

Dit ging zo een paar uur door en toen kwam de genadeklap.

Mickey maakte zich met zijn een meter vijfenvijftig zo lang mogelijk en verklaarde: 'Ik heb heel wat bouwvallen gezien, Bridie, maar Davenport Hall krijgt de gouden medaille. Ik heb het nu grondig bekeken en het is een hopeloos geval. Al stop je er vijftien miljoen euro in, het is weggegooid geld. Alleen al om het vochtbestendig te maken, ben je miljoenen kwijt.'

'Wat stel je dan voor, Mickey?'

'Laat het zo snel mogelijk met de grond gelijkmaken, bouw je droomhuis en in plaats van Davenport Hall noem je het Shamie Joe Nolan Junior Hall.'

Bridie dacht na. Het idee lokte haar wel, maar toen schudde ze met tegenzin haar hoofd. 'Vergeet die stomme milieubeschermers niet, Mickey, die spelen we dan in de kaart. Je weet hoe die bomenvrijers zijn. Shamie zegt altijd dat ze platgewalst zouden moeten worden.'

'Voor een intelligente vrouw ben je niet erg vlot van begrip, Bridie. Denk eens na. Shamie en jij zijn nu de officiële eigenaren van de Hall en jullie kunnen het landhuis zonder twijfel voor een flinke mep geld laten verzekeren. Gesteld dat iemand op een avond een brandende peuk in die stoffige oude bibliotheek laat liggen en het hele huis gaat in vlammen op... Er zijn wel eens gekkere dingen gebeurd.'

***

'Weet je, ik had op mijn trouwdag een voorgevoel,' zei Lucasta terwijl ze een sigaret rookte en voor zich uit staarde. Portia, Daisy en zelfs mevrouw Flanagan ontwaakten even uit de sombere gemoedstoestand die als een mistdeken over hen hing en keken haar verbaasd aan. Lucasta sprak namelijk nooit over haar man. Ze bezat nu eenmaal de gave om haar ogen te sluiten voor alle onaangename dingen in haar leven, en wekte de indruk dat ze al twintig jaar weduwe was.

'Hoe kwam dat dan, mama?' vroeg Daisy met een klein stemmetje. Haar ogen waren rood van het huilen en ze leek net een kwetsbaar kind van vier.

'Op de ochtend van onze huwelijksdag bracht je grootvader mij op zijn nieuwe Vespa naar de kerk. We waren nog niet vertrokken of hij overreed mijn lievelingskat. Fidelity was op slag dood. Toen we voor de kerk stopten, poepte een ekster op mijn sluier. Je vader was er nog niet want hij kreeg onderweg panne en moest liften. Gelukkig kwam er een lijkkoets langs die toevallig dezelfde kant op moest. Dus toen ik de vogelpoep van mijn sluier verwijderde, zag ik een begrafenisstoet naderen, maar dat bleek dus je vader te zijn. Even later raakte een zwarte raaf verstrikt in het haar van je grootvader. Hij verloor zijn evenwicht en viel met zijn hoofd tegen de stoeprand. Hij had een gapende wond in zijn slaap en het bloed gutste langs zijn gezicht. Toen ik hem overeind had geholpen, zat mijn trouwjurk onder het bloed. Tot overmaat van ramp gleed ik ook nog eens uit en kwam op mijn stuitje in de plas met bloed terecht. Ik kon niet meer lopen en moest naar het altaar worden gedragen. En toen werd de fotograaf onwel bij het zien van al dat bloed en kotste hij prompt het altaar onder. Daarom zijn er geen foto's van het huwelijk. Het was net de bloederige kelder van Sweeny Todd.'

'Maar waarom hebt u het huwelijk toch laten doorgaan?' vroeg Portia. 'Zo te horen was u ook getrouwd als er een groot bord langs de weg had gestaan met de tekst LUCASTA, TROUW NIET MET BLACKJACK. Waarom heeft u al die voortekenen genegeerd?'

'Voortekenen? Waar heb je het over, lieverd?' vroeg Lucasta verbaasd. 'Denk je nu heus dat uitgerekend ik het niet gezien zou hebben als er voortekenen waren geweest dat ik niet moest trouwen?'

Portia en Daisy keken elkaar meesmuilend aan.

'Nee, lieverds,' vervolgde Lucasta, 'Ik herinner me het voorgevoel dat ik kreeg nog haarscherp. Toen we de kerk verlieten en voor de trouwreceptie naar de Hall reden, zag ik midden op het veld achter de Hall een tractor staan.'

'Een tractor,' herhaalde mevrouw Flanagan die de draad van het verhaal kwijt was. 'Midden op een veld. In de zomer. Op een uitgestrekt landgoed. En toen kreeg u een voorgevoel? Waarom?'

'Op dat moment kon ik in de toekomst kijken. Ik herinner me nog goed dat ik me tot mijn kersverse echtgenoot wendde en zei: 'Let op mijn woorden, Blackjack. Er komt een dag dat Davenport Hall door boerenkinkels zal worden bewoond.'

'Ach, ga toch weg. Ik weiger naar dat soort onzin te luisteren' zei mevrouw Flanagan. 'Denkt u soms dat ik niet genoeg aan mijn hoofd heb? Godallemachtig, als u hersens zou hebben, zou u gevaarlijk zijn.'

***

Portia wist dat ze die nacht geen oog zou dichtdoen. Ze lag op bed en de kamer draaide. Tegen haar gewoonte in had ze een paar gintonics gedronken en nu voelde ze zich helemaal niet lekker. Ze was misselijk van nervositeit en kreeg haast geen adem. Wat moesten ze nu in vredesnaam doen? De Davenports hadden zich wel vaker in een hachelijke situatie bevonden, zeker op het financiële vlak, maar dat was niets vergeleken met dit.

In Portia's ogen was Blackjack nooit een voorbeeldige vader

geweest. Ze staarde naar het plafond en zag zijn gezicht duidelijk voor zich. Ineens werd ze razend. Voor twee miljoen had hij alles verkocht! En hij had niet eens de moeite genomen om zijn vrouw en dochters in te lichten, maar dat was niet verbazingwekkend want hij liet anderen altijd het vuile werk opknappen. Ze schopte kwaad het beddengoed weg en vroeg zich af hoe lang het zou duren tot hij het geld erdoorheen had gejaagd. Als Blackjack die avond de Hall was binnengelopen, zou ze hem waarschijnlijk met haar blote handen hebben gewurgd. En geen enkele jury in het land zou haar voor de moord op haar vader veroordelen.

Het was inmiddels vijf uur en het eerste daglicht drong door de spleten van de houten luiken in haar kamer. Ze kon de filmploeg horen die buiten voorbereidingen trof voor de eerste opname van die dag en vooral Serge, die een stem had als een klok en boven alles en iedereen uitschreeuwde.

'Je weet dat ik 's morgens niet functioneer als ik niet iets nats en heets in mijn maag heb, en daarmee bedoel ik cafeïne. Dus klop de eerstkomende tien minuten niet meer op de deur van de make-up trailer!'

Portia ging op haar andere zij liggen. Ze had er altijd alleen voor gestaan en was een zeer onafhankelijke vrouw, maar juist nu wenste ze met heel haar hart dat Andrew bij haar was. Ze verlangde naar zijn sterke armen en naar zijn geruststellende woorden dat ze haar alles konden afnemen, behalve hem.

Sinds de dag van het bal had ze niets meer van Andrew gehoord, helemaal niets. Portia begreep het absoluut niet, want vanaf die eerste kus waren ze min of meer onafscheidelijk geweest. Portia dacht aan de avond daarna toen ze elkaar weer hadden gekust en ze hem verlegen bij de hand naar haar slaapkamer had meegetroond en hoe hij zachtjes maar beslist de deur op slot had gedraaid.

Er was iets aan de hand. Ze wist niet wat, maar er was beslist iets aan de hand.

Hoofdstuk negentien

Steve was een engel. In de vreselijke dagen die volgden, deed hij zijn uiterste best om te voorkomen dat de Davenports hun huis moesten verlaten.

'Het pand staat op de monumentenlijst, Steve,' zei Portia voor de honderdduizendste keer terwijl ze door het kantoor ijsbeerde. 'Het mag dan van ellende in elkaar zakken, maar de Davenports wonen hier al meer dan tweehonderd jaar en het is nationaal erfgoed. Telt dat dan niet mee? Kunnen we niet een of ander departement vragen om ons te helpen?'

Steve keek haar zwijgend aan. Ze wisten allebei dat dit wel het allerslechtste idee was van alle zinloze ideeën die tot op heden waren geopperd. De hoop dat de Davenports hulp zouden krijgen van de staat was jaren geleden vervlogen toen Blackjack de afdeling monumentenzorg een aanzienlijk bedrag had afgetroggeld met de smoes dat hij het zou gebruiken om de Hall gedeeltelijk te restaureren. Een paar maanden later kwam een inspecteur van de afdeling op bezoek om te kijken wat er met het geld was gebeurd en ontdekte dat Blackjack er een renpaard van had gekocht dat hij heel attent Subsidie had genoemd.

Portia haalde haar schouders op en glimlachte wrang. 'Het had toch gekund,' zei ze.

***

De nieuwe eigenaren van Davenport Hall waren zo vriendelijk om Romance Pictures in de gelegenheid te stellen de opnamen in de Hall te voltooien voordat zij hun intrek namen.

'Luister Bridie,' had Shamie gesmeekt, 'hoe zal dat overkomen als ik de mensen van de film eruit knikker voordat ze met die klotefilm klaar zijn? Stel je voor dat het in de krant komt? Ik zie de kopregel al voor me: PARLEMENTSLID NOLAN IS EEN GROTE CULTUURBAR-BAAR. Dan verlies ik een hoop stemmen, vooral van die artistieke linkse rakkers! En dan kan ik een portefeuille voor Kunst en Letteren wel op mijn buik schrijven, want die krijg ik dan natuurlijk nooit. Nee, laat ze die kutfilm in godsnaam afmaken en dan kunnen ze ophoepelen.'

Jimmy D had een zucht van verlichting geslaakt en om het te vieren had hij zichzelf op een van zijn dikste Havana-sigaren getrakteerd. Als Shamie Nolan geen toestemming had gegeven om de opnamen te voltooien, zouden ze een andere locatie moeten zoeken en die nachtmerrie zou hem nu bespaard blijven. De buitenopnamen waren voltooid en ze stonden op het punt om aan de binnenopnamen te beginnen. Daar was ook de balzaalscène bij met zo veel figuranten dat Cecil B de Mille gillend zou zijn weggerend. De balzaalscène was voor het eind van de week gepland, zodat Johnny en de overige crewleden nog een paar dagen hadden om het sombere interieur van de Hall lichter te maken en de apparatuur vast op te stellen. En de toch al overwerkte set-aankleders hadden nu de tijd om de bouwvallige, in verval geraakte balzaal te veranderen in iets redelijk fatsoenlijks, want nu wekten de zwarte vuilniszakken aan het plafond de indruk dat het huis onlangs was gebombardeerd.

Ondanks alles kauwde Jimmy D tevreden op zijn sigaar. Hij zat in zijn favoriete fauteuil in de bibliotheek en had zich in weken niet zo voldaan gevoeld. Niemand had gedacht dat Ella Hepburn zo'n groot succes zou zijn. God, dacht hij, wat was het fijn om na weken scheidsrechter te hebben gespeeld tussen de kibbelende Montana en Guy eindelijk weer eens met een professionele actrice te werken. Ze was een rasartieste, maakte geen problemen, kwam op tijd, kende haar tekst en deed wat er van haar werd verwacht. Niet voor niets stond ze al jaren aan de top, peinsde Jimmy D. En Guy at uit haar hand. Vanaf het moment dat ze uit de helikopter was gestapt, was hij zo mak als een lammetje. Natuurlijk had de geruchtenmolen op de set op volle toeren gedraaid toen bleek dat Ella en Guy een hartstochtelijke relatie waren begonnen, maar dat kon Jimmy D geen barst schelen. Filmsets waren beruchte broeinesten van sex en intriges, en zo lang de acteurs elke ochtend om vijf uur klaar stonden om aan het werk te gaan, was hij tevreden. Wat kon het hem schelen dat Ella Hepburn met een knul naar bed ging die haar kleinzoon kon zijn? De pers die nu permanent bij de poort bivakkeerde, smulde van het verhaal en iedere regisseur in Hollywood wist dat elke vorm van publiciteit goede publiciteit was.

Wel jammer van die Daisy Davenport, dacht hij. Ze was zo'n mooi meisje en die lul van een Guy had haar laten vallen zodra Ella Hepburn op het toneel verscheen. Als hij soms dacht dat zijn carrière er wel bij zou varen, vergiste hij zich lelijk. Ella had de reputatie een mannenverslindster te zijn en het zinnetje 'dat telt niet op lokatie, schat' leek speciaal voor haar bedacht. Getrouwd, vrijgezel, homo of hetero, ze neukte alles wat los en vast zat en zodra de film klaar was, pakte ze de draad van haar leven weer op. En nu moesten die arme Daisy en haar oudere zuster (die vanaf de eerste dag zo aardig en hartelijk was geweest) en hun gekke moeder tot overmaat van ramp hun huis uit. Zuchtend nam hij een grote haal van zijn sigaar en keek om zich heen alsof hij de eigenaar van de Hall was.

Dit verdienden die arme vrouwen niet, dacht hij. Was er dan helemaal niets wat hij voor hen kon doen?

***

Daisy was nooit een bijzonder goede of ijverige leerling geweest, maar van de spreekwoorden en gezegden die ze van haar Engelse leraar in haar hoofd had moeten stampen, kwam nu steeds één uitdrukking terug: een ongeluk komt nooit alleen.

Toepasselijker kon niet nu haar wereld volledig was ingestort. Ze wikkelde zich in een handdoek en hinkte op haar gezwollen, pijnlijke enkel van de badkamer naar haar slaapkamer.

Ze had de afgelopen dagen zo veel gehuild dat haar ogen brandden en haar hoofd deed zo'n pijn dat ze dacht elk moment bewusteloos te kunnen raken. En alsof dat allemaal nog niet erg genoeg was, werd er nu binnen gefilmd en liepen er overal leden van de crew rond zodat haar kamer de enige plek was waar ze nog een beetje privacy had. Hier liep ze in elk geval niet de kans Guy en zijn bejaarde vriendin tegen het lijf te lopen.

Ze deed de deur van haar slaapkamer open en kreeg de schrik van haar leven. De gordijnen waren dicht en overal brandden waxinelichtjes. De dansende vlammetjes deden haar denken aan de flikkerende lampjes van een kerstboom. En op haar bed, slechts gekleed in een Arsenal-boxershort, lag Paddy omringd door tientallen chrysanten die hij zonder enig artistiek inzicht op de sprei had gegooid. Hij rookte een sigaret en schrok zich wezenloos toen zij binnenkwam.

'Klere, wat laat jij me schrikken,' zei hij en doofde zijn peuk in een brandend waxinelichtje.

'Ik laat jou schrikken?' antwoordde ze ongelovig. 'Paddy, wat doe je hier?'

'Ik heb gehoord dat die ouwe van je het huis heeft verkocht en dacht dat je wel een opkikkertje kon gebruiken,' zei hij grinnikend en klopte suggestief naast hem op het bed.

Daisy bekeek zijn lange, magere lijf. Hij was spierwit, zat onder de puisten en zijn nek was roodverbrand. Ze dacht even na, liet de handdoek op de grond glijden en ging naast hem liggen. Wat kan mij het ook schelen, dacht ze, nood breekt wet.

'Houd me vast, Paddy,' fluisterde ze en barstte weer in tranen uit. 'Houd me goed vast.'

'Kom maar bij me, schat,' antwoordde hij en sloeg zijn dunne armen om haar heen. 'Jij kunt er niets aan doen dat die ouwe van je zo'n zak is. Je bent altijd welkom in mijn flat in Drimnagh. Mijn moeder is er natuurlijk ook, maar ik weet zeker dat je heel goed met haar kunt opschieten.' Daisy verzette zich tegen haar tranen. Na alle ellende die haar ten deel was gevallen, was het toch op z'n zachtst gezegd vreemd dat ze zin had om nog harder te huilen omdat iemand aardig tegen haar deed.

'Pas op dat je die chrysanten niet plet,' zei Paddy niezend. 'Ik ben bij drie verschillende benzinestations geweest en ik ben bang dat ik nu allergisch ben.'

***

In tegenstelling tot haar jongste dochter was Lucasta niet van plan zich zonder slag of stoot gewonnen te geven. 'Als die stomme zak van een ex-man soms denkt dat ik me erbij neerleg, moet hij vroeger opstaan,' tierde ze tegen mevrouw Flanagan. Ze zaten aan de keukentafel en werden omringd door talloze emmers met lege flessen. Tijdens het wachten tot de etiketten waren losgeweekt voor ze de flessen konden vullen met het wonderbaarlijke Eau de Davenport, rookten ze de ene sigaret na de andere.

'Ik kwam hier in 1960 als kindbruidje, dus ik heb toch zeker wel enige rechten als kraker of niet?'

'Ja,' antwoordde mevrouw Flanagan die maar half luisterde. 'U zou die kerels van de pers best kunnen vertellen dat u uit protest in hongerstaking gaat. Bovendien kan het geen kwaad om een paar kilootjes af te vallen.'

Lucasta keek haar aan alsof ze net een openbaring had gekregen. 'Mevrouw Flanagan!' zei ze verbaasd. 'U bent een absoluut genie en God weet dat ik dat niet vaak zeg.'

'O, u gaat me toch niet vertellen dat Eau de Davenport de wereldmarkt gaat veroveren?'

'De pers bij de poort! Dat is het! Ik marcheer direct naar ze toe, als een Jeanne d'Arc op kruistocht, en doe een beroep op hun medeleven!'

'Eerder als een Joan Rivers. Voordat ze zich door een plastisch chirurg onder handen liet nemen.'

'O, donder toch op. Ik stam uit een rebellerende familie, wist u dat niet? Mijn grootmoeder was suffragette en haar zuster heeft in 1916 in het hoofdpostkantoor voor de vrijheid van Ierland gestreden.'

'Met Padraig Pearse en zijn kornuiten? Is ze ook doodgeschoten?'

'Eh... nee. Ze ging naar binnen om een postzegel te kopen en wist niet dat er een opstand was. Dus kwam ze eigenlijk per ongeluk in het kruisvuur terecht. Ik heb me dikwijls afgevraagd of er ooit iemand is geweest die haar leven heeft gegeven voor een postzegel van een halve cent. Hoe dan ook, de tv-camera's en de journalisten bij de poort zijn een pr-goudmijn die erom schreeuwt geëxploiteerd te worden.'

***

Portia had al zes dagen niets van Andrew vernomen. Helemaal niets. En dat van iemand die sinds dat ze elkaar hadden ontmoet, nauwelijks van haar zijde was geweken. Omdat Portia geheel in beslag werd genomen door de recente problemen, had ze haar best gedaan om zo min mogelijk aan hem te denken. Maar hoe ze ook haar best deed, hij was nooit lang uit haar gedachten. Na de zoveelste lange, vermoeiende en enerverende dag, was Portia aan het eind van haar Latijn. Steve en zij hadden weer alles op alles gezet om het onvermijdelijke af te wenden, zonder resultaat.

'Moet je jezelf nou toch eens zien,' zei Steve toen ze hem naar zijn jeep bracht. 'Straks word je nog ziek. Je vergt het uiterste van jezelf. Zoek afleiding, Portia, anders gaat het mis.' Hij keek bezorgd naar haar lijkbleke gezicht. Ze glimlachte flauwtjes en ging op haar tenen staan om hem op zijn wang te kussen.

Steve heeft gelijk, dacht ze, toen ze zijn jeep nakeek. Een flinke wandeling zal me goed doen. Zodra ze echter enkele meters had gelopen, herinnerde ze zich de journalisten bij de poort. In hun ogen had zij nog steeds de rol van eenvoudige keukenmeid die haar zinnen op de machtigste graaf van Ierland had gezet. Ze fotografeerden alles wat voor de lens kwam en Portia was niet in de stemming om als voer voor de roddelbladen te dienen. Daar zat ze echt niet op te wachten, dacht ze, en nam achter het stuur van de Mini Metro plaats. In het handschoenenkastje vond ze een zonnebril. Ik rijd gewoon naar Ballyroan, besloot ze, en maakte in gedachten een lijstje van de dingen die ze bij de Spar kon kopen.

Ze zette de zonnebril op en reed door de poort. Een zee van flitslichten ging in haar gezicht af, maar ze werd niet herkend en hoorde een grappenmaker zeggen: 'Ik kan me niet voorstellen dat Ella Hepburn in zo'n oud wrak rondrijdt.' Ze reed naar het dorp en dacht na. Hoewel ze normaal gesproken niet onzeker was, werd ze nu geplaagd door een enorm gebrek aan zelfvertrouwen. Misschien had ze Andrew boos gemaakt zonder dat ze het wist. Maar dat zou hij haar dan echt zelf moeten vertellen, want ze had werkelijk geen flauw idee wat het zou kunnen zijn. Het was toch te gek voor woorden dat ze de ene minuut nog onafscheidelijk waren en dat hij de volgende minuut spoorloos was verdwenen. En toch kwam hij niet over als iemand die zulke streken wel vaker flikte. Maar ja, redeneerde Portia, ik ben natuurlijk geen Madonna, ik heb geen eindeloze reeks relaties achter de rug en dus geen vergelijkingsmateriaal. Misschien is dit wel volkomen normaal en geaccepteerd gedrag.

Maar het voelde niet zo.

Langzaam bekroop haar een misselijkmakend gevoel. Een knagende gedachte die ze de afgelopen dagen steeds weer had onderdrukt, kwam in alle hevigheid naar boven. In feite wist ze verdomd weinig van Andrew. Ze wist dat hij een man van de wereld was en dat hij had genoten van het snelle leven in New York. Hij was van het ene op het andere moment van New York naar Ballyroan verhuisd en zat nu tijdelijk in dit afgelegen gat tot zijn vrijgezellenappartement in James Bond-stijl klaar was. Waarschijnlijk was hij gewoon rusteloos en verveeld toen het meisje van hiernaast ineens zijn pad kruiste. De afschuwelijke realiteit drong langzaam tot haar door en haar hart begon te bonzen. Hij had haar als afleiding beschouwd, dat was alles. Iemand om de tijd mee te doden. Daisy beweerde dat de meeste mannen sex zouden hebben met een boom als het zou kunnen en dat alleen vrouwen de kwestie vertroebelden met emoties. En dat was precies wat Portia had gedaan. De tijd die ze samen hadden doorgebracht en die zo veel voor haar had betekend, was voor hem niets anders dan 'even een snelle wip en tot ziens maar weer'. En toch leek Andrew haar niet het type dat zijn pik achterna liep...

Ik kan het aan, dacht ze en voelde zich ineens sterk. Als hij de benen heeft genomen, kan ik de situatie aan en als dat niet het geval is, als dit allemaal op een groot misverstand berust, kan ik het ook aan. Het was de onwetendheid die haar gek maakte. Ineens herinnerde ze zich het schitterende boeket dat hij de dag na dat afschuwelijke feest van zijn moeder had gestuurd. Het leek wel vorig jaar, er was intussen zo veel gebeurd. Hij had er een kaartje bijgedaan met het nummer van zijn mobiele telefoon... Ze hoopte vurig dat het kaartje niet in de chaos in de Hall was zoekgeraakt. Dat is dus het antwoord, dacht ze. Zodra ik thuis ben, zal ik hem bellen. Simpeler kon het niet. Hij zal in elk geval willen weten dat de Hall was verkocht en dat haar moeder, Daisy en zij binnenkort op straat zouden staan. Haar instinct vertelde haar echter heel iets anders.

Als hij echt enige belangstelling had, zou hij haar toch hebben opgezocht, zoals hij elke dag had gedaan sinds ze elkaar hadden ontmoet?

'We vinden het allemaal heel erg dat de Hall is verkocht,' zei Lottie O'Loughlin tegen Portia terwijl ze de boodschappen in een plastic tas deed. 'Maar gelukkig zijn de nieuwe eigenaren van hier en niet een of andere rockster uit Dublin. Shamie en Bridie O'Nolan zullen toch zeker wel goed voor Davenport Hall zorgen? Ik weet zeker dat ze er geld in zullen stoppen. Want laten we eerlijk zijn, Davenport Hall is niet bepaald Buckingham Palace, nietwaar?'

Portia kon zich er niet toe zetten om antwoord te geven. Ze knikte zwijgend en maakte dat ze zo snel mogelijk wegkwam.

Ze stak de sleutel in het contact en de moed zonk haar in de schoenen. Daar was het weer, dat bekende geluid van de motor die koppig weigerde te starten. Ze zuchtte vermoeid en stapte weer uit om de fles uit de kofferbak te pakken. Een beetje water in de radiateur was meestal voldoende om hem aan de praat te krijgen. Precies op dat moment stopte een zwarte BMW coupé naast haar en ging het elektrische raam omlaag.

'Panne?' vroeg Susan De Courcey die achter het stuur zat. 'Kan ik misschien helpen?'

'Nee, dankuwel,' antwoordde Portia. Ze was geschrokken, maar deed haar best om haar stem kalm te laten klinken. 'Dit gebeurt om de haverklap, er moet alleen een beetje water in de radiateur.'

De twee vrouwen keken elkaar aan en er viel een stilte. Portia popelde om te vragen of Andrew nog bij haar logeerde, of ze hem had gezien, wat er aan de hand was. Elk beetje informatie was welkom, maar de waardige, trotse Portia hield haar mond en dacht: waarom zou ik jou een genoegen doen door zelfs maar zijn naam te noemen.

'Ik hoop dat u van het midzomernachtfeest heeft genoten,' zei ze ten slotte.

'Je bedoelt afgezien van het feit dat ik met een fikse bloedvergiftiging in het ziekenhuis ben beland? Nee, dat was geen avond die ik me met plezier zal herinneren,' antwoordde mevrouw De Courcey. Ze trommelde met haar gelakte nagels op het stuur en keek Portia onbeschoft aan, alsof ze haar uitdaagde om nog meer vragen te stellen.

'Dat spijt me vreselijk,' zei Portia. 'Ik hoop dat u zich nu beter voelt.'

'Veel beter,' zei Susan De Courcey. Nu het gesprek naar wens ging, verscheen er een flauwe glimlach om haar lippen. 'Michael en ik hebben zulk geweldig nieuws gekregen. Ik was meteen weer opgevrolijkt en dat heeft mijn herstel ongelooflijk bespoedigd.'

Portia voelde zich misselijk worden.

'Ja, we zijn allebei helemaal in de wolken. Andrew en Edwina zijn weer bij elkaar en het huwelijk gaat toch door.'

Hoofdstuk twintig

Portia kon zich niet herinneren hoe ze thuis was gekomen of naar boven was gegaan, maar op de een of andere manier zat ze nu in haar slaapkamer achter de kaptafel en beefde als een riet. Ze hoorde niet dat er zacht op de deur werd geklopt, maar een seconde later stormde Daisy in een bloemetjesnachtjapon de kamer binnen en liet zich languit op bed vallen.

'Ik dacht al dat ik je had gehoord, zus. Ik moet met je praten, ik heb echt iets heel doms gedaan en nu ben ik helemaal van streek,' begon Daisy, maar toen ze het gezicht van haar zuster zag, maakte ze de zin niet af. 'Jezus, Portia. Wat is er gebeurd?'

Portia kon zich niet langer beheersen. Vanaf het moment dat bekend was geworden dat de Hall was verkocht, was ze het toonbeeld van kracht geweest. Ze had haar moeder en zusje gesteund en zich al die tijd goed gehouden, maar nu stond ze op de rand van instorten. Dat ze hun huis en land kwijtraakten was al erg genoeg en dat Daisy kapot was van verdriet vanwege Guy en dat haar moeder de zaken alleen maar erger maakte, kon er ook nog wel bij. Maar dit was de druppel die de emmer deed overlopen. Ze wierp zich in Daisy's armen en vertelde snikkend het hele verhaal. Daisy, die absoluut niet gewend was om de sterkste van de twee te zijn, hield haar stevig vast en wiegde haar zachtjes heen en weer.

Even later verscheen Lucasta in de deuropening. Ze had haar waxcoat over haar smerige grijze nachtjapon aangetrokken.

'Ik dacht al dat ik iemand hoorde janken. Wat is er in hemelsnaam aan de hand, meiden?' vroeg ze verbaasd, want het gebeurde vrijwel nooit dat Portia huilde en dat Daisy haar troostte.

'Sst, mama,' zei Daisy. Ze gebaarde haar moeder om op bed te gaan zitten. 'Ze is die ouwe feeks van een Susan De Courcey tegengekomen en die vertelde dat Andrew en zijn ex weer bij elkaar zijn en dat het huwelijk alsnog doorgaat. Hij heeft Portia gewoon gebruikt en is een vuile schoft. Net als alle andere mannen.'

'Je neemt me in de zeik,' zei Lucasta die een pakje sigaretten uit haar zak viste.

'Helaas niet,' snikte Portia. 'Dat verklaart een boel, toch?'

'Maar hij had hier min of meer zijn intrek genomen, jullie waren onafscheidelijk! Ik kan me gewoon niet voorstellen dat hij er met een ander vandoor is.'

'Het is niet zomaar een ander, mama. Het is de vrouw met wie hij deze zomer zou trouwen.'

'Nou, dat maak je mij niet wijs,' zei Lucasta vastberaden. 'Hij was stapelgek op je, Portia, stapelgek. En vergeet niet dat hij heeft beloofd om geld in mijn Eau de Davenport te investeren. Ik begrijp er geen barst van. Wat mankeert mannen tegenwoordig toch?'

'Als u zijn ex had gezien, zou u het begrijpen,' zei Portia die intussen iets minder emotioneel was. 'Ze is zo mooi, ik kan me niet voorstellen dat hij niet gelukkig met haar wordt. Ik begrijp heel goed dat ze weer bij elkaar zijn.'

'Jij bent ook mooi, lieverd. Je zou je borsten kunnen laten vergroten, maar afgezien daarvan ben je heel mooi.'

Portia kreeg weer tranen in haar ogen, want ze was absoluut niet gewend dat iemand begrip voor haar toonde of lief tegen haar was en zeker haar moeder niet.

'Wat mankeert er toch aan ons dat we geen van drieën een man kunnen vasthouden?' vervolgde Lucasta en trapte haar peuk op de houten vloer uit. 'De enige logische verklaring is dat er een vloek op ons rust. Er zit maar één ding op: ik zal een bezweringsformule moeten uitspreken.'

'Mama, u gaat toch niet weer onedel metaal in goud veranderen! Ik heb nog steeds een lelijke groene ring om mijn nek van de vorige keer,' zei Daisy.

'O nee, lieverd. Deze keer zet ik grof geschut in.'

***

Lucasta hield zich aan haar woord. De volgende ochtend werd mevrouw Flanagan voor dag en dauw naar de poort gestuurd om de pers uit te nodigen.

'Goedemorgen, allemaal,' zei mevrouw Flanagan. 'Geen foto's nemen alsjeblieft, want ik ben niet opgemaakt. Als jullie allemaal zo vriendelijk willen zijn om mij te volgen? Lady Davenport wacht in de Hall en heeft het sensatieverhaal van de eeuw voor jullie!'

Er ontstond enige verwarring onder de verslaggevers, maar Tony Pitt en enkele doorgewinterde broodschrijvers hadden geen verdere aanmoediging nodig. Ze werden in de Hall zelf uitgenodigd! Wie wist konden ze stiekem Ella Hepburn of Guy Van der Post fotograferen!

Uiteindelijk liep mevrouw Flanagan, vergezeld door een handjevol verslaggevers en cameramannen, naar de Hall terug en bracht hen naar de bibliotheek. Daar, op een chaise longue, lag een gebroken en verslagen Lucasta. Ze maakte zo'n tere en broze indruk dat Elizabeth Barret Browning nog wat van haar had kunnen leren.

'Ik heb u iets mee te delen en ik verzoek u allen heel goed te luisteren,' zei ze nadat ze zich ervan had overtuigd dat de camera's draaiden. Ze sloeg haar ogen neer en deed haar best om heel kwetsbaar over te komen. 'Ik richt me tot u als de voormalige eigenaresse van Davenport Hall en niet als de producent van Eau de Davenport. Enkele dagen geleden zijn we getroffen door een catastrofe van epische omvang,' stak Lucasta dramatisch van wal alsof ze een inzamelingsactie op tv presenteerde om stervende baby's in Somalië te helpen. 'Dit juweel van een landhuis, de architectonische kroon in het graafschap Kildare en ons nationaal erfgoed is ons op wrede wijze ontnomen! Negen generaties Davenports hebben in Davenport Hall gewoond en het land bewerkt. De Davenports hebben de Hall altijd bewoond en hebben niet, zoals zo veel andere landeigenaren, de benen genomen toen Ierland voor onafhankelijkheid streed, o nee. Ze stonden schouder aan schouder met de bevolking van Kildare en steunden hen door dik en dun. En nu is er een eind gekomen aan onze luisterrijke geschiedenis. De Hall is onder onze neus verkocht en binnenkort sta ik met mijn twee dochters op straat. Terwijl ik dit zeg, verzamelen bulldozers zich als donderwolken bij de poort van ons landgoed, klaar om het land te vernietigen dat onze voorouders met bloed, zweet en tranen hebben bewerkt. En waarom? Omdat de gemeenteraad hier een ordinair woningbouwproject wil realiseren! Omdat ze een snelweg willen aanleggen die dit prachtige landschap zal ontwijden!' Haar stem werd steeds scheller en ze klonk een beetje als Winston Churchill die zijn troepen toesprak. 'Ik smeek u: help ons! Hoor mijn smeekbede! Laat ons zegevieren en niet ten ondergaan! Schenk ons wat u kunt missen en help ons in onze strijd tegen de barbaren die ons onrechtmatig uit ons huis zetten!' Ze slaakte een huilerige zucht en liet zich achterover zakken alsof haar hartstochtelijke smeekbede haar volledig had uitgeput.

Een beleefd applausje klonk uit de bijeengekomen broodschrijvers op. Lucasta bedankte hen met een sierlijk handgebaar.

'Voordat jullie gaan, er is voor iedereen een gratis fles Eau de Davenport,' zei mevrouw Flanagan die met een krat bij de deur stond.

'Heb ik het goed gedaan?' siste Lucasta tegen haar.

'U was net prinses Diana in die reportage,' antwoordde ze. 'Iedereen pinkte wel een traantje weg.'

***

'Wie had ooit gedacht dat mama zo'n goede actrice zou zijn?' zei Daisy tegen Portia toen ze samen in de keuken naar het twaalf uur nieuws op TV4 keken. 'Toch leuk dat ze al die jaren niet voor niets naar de troonrede heeft geluisterd.'

'Kom, we gaan weer aan de slag,' zei Portia en wikkelde het porseleinen theeservies in oude kranten.

'O, moet dat nou echt?' kreunde Daisy. 'Ik snap eerlijk gezegd niet waar dit voor nodig is. Als mama's smeekbede het gewenste effect heeft, kunnen we straks alles weer uitpakken.'

Portia sloeg zwijgend haar ogen ten hemel en pakte de theepot in.

Wonder boven wonder had Steve de Nolans op het laatste nippertje weten over te halen de Davenports niet meteen op straat te zetten, maar te wachten tot de filmopnamen waren voltooid (een kwestie van een paar weken). Daarna konden ze voorlopig hun intrek nemen in het poorthuis, tot ze een woning hadden gevonden.

En dat was de zoveelste nachtmerrie voor Portia: hoe moesten ze een woning vinden en waar moesten ze van leven? Ze had het restant van het geld van Romance Pictures opzij gelegd, maar daar konden ze niet eeuwig van leven. En afgezien van een paar flessen Eau de Davenport die Lucasta mensen had gedwongen te kopen, hadden ze geen enkele bron van inkomsten nu de Hall niet meer van hen was.

Portia schudde verbitterd haar hoofd. Niemand met ook maar een greintje verstand zou haar een baan geven. Ze had geen diploma's en geen enkele ervaring, alleen in het verkeerd beheren van een landgoed, en ze betwijfelde of er vraag was naar zulke mensen.

'Hé, misschien kunnen we bij de Nolans een baantje krijgen als dienstmeid,' zei Daisy, alsof ze Portia's gedachten kon lezen. 'Of, en dat is nog een beter idee, misschien kunnen we de persoonlijke stilisten van Bridie Nolan worden, want die kan ze wel gebruiken. Je weet wel, een beetje als Carole Caplin en Cherie Blair. Heb je gezien wat ze op het midzomernachtfeest aanhad? Paddy zei dat hij dacht dat hij op een carnavalsfeest was.'

'Paddy?' Portia keek op. 'Paddy, de geluidsman?'

Daisy trok een gezicht en begon ineens als een bezetene in te pakken.

'Heb ik soms iets gemist, juffie? Kom op, voor de dag ermee.'

'Eh...' Daisy had geen flauw idee hoe ze het moest uitleggen. 'Je weet toch dat alle mannen hetzelfde zijn? Kijk maar naar Guy! Die stomme Ella Hepburn was nog niet uit de heli gestapt of hij lag al aan haar voeten. Dus ik heb troostsex, eigenlijk een vorm van interim neuken, alleen om in vorm te blijven...' Ze maakte de zin niet af en werd gered door mevrouw Flanagan die puffend binnenkwam.

'Godallemachtig, ik geloof dat ik de enige ben die het niet erg vind om deze bouwval te verlaten. Ik kan niet meer,' zei ze buiten adem tegen Portia. 'Ik heb je overal gezocht.'

'Is er iets, mevrouw Flanagan?' vroeg Portia beleefd.

'Er is telefoon voor je. In de bibliotheek. Het is Andrew en hij zegt dat het dringend is.'

'O shit,' zei Daisy die zichzelf boos op haar voorhoofd sloeg. 'Ik wist dat ik iets was vergeten. Hij heeft een paar dagen eerder ook al gebeld.'

Portia zag dat de twee vrouwen haar allebei afwachtend aankeken en dacht na.

'Dank u, mevrouw Flanagan. Wilt u alstublieft tegen hem zeggen dat ik er niet ben?'

Hoofdstuk eenentwintig

Lucasta's televisiedebuut had een zeer onverwacht gevolg. Afgezien van enkele kleine bijdragen die de Hall ontving ('Nauwelijks genoeg om met z'n vieren een week naar Torremolinos te gaan,' had mevrouw Flanagan gemopperd) bleek dat er nog iemand met grote belangstelling naar haar emotionele oproep had geluisterd. Ongeveer een week later liep Steve gehaast het kantoor binnen omdat hij te laat was voor een vergadering toen zijn secretaresse hem staande hield.

'Opperrechter Michael De Courcey is naar je op zoek. Hij zegt dat het van het grootste belang is dat hij je vandaag nog spreekt.'

Steve keek naar de memo met het telefoonnummer, bedankte zijn secretaresse en liep zijn kamer in. Hij had geen flauw idee wat zo belangrijk kon zijn en draaide het nummer van De Courcey.

'Michael? Je spreekt met Steve Sullivan. Ik geloof dat je naar mij op zoek was?'

'Ja, inderdaad,' antwoordde de opperrechter met die bulderende stem die helemaal tot in Cavan te horen was. 'Ik ben de hele dag in de rechtszaal, maar ik vroeg me af of we elkaar misschien vanavond ergens kunnen ontmoeten?'

'Ik heb helaas al een afspraak voor vanavond, maar morgen kan ik wel. Misschien schikt het als ik morgenavond even bij je thuis langskom?'

'Dat zal helaas niet gaan. Het spijt me vreselijk dat ik je plannen in de war moet gooien, maar we moeten in Dublin afspreken en wel vanavond. Dit kan niet wachten.'

***

Steve had inderdaad plannen voor die avond en hij vond het helemaal niet leuk om die af te zeggen. Vanavond werd het jaarlijkse jagersbal in het Four Seasons Hotel in Dublin gehouden en zoals elk jaar zou hij de dames Davenport escorteren. Ondanks alle beroering had de familie besloten om toch te gaan.

Daisy had gejammerd dat het de saaiste avond van het jaar was en dat ze haar buik vol had van al die jagende, vissende en schietende types die op de onfortuinlijke Davenports neerkeken. Portia had haar er vriendelijk maar streng op gewezen dat ze nog geen onderdak hadden voor de paarden als ze Davenport Hall moesten verlaten en dat er geen betere gelegenheid was dan het jagersbal om iets voor de paarden te regelen.

Dus toen Steve Portia later die dag belde om af te zeggen, was ze heel erg nieuwsgierig. 'Beloof je dat je me laat weten wat die brulaap te vertellen heeft?' smeekte ze. Steve had alleen geglimlacht en gezwegen. Hij wist dat Andrew en Portia iets hadden, maar wist niet hoe de stand van zaken op dit moment was.

Lucasta trok zich ook op het laatste nippertje terug, maar om een heel andere reden. Net als half Ierland was ook Jimmy D getuige geweest van Lucasta's meesterlijke optreden op tv en had haar een rol in de film aangeboden. Hij had al heel lang iets willen doen om zijn gastvrouwen te helpen en een rolletje in de film was een ideale manier om een beetje geld hun kant op te schuiven. Een bijzondere bijrol had hij het genoemd, en dat was een beleefde manier om te zeggen dat haar tekst uit slechts één zin bestond. Maar dat deerde Lucasta niet. Wat haar betrof, was ze ontdekt.

'Nu weet ik precies hoe Lana Turner zich voelde!' zei ze zielsgelukkig. 'Weten jullie dat ze in een ijssalon ergens in Amerika is ontdekt? Ik geloof echt dat dit het begin is van een hele nieuwe carrière! Misschien word ik wel een tweede Greta Garbo!'

'Denk eens aan al die toneelervaring die u heeft!' zei mevrouw Flanagan die behoorlijk boos was dat zij niet was gevraagd, vooral omdat Lucasta de rol van huishoudster moest spelen. 'U heeft zo vaak zelfbedachte smartlappen aan schuldeisers verteld.'

'Ach, rot toch op. U bent gewoon jaloers dat ze mij hebben gevraagd. Kan ik het helpen dat ik van die prachtige jukbeenderen heb die gewoon erom schreeuwen gefilmd te worden?'

Om de zaak nog erger te maken, besloot Lucasta mevrouw

Flanagan de hele dag te volgen om te zien wat een huishoudster zoal deed. Na tien minuten gaf ze het op.

'Ik heb helemaal niets aan u! Het enige wat u doet, is de hele dag op uw reet voor de televisie zitten!'

'Rot op uit mijn keuken en waag het niet terug te komen voordat Oprah is afgelopen!' had mevrouw Flanagan haar nageroepen.

Toen Portia en Daisy later die avond naar het jagersbal wilden gaan, sloeg het noodlot opnieuw toe. Oorspronkelijk zouden ze met Steve's comfortabele jeep gaan, maar nu hij had afgezegd, hadden ze geen andere keus dan de Mini Metro te pakken. Zodra Portia de sleutel in het contact omdraaide, klonk weer dat bekende, eentonige geluid.

'Shit! Wat nu?' kreunde Daisy.

'Hebben jullie panne? Doet die ouwe roestbak het niet?'

Het was Paddy die een met kar vol kabels langsliep.

'Verdomme,' fluisterde Daisy. 'Heeft hij me gezien?'

'Wat zien jullie er vanavond allebei prachtig uit!' Paddy keek naar binnen en kon zijn ogen niet van Daisy afhouden. Ze zag er inderdaad beeldschoon uit in een strapless japon van blauw gekreukt velours. Portia had het enige fatsoenlijke kledingstuk aangetrokken dat in haar kast hing en droeg dezelfde witte japon die ze voor het midzomernachtfeest had gekocht. Ze had haar haar strak achterover gekamd in een paardenstaart gedaan en niet de moeite genomen om zich op te maken.

'Laat me effe kijken,' zei Paddy toen Portia uitstapte. Hij ging achter het stuur zitten en probeerde te starten. Na een aantal mislukte pogingen, stak hij zijn hoofd naar buiten. 'Ik denk dat ik wel weet wat er aan mankeert,' zei hij als een dokter die een diagnose stelt. 'De motor is kapot. Kom, dan breng ik jullie wel.'

'Paddy, dat kan toch niet!' riep Daisy in paniek. 'Hoe moet het dan met de scène die ze vanavond filmen? Kun je wel gemist worden?'

'Ach, voordat ze me missen, ben ik alweer terug,' antwoordde hij en keek haar als een straalverliefde puber aan. Als ze hem om fruitpastilles had gevraagd, zou hij waarschijnlijk door de giftige gassen van Mars zijn gevlogen om ze voor haar te halen. Voordat de zusters konden protesteren, zaten ze naast elkaar op de voorbank van

Paddy's witte Hiace bus, die versierd was met alle denkbare Arsenal-mascottes, en vlogen over de snelweg naar Dublin.

Binnen een mum van tijd stonden ze voor het Four Seasons Hotel. Portia en Daisy constateerden dat zij de enige waren die met een busje waren gekomen, want het parkeerterrein stond vol met BMW's en Mercedessen. Zoals gewoonlijk arriveerden de Davenports in stijl, dacht Portia.

'Paddy, heb je zin om even mee naar binnen te gaan en iets te drinken?' vroeg Portia en negeerde de vuile blik die Daisy haar toewierp.

'Ja, tof. Ik doe een moord voor een biertje,' antwoordde Paddy, verheugd dat de avond heel anders uitpakte.

'Moest dat nu?' gromde Daisy een paar minuten later in het damestoilet tegen Portia. 'Nu zitten we de hele avond aan hem vast!'

'Hij heeft ons gebracht en het zou heel onbeschoft zijn om hem als taxichauffeur te gebruiken,' antwoordde Portia.

'Maar hij is er niet op gekleed! Hij ziet er niet uit!'

Daar kon Portia niets tegenin brengen. Paddy viel inderdaad een beetje uit de toon, gekleed in een Arsenal T-shirt, spijkerbroek en gympen met fluorescerende strepen. Hij stond bij de bar en praatte met een vrouw behangen met diamanten en een man in een smoking. Toen Portia en Daisy zich bij hem voegden, hoorden ze nog net het eind van het gesprek.

'Rijdt u dan ook?' vroeg de vrouw.

'Tja schat, dat is een nogal persoonlijke vraag,' lachte Paddy.

'Waar staan uw paarden dan gestald?' vroeg haar man.

'Eh, waar wij vandaan komen hebben we eigenlijk geen stallen. We hebben heel veel paarden en die lopen allemaal los op het landgoed.'

'Oké Paddy, nogmaals bedankt voor de lift, maar we moeten nu aan tafel. We zien elkaar straks wel weer in de Hall, goed?' zei Daisy die hem zo snel mogelijk wilde lozen.

'Ik peins er niet over om mijn vriendin helemaal terug te laten liften naar een afgelegen gat. Zeker niet in die jurk. Straks word je nog lastig gevallen door kerels. Nee, gaan jullie nu maar aan tafel, dan wacht ik hier wel. Ik heb honger als een paard, maar ik weet zeker dat ze in deze sjieke tent pinda's of zo verkopen en anders eet ik onderweg straks wel ergens een hamburger,' deed hij er nog een schepje bovenop.

Daisy staarde woedend voor zich uit, maar Portia was altijd erg gevoelig voor emotionele chantage.

'Paddy, we peinzen er niet over om je achter te laten terwijl je zo'n honger hebt. Steve zou vanavond met ons meegaan, maar hij moest op het laatste nippertje afzeggen. Er is dus nog een stoel vrij. Heb je zin om ons te vergezellen?'

'God, dat is aardig van je,' zei hij dolblij. 'Wees niet bang, ik zal me netjes gedragen. Maar dan moet je wel je handen thuishouden, Daisy. Hahaha!'

Ze gingen de overvolle eetzaal binnen en Paddy liep naar een bord waar de tafelbezetting op stond. 'Ik vermoord je als we thuis zijn, Portia!' snauwde Daisy zodra ze alleen waren. 'Hoe kom je erbij om hem uit te nodigen? Hij denkt zelfs dat we een stel zijn!'

'Ik heb nooit geweten dat jij zo snobistisch bent, lieverd. Hij mag dan niet de juiste kleding dragen, maar het was heel lief van hem om ons te brengen. Bovendien, je hebt me toch verteld dat je met hem naar bed bent geweest?' zei Portia die zich niets van Daisy's uitval aantrok.

'Jij bent ook zo'n heilige! Jij moet nog alles leren over troostsex. Ik was zo kapot van Guy dat ik met iedereen de koffer zou zijn ingedoken.'

'We zitten aan tafel 69, maar haal geen gekke ideeën in je hoofd, schatje,' zei Paddy en kneep Daisy in haar billen. Ze wierp Portia weer een vuile blik toe, maar haar zus negeerde haar en liep naar hun tafel. Dit soort gelegenheden waren altijd uiterst saai en je kon alleen maar hopen dat je met een stel vriendelijke mensen aan tafel zat. Wat dat betrof hadden ze geluk. Portia slaakte een zucht van verlichting toen bleek dat Agnes en Lucy Kennedy naast hen zaten, twee ouwe vrijsters uit Newbridge in Kildare, die Portia goed kende uit de tijd dat ze nog aan jachtpartijen deelnam.

'Wat fijn om jullie te zien,' zei Agnes en kuste Portia hartelijk op haar wang.

'En wat zien jullie er allebei prachtig uit!' zei Lucy. 'Die kleine

Daisy wordt met de dag mooier. En wie mag dit zijn?'

'Ik ben Daisy's vriend, hoe maakt u het,' zei Paddy.

'O, wat leuk!' riepen Agnes en Lucy in koor. 'Jullie moeten name-lijk weten dat we alles in de kranten volgen... over de film die ze op Davenport Hall maken...en we vonden het verschrikkelijk toen we hoorden dat die Guy... hoe hij ook mag heten...' zei Lucy.

'Van der Post,' vulde Daisy aan.

'Ja, die! Nou, we konden niet geloven dat hij het had uitgemaakt met onze kleine lieve Daisy en er met Ella Hepburn vandoor was gegaan! Die vrouw is oud genoeg om zijn oma te zijn!'

'Ik herinner me dat ik haar tijdens de oorlog in de film *Rover, Come Home* heb gezien. Herinner je je nog de oude Ambassador-bioscoop in Bray, Aggie? Papa bracht ons in de Daimler en aan het eind van de film hebben we tranen met tuiten gehuild...'

'O ja, Lucy. Ik herinner het me nog omdat alles op rantsoen was, we konden geen snoepjes of chocola kopen, dus gaf papa ons stukjes bruin brood...'

'Het wordt een lange avond,' fluisterde Paddy tegen Daisy en stak een sigaret op. 'Die twee oudjes zijn zusters?' Daisy knikte. 'Denk je eens in, moppie, jij en Portia hadden over honderd jaar ook zo kun-nen eindigen als ik niet langs was gekomen.'

'En daarom zijn we zo blij dat je een andere aardige man hebt ont-moet, Daisy.' Lucy keek haar stralend aan en had niet in de gaten dat Daisy het liefst naar buiten vluchtte.

'Ja, ik ben ook heel blij,' zei Paddy. 'Ik noem haar mijn Lady Chatterly. Begrijpen jullie wel?'

'En hoe is met onze lieflijke Portia?' vroeg Agnes en kneep liefde-vol in haar hand. 'Heb je al trouwplannen?'

'O, weet je dan niet meer dat Portia een knappe man heeft ont-moet?' zei Lucy. 'Hij werd in de bladen steeds de graaf van Ierland genoemd, daar hebben we wel om moeten lachen.'

'O ja, lieverd. Er zijn zo veel foto's van jullie verschenen en jullie vormden zo'n knap paar, jij met je prachtige slanke figuur en hij zag er ook vreselijk goed uit. Een beetje als Edward VIII toen hij de prins van Wales was, maar jullie zijn natuurlijk veel te jong om dat te we-ten. Enfin, hij was de George Clooney van zijn tijd en herinner je je nog, Aggie, dat... O, kijk, daar is hij!'

'Wie, George Clooney?' vroeg Portia die het gesprek niet helemaal had kunnen volgen.

'Nee liefje, je vriend, de graaf van Ierland. Kijk, hij staat bij de deur!'

Ze had gelijk. Portia keek over haar schouder en daar stond Andrew. Hij was met een groepje mannen van wie ze niemand kende, maar ze leken goede vrienden te zijn en lachten hard om een grap die een van hen maakte.

Kalm blijven, kalm blijven, zei ze tegen zichzelf, hij heeft je niet gezien en zelfs al heeft hij je gezien, het gaat heus allemaal goed. Tot haar eigen verbazing bedankte ze Susan De Courcey in stilte omdat zij haar had verteld dat Andrew en Edwina weer bij elkaar waren. Stel je voor dat ik het niet wist, dacht ze, en het van hem moest horen? Daar moest Portia niet aan denken. Nu was ze in elk geval gewaarschuwd en wist waar ze aan toe was.

Daisy had hem ook gezien en boog zich naar haar toe. 'Dit is toch verdomme niet te geloven!' fluisterde ze. 'Wat doet Andrew hier?'

Portia zei niets en keek haar smekend aan om niets te zeggen. Kalm hervatte ze het gesprek met Agnes en Lucy alsof er niets was gebeurd. Het voorgerecht en het hoofdgerecht waren al uitgeserveerd en nog steeds had Andrew haar niet gezien. En als hij mij wel heeft gezien, dacht Portia, dan mijdt hij mij ook. Ze was dubbel blij dat ze naast de gezusters Kennedy zat die aan één stuk door praatten en geen ruimte lieten voor onderbrekingen, zodat ze alleen hoefde te glimlachen en te knikken.

Niet lang daarna was het diner voorbij en zou er gedanst worden. Agnes en Lucy waren zo vriendelijk om Daisy's paarden tijdelijk te stallen wanneer de Davenports op straat werden gezet. Hun missie was volbracht en ze konden dus naar huis. Maar toen ze opstonden om afscheid te nemen, hield Paddy een passerende ober aan.

'Dat diner was lekkerder dan het kerstmaal van mijn moeder, maar ik krijg het niet op. Kunt u het voor me inpakken?' De ober keek hem aan en vroeg zich af of hij het meende. (Nog nooit had iemand in het Four Seasons Hotel om een doggy bag gevraagd.) Maar hij was een perfect getrainde ober en beloofde Paddy dat hij zou kijken wat hij kon doen.

Het orkest begon te spelen en toen Paddy hoorde dat het een medley van Elvis liedjes was, kon hij niet meer blijven stilstaan. 'De King! Kom schatje, waar wacht je nog op?' Zonder Daisy de kans te geven iets te zeggen, trok hij haar mee naar de dansvloer en begon als een gek te twisten terwijl de arme Daisy tegen hem schreeuwde dat haar enkel nog niet helemaal genezen was.

Shit, dacht Portia, die het feest zo snel mogelijk en ongezien had willen verlaten.

'En hoe maakt je moeder het, Portia?' vroeg Agnes. 'Is ze nog steeds zo excentriek? Ik herinner me dat ik een keer op Davenport Hall op bezoek kwam en dat zij een séance hield. Ze heeft me nooit vergeven dat ik de séance onderbrak...'

Portia wilde net antwoorden toen Andrew ineens naast haar stond.

'O kijk, daar is hij. De graaf van Ierland in eigen persoon. Hoe maakt u het?' lachte Lucy.

Portia's knieën knikten, maar ze dwong zichzelf om rechtop te staan en hem aan te kijken.

'Het schijnt dat we plaatselijke beroemdheden zijn,' zei ze blozend. Hij gaf geen antwoord en streek nerveus met zijn vingers door zijn haar. Na wat een eeuwigheid leek, keek hij haar eindelijk aan.

'Ik vraag het puur uit nieuwsgierigheid, maar bel je uit principe nooit terug?'

'Andrew, dat was niet nodig. Er valt niets te bepraten. Het enige wat ik nog tegen je wil zeggen, is dat ik heel blij voor je ben.' Ze hoopte dat haar stem niet al te veel trilde.

'Ik wou dat ik net zo ruimdenkend was als jij. Ik moet je echter nageven dat je er geen gras over laat groeien, toch?'

Er was geen twijfel mogelijk, zijn stem klonk hard en verbitterd en Portia had geen flauw idee waarom. Je zou denken dat ík weer gelukkig herenigd ben met een ex, dacht ze, in plaats van andersom. Ze wilde net vragen wat hij met die opmerking bedoelde, maar hij was haar voor.

'Portia,' vervolgde hij op zachtere toon, 'ik moet je echt dringend spreken. Heb je morgen misschien even tijd? Ik heb je namelijk iets heel belangrijks te vertellen en—'

'Andrew, lieveling, ben je daar.' Portia draaide zich om en keek recht in het gezicht van Edwina die er zoals gewoonlijk onberispelijk uitzag. 'En jij bent Portia, nietwaar?' kirde ze terwijl ze naast Andrew ging staan. 'We hebben elkaar al eens ontmoet,' vervolgde ze en stak een perfect gemanicuurde hand uit.

'Hallo,' was het enige dat Portia kon uitbrengen. Ze kon zichzelf wel voor haar kop slaan dat ze zich niet had opgemaakt. Vergeleken met de elegante Edwina, was zij net een lompe boerin. Er viel een stilte en Portia zocht wanhopig naar iets om te zeggen. Ze wilde een nonchalante en ontspannen indruk maken, maar kon niets bedenken. In paniek keek ze om zich heen in de hoop dat Paddy of Daisy haar te hulp zou schieten, maar die waren nog steeds aan het dansen, of in Paddy's geval, aan het headbangen.

'De roddelbladen stonden vol met foto's van jou,' verbrak Edwina met haar klaterende cocktailpartystem de stilte. 'We hebben er hartelijk om gelachen, nietwaar, Andrew? Jij zou een keukenmeid zijn in een of ander griezelig spookhuis. En later verscheen er een foto van jou in de armen van een andere man...'

Portia kon Edwina niet helemaal volgen, maar één ding was zeker: ze wilde zo snel mogelijk weg. Negen generaties Davenport deden zich gelden toen ze kaarsrecht ging staan en zo waardig mogelijk keek. 'Je moet niet alles geloven wat de bladen schrijven,' zei ze en maakte dat ze wegkwam.

Ze liep linea recta naar het toilet, in de hoop dat Paddy over een paar minuten was uitgetwist en ze naar huis konden gaan. Haar hart bonsde en haar oren suisden. Het was druk in het damestoilet, maar gelukkig zag ze geen bekenden en hoefde ze geen beleefdheidspraatjes aan te knopen. Maar als ze dacht dat er een eind aan deze martelende avond was gekomen, vergiste ze zich. Precies op het moment dat ze haar polsen onder de koude kraan hield en water in haar gezicht plensde, ging de deur open en kwam Edwina met haar mobieltje tegen haar oor binnen.

'Alsjeblieft Kate, begrijp het nou. Ik weet dat het al na middernacht is, maar jij bent mijn bruiloftsplanner en je wordt betaald om vierentwintig uur per etmaal beschikbaar te zijn. Ik ben hier op zo'n vreselijk feest in het Four Seasons en dit is een noodgeval! Ze hebben precies dezelfde linnen servetten als ik voor de receptie heb uitgekozen! Met exact dezelfde rode linten! Ik doe heel erg mijn best om kalm te blijven, maar je moet morgenochtend meteen naar Brown Thomas om...'

Het was zo vol in het damestoilet dat Portia erin slaagde ongezien naar buiten te glippen. Nou, dat was dan nog een geluk, dacht ze, en liep opgelucht naar buiten om op het parkeerterrein op de anderen te wachten. Het kwam geen moment bij haar op dat de one-woman-show die Edwina had opgevoerd alleen voor haar was bedoeld.

Tot overmaat van ramp was de lange, hobbelige rit in Paddy's bus geen onverdeeld genoegen. Daisy zat naast het raam, zo ver mogelijk van Paddy vandaan, en was prompt in slaap gevallen. Portia wilde in alle rust nadenken en haar gedachten ordenen, maar die kans kreeg ze niet. Ze zat geplet tussen Paddy en Daisy, en de tientallen mascottes die aan het raam bungelden, zwiepten steeds tegen haar voorhoofd. Paddy zelf was echter in de zevende hemel. Blijkbaar beschouwde hij dit als een gouden kans om eens met het enige normale familielid van zijn vriendinnetje bij te praten. Ze waren al bij Newlands Cross toen hij even pauzeerde om adem te halen.

'Ik kan dus wel stellen dat 1998 het gelukkigste jaar van mijn leven was. Dat was natuurlijk niet de eerste keer dat Arsenal de beker en het kampioenschap won. In 1971 is dat ook gebeurd, maar ja, toen was ik nog niet eens geboren, dus daar heb ik geen klote aan. Vertel eens, Daisy, wat vind jij van de trainer van Arsenal?'

'Ze slaapt,' zei Portia.

'Terwijl ik over Arsenal praat? Zeker weten?' vroeg hij zonder zijn ogen van de weg af te wenden.

'Mmm, uitgeteld.' Portia benijdde Daisy, die overal kon slapen.

'Mooi, dan kan ik even van de gelegenheid gebruik maken om je te bedanken. Dat heb ik al zo lang willen doen. Je bent echt een toffe meid.'

'Sorry?' Portia had geen flauw idee waar hij het over had.

'De nacht van het midzomernachtbal... Weet je het niet meer? Ik was volkomen lazarus, straalbezopen, stomdronken en volledig de weg kwijt.'

'Je bedoelt dat je een beetje beneveld was?'

'Precies, schat. Hoe dan ook, ik wilde even zeggen dat je werkelijk een toffe meid bent. Je ziet er eigenlijk helemaal niet slecht uit voor iemand die tegen de veertig loopt.'

Portia reageerde niet.

'Ik heb een zus die net zo oud is als jij en zij is nu oma... echt waar,' lachte Paddy. 'Nou ja, het is niet zo dat ik je niet mooi vind of zo, want voor jouw leeftijd zie je er nog best goed uit, maar ik wil wel even mijn excuses aanbieden dat ik die avond in je bed in slaap ben gevallen. Ik zweer je, ik heb je met geen vinger aangeraakt.'

Ineens herinnerde Portia het zich. Dat was de avond dat Steve haar het vreselijke nieuws over de Hall had verteld. Ze was helemaal van streek geweest en hij had haar een slaappil gegeven. Ze herinnerde zich vaag dat ze het idee had gehad dat er iemand naast haar lag en dat ze had gedacht dat het Andrew was.

'Ik was op zoek naar Daisy's kamer en ik was verdwaald,' vervolgde Paddy. 'Dat huis is net een doolhof. Zodra ik wakker werd en zag dat ik met de verkeerde zuster in bed lag, wist ik niet hoe snel ik weg moest komen. Dus er is niks gebeurd, dat zweer ik op het kale hoofd van Sven Goran Erickson. Maar zeg alsjeblieft niets tegen Daisy, wil je?'

'Natuurlijk niet.'

'O, wat ben jij toch een tof wijf. Ik wist wel dat je er geen punt van zou maken. Jezus, stel je voor dat er wel iets was gebeurd? Twee zusjes op één avond? Dan zou ik het gevoel hebben dat ik in een aflevering van *Eastenders* zat. Kun je je voorstellen wat er was gebeurd als iemand ons had gezien?'

Hoofdstuk tweeëntwintig

De dag begon begon slecht voor Bridie Nolan. Ze zat al de hele ochtend op het architectenbureau van haar zwager en kraakte het ene ontwerp na het andere af.

'Hoe vaak moet ik het nog zeggen, Bridie,' zei Mickey terwijl hij zijn ontwerpen met keukenpapier depte, omdat het vijfjarige zoontje van Bridie per ongeluk een kop koffie had omgegooid. (Het betrof het laatste ontwerp voor het mausoleum van Davenport Hall, dat in een bowlingcentrum zou worden omgetoverd.) 'Wees verstandig en steek die vervloekte Hall in de fik, dan kunnen we vanaf de grond beginnen. Ik werk keihard aan de ontwerpen voor de woningbouw-projecten op het landgoed en jij wilt alles verpesten door dat lelijke, oude huis te laten staan.'

'Shamie moet in zijn positie heel voorzichtig zijn. Hij gaf me gisteravond op mijn donder over de vrouw van Ceasar die boven alle verdenking verheven moet zijn of zoiets. Volgens mij heeft hij te vaak naar de film *Gladiator* gekeken. Hoe dan ook, hij heeft al genoeg problemen met die lui van de belastingdienst en kan niet riskeren ook nog eens van brandstichting te worden beticht. Nee, ik heb een veel beter idee.'

'Wat dan, Bridie?'

'Het Davenport Hall restauratieproject. Een cameraploeg gaat een documentaire maken over mij, Shamie en de kinderen terwijl we liefdevol onze stempel op Davenport Hall drukken. Shamie heeft een vriend, een producer bij RTE die de documentaire voor ons zal regisseren, hoewel hij volgens Shamie nog niet eens recht in het toilet kan pissen. Maar we zullen het met hem moeten doen en als de Hall eenmaal is gerenoveerd, zal ik rondleidingen geven om te laten zien hoe het was en hoe het geworden is. Jackie Kennedy heeft hetzelfde met het Witte Huis gedaan en dat heeft haar ook geen windeieren gelegd. Bovendien zal het ons stemmen opleveren. Jeremy

Irons kan de pot op met zijn roze kasteel in Cork.'

Ze verliet met haar zoontje Hughie het architectenbureau, en liep in Main Street Lottie O'Loughlin tegen het lijf.

'Hé covergirl!' riep Lottie vrolijk. 'Het verbaast me dat je nog niet in de winkel bent geweest om tien exemplaren voor jezelf te kopen!'

'Waar heb je het over?' vroeg Bridie niet-begrijpend.

'Ga maar naar de winkel, dan zie je wat ik bedoel!' zei Lottie die snel de straat overstak. 'Ik heb lunchpauze, dus laat het geld maar op de toonbank achter.'

Als Bridie geen olifantshuid had, zou ze hebben gemerkt dat Lottie haar meed, maar overgevoeligheid was niet iets waarmee Bridie behept was. Ze sleepte Hughie naar de Spar met de belofte dat hij een ijsje kreeg als hij twee minuten zoet was en liep snel naar de tijdschriftenstandaard. Ze bekeek ze allemaal, maar zag niets bijzonders. Toen viel haar blik op de stapel kranten in de hoek, en ze viel bijna flauw. De foto die de journalisten hadden gemaakt toen ze op weg naar het midzomernachtbal in Davenport Hall in de auto een andere panty aantrok, prijkte in felle kleuren op de voorpagina. Het enige wat je zag, was een verbijsterd gezicht, het kruis van haar panty en haar enorme blubberdijen op het dashboard van de auto.

MAAK KENNIS MET DE NIEUWE LADY VAN HET LANDHUIS! luidde de kopregel.

> BRIDIE NOLAN BEKLIMT DE 'LADDER' VAN SUCCES. DE OPINIEVRAAG VAN VANDAAG: IS DEZE KONT GROTER DAN DE GRAND CANYON? IS DEZE KONT BLUBBERIGER DAN KWARK? BENT U HET MET DEZE STELLING EENS, BEL DAN 1850 123123, BENT U HET ONEENS, BEL DAN 1850 223344

Bridie pakte meteen haar mobieltje en belde Shamie.

'Hallo, met Shamie Nolan Junior.'

'Shamie! Het is een regelrechte ramp! Ga onmiddellijk naar je advocaat! We zullen de muren kunnen behangen met de dwangbevelen en aanklachten die we gaan indienen!'

'Dat denk ik niet, schat,' antwoordde hij nerveus. 'Ik heb namelijk ook nieuws voor jou.'

***

Intussen was Lucasta's grote moment aangebroken. De onfortuinlijke Serge was belast met de taak om haar in een huishoudster uit de negentiende eeuw te veranderen.

'Ik zeg altijd tegen mijn minnaars dat ik van uitdagingen houd,' had Serge eerder die dag opgewekt tegen Jimmy D gezegd. 'Maar ik denk wel dat ik ruim twee uur nodig zal hebben voordat ze voor de camera kan verschijnen. Denk alsjeblieft niet dat ik oma ga leren om haar wangen in te zuigen, maar in deze scène is soft focus volgens mij geen overbodige luxe.'

Lucasta vond het nooit vervelend om alle aandacht te krijgen en waande zich in de zevende hemel terwijl Serge geduldig het vieze grijze haar waste en uitkamde.

'Vertel eens, Lady Davenport, wanneer bent u voor het laatst bij de kapper geweest?'

'O lieverd, zeggen de woorden *Sergeant Pepper's Lonely Hearts Club Band* je iets?' antwoordde ze lachend. Serge lachte terug, maar hij had geen flauw idee waar ze het over had.

Precies twee uur later klopte Caroline op de deur van de make-up trailer om haar naar de lokatie te brengen, de nieuwe balzaal. 'Goeie genade, ik herken u haast niet,' zei Caroline toen ze Lucasta in de stoel voor de spiegel zag zitten.

Serge trok de plastic cape weg en liet trots het resultaat zien. 'Ik weet het!' gilde hij. 'Ik heb zo veel talent dat ik nu even moet gaan liggen. David Blaine zou zich echt zorgen moeten maken.'

De metamorfose was inderdaad wonderbaarlijk. Lucasta was als een Victoriaanse huishoudster gekleed en droeg een lange zwarte hoepelrok en een nauwsluitende zwarte blouse met een hoge kraag. Het enige sieraad was een cameebroche op de kraag van haar blouse. Serge had zorgvuldig de klitten uit het lange haar gekamd en het rond de oren opgerold, precies zoals het in die dagen werd gedragen. Ze droeg een korset dat haar omvangrijke middel insnoerde, zodat ze een bijna meisjesachtig figuur had.

'Lady Davenport, u ziet er fantastisch uit!' zei Caroline voor haar doen enthousiast.

'Dank je, lieverd, maar ik ben nu de huishoudster, dus als je me voortaan juffrouw Murphy wilt noemen, zou ik dat bijzonder op prijs stellen,' antwoordde Lucasta die heel erg haar best deed om als Meryl Streep te klinken.

Toen ze de Hall inliepen en de balzaal betraden, hapte Lucasta die anders nooit om woorden verlegen zat, naar adem. Het resultaat mocht er zijn. In slechts een paar dagen waren de vuilniszakken verwijderd, alle gaten dichtgesmeerd en was het plafond geschilderd. De potten en pannen die overal stonden om het regenwater op te vangen, waren weggehaald en de parketvloer glom voor het eerst in waarschijnlijk tweehonderd jaar. De vochtige plekken op de muren waren bedekt met wandkleden, zodat de zaal minder echode. Tot slot brandden er kaarsen in de kroonluchters en in de wandhouders.

'Moeder Maria, het is onherkenbaar!' riep Lucasta verbaasd. 'Dit is toch wel echt Davenport Hall?'

Jimmy D liep tussen de figuranten door die een wals oefenden en kuste Lucasta hartelijk op haar wangen.

'Goh, wat ziet u er elegant uit, Lady Davenport,' zei hij grijnzend, en nam een trekje van zijn sigaar.

'Ik luister alleen nog naar juffrouw Murphy, maar wat een wonder heeft u hier verricht. Ik heb het gevoel dat ik terugga in de tijd, of dat ik een flashback uit een vorig leven heb. Dat gebeurt wel vaker. Maakt u zich geen zorgen, ik voel me namelijk helemaal thuis in de Victoriaanse tijd. En ik heb de geesten van al mijn voorouders opgeroepen mij te helpen. Nou, u bent de regisseur, dus regisseer me maar.'

'Het is heel eenvoudig. In deze scène walsen Brent en zijn moeder Blanche tussen de andere paren terwijl Magnolia terneergeslagen uit het raam kijkt. Dus als Johnny u een teken geeft, moet u naar het midden van de dansvloer lopen en in paniek uw meesteres roepen. Dan komt Magnolia naar u toe, vraagt wat er aan de hand is en u zegt uw tekst. Begrepen?'

'Ja, ik denk van wel,' antwoordde Lucasta die het niet helemaal volgde. 'Ik ben alleen een beetje nerveus, dat is alles. U weet wel, een nieuwe carrière en zo.'

Jimmy D knikte naar Johnny en liep op zijn gemak terug naar zijn regisseursstoel, waar Ella en Guy ook zaten. Ze waren diep in gesprek en negeerden Montana die stilletjes achter hen zat. Liever gezegd, Guy kletste een eind weg en Ella rookte met een verveeld gezicht een Sobranie.

'Ongelooflijk hoe mooi deze zaal eruit kan zien als je er maar een beetje moeite voor doet, nietwaar, schat?' zei Guy met zijn zuidelijke accent. Ella keek hem niet eens aan en knikte nauwelijks zichtbaar.

'Weet je, liefste, als iemand deze vuilnisbelt onder handen zou nemen en er een beetje geld instak, zou je er werkelijk iets heel moois van kunnen maken. Een romantisch Iers liefdesnest zo ver mogelijk van LA. Wat denk jij?' zei hij en verwijderde een haar van haar wijde hoepelrok. Nu had hij haar aandacht. Ze keek hem aan en in haar ogen flikkerde een zweem van interesse.

'Hé, uwe majesteit, hoe maakt u het?' zei Paddy vrolijk tegen Lucasta.

'Niet nu, lieverd. Ik concentreer me op mijn rol,' antwoordde ze afwezig. 'Ik moet heel diep in mijn emotionele reservoir duiken om me op deze scène voor te bereiden.'

'O ja, natuurlijk,' zei Paddy, die wel gewend was dat acteurs zich als in zichzelf verdiepte gekken gedroegen. 'Vertel, waar denkt u dan aan?'

'Het is 1982. Ik ben net van Daisy bevallen,' zei Lucasta met haar ogen dicht, alsof ze in trance was. 'Ik lig in bed en geef de baby de borst. Mijn man stormt de kamer binnen en pakt haar van me af om als onderpand bij het pokeren in te zetten.'

'Godallemachtig, jullie zullen wel een heleboel maatschappelijk werksters over de vloer hebben gehad,' zei Paddy meelevend.

'Oké, iedereen op zijn plaats, we gaan beginnen!' schreeuwde Johnny zo hard als hij kon. Er ontstond enige commotie toen de leden van de crew en de figuranten, die er allemaal schitterend uitzagen in hun Victoriaanse avondkleding, hun plaatsen innamen. Het werd stil op de set en op de achtergrond rinkelde een telefoon.

'Trek de stekker van die klotetelefoon eruit!' brulde Johnny.

'Het komt uit de bibliotheek,' zei Caroline die kordaat de balzaal verliet. 'Wacht maar, dan doe ik het wel even.' Twee minuten later was ze terug en knikte naar Johnny ten teken dat het probleem was opgelost.

'Oké, allemaal,' zei Johnny. 'We gaan beginnen! Dit is geen repetitie! Geluid!'

'Geluid loopt!' riep Paddy. Hij knipoogde naar Lucasta en stak zijn duim omhoog.

'Camera!'

'Camera loopt!'

'Klapbord!'

'Scène 79, take one.'

'En... actie!'

Een onzichtbaar strijkkwartet speelde een wals van Strauss en de figuranten begonnen te dansen. Elegant geklede paren in rokkostuum en enorm wijde hoepelrokken zwierden over de glimmende dansvloer. Lucasta liep de gang op en wachtte tot Johnny haar een teken gaf. In haar hand klemde ze het gekreukte script waar maar een paar regels op stonden.

'Wat heeft u een apenpak aan,' zei mevrouw Flanagan die heel toevallig had besloten om de vloer in de gang te dweilen, iets wat in dertig jaar niet was gebeurd.

Lucasta ijsbeerde door de gang en negeerde haar volledig. Als een mantra herhaalde ze steeds weer haar tekst.

'Bent u van plan om het zo te zeggen?' vroeg mevrouw Flanagan, terwijl ze de dweil boven een emmer uitkneep.

'Hoepel op. Haal me niet uit mijn concentratie.'

'Ik zeg alleen dat ik nog nooit iemand van het bedienend personeel zo bekakt heb horen praten. U klinkt verdomme als de koninginmoeder.'

Voordat Lucasta de kans kreeg om te reageren, zwaaide Johnny uitbundig naar haar ten teken dat ze moest opkomen.

'O jee,' zei Lucasta die even schrok. Toen maakte ze haar entree. Ze marcheerde naar het midden van de dansvloer en liep de walsende paren bijna omver. 'Juffrouw Magnolia! De aardappeloogst is mislukt! Ik zeg u, er dreigt hongersnood! En de onteigende pachtboeren bij de achterdeur willen uw bloed zien vloeien, jandorie!' zei ze met een deftig accent waar een debutante uit 1930 trots op zou zijn geweest.

'Stop de band!' riep Jimmy D en kwam uit zijn canvas stoel. 'Een korte pauze! Lady Davenport, kan ik u even spreken?'

'Ja, natuurlijk lieverd,' antwoordde Lucasta toen hij haar apart nam.

'Dat was, eh, een interessante interpretatie van de rol, maar ik denk dat het personage meer van de arbeidersklasse is.'

'Denkt u dat ik te koninklijk klink? Ja, dat is me wel eens eerder gezegd,' zei Lucasta nadrukkelijk knikkend.

'Ik heb haar dat ook gezegd, maar ze wilde niet luisteren,' zei mevrouw Flanagan die ineens de vloer onder hun voeten boende. 'En dan nog wat. Er zit een historische onjuistheid in het script, neem dat maar van mij aan.'

'Wat dan?' vroeg Jimmy D.

Ze raapte het verfrommelde vel op dat Lucasta in de gang had weggegooid. 'Ik kan me natuurlijk vergissen, maar ik geloof niet dat ze in 1864 Swiffers hadden, of wel soms?'

'Pardon?' zei Jimmy D en pakte het vel met de tekst.

'Kijk, hier staat het! "Magnolia swift bij het raam." Misschien hadden ze stoffer en blik in die dagen, maar beslist geen Swiffers.'

'Magnolia snift bij het raam, idioot!' siste Lucasta tegen haar.

'En hoe zit het met haar accent? Ik heb heel wat films in mijn leven gezien, maar ik heb nog nooit iemand van de arbeidersklasse zo sjiek horen praten. Ze praat nog bekakter dan koningin Victoria.'

Lucasta wilde net tegen haar uitvallen toen Jimmy D zei: 'Mmm. Interessant. Lady Davenport, u heeft het fantastisch gedaan. Het zit erop. Waarom gaat u niet met Serge mee, dan kan hij uw make-up eraf halen en weer een normaal mens van u maken. U zult vast en zeker moe zijn na zo'n professionele opvoering.'

'Bedoelt u dat ik klaar ben?'

'Jazeker, u heeft fantastisch acteerwerk geleverd!' antwoordde hij en knipte met zijn vingers naar Serge, die meteen kwam aanrennen en Lucasta onder zijn hoede nam.

'Ik moet zeggen dat het wel heel erg makkelijk was,' zei ze tegen

Serge toen ze de balzaal uitliepen. 'Acteren is een fluitje van een cent. Waarom maken acteurs dan altijd zo'n heisa over niets?'

'Omdat ze niet allemaal zo getalenteerd zijn als u,' antwoordde Serge.

Zodra ze buiten gehoorsafstand waren, brulde Jimmy D: 'Garderobe! Haal meteen een kostuum voor deze vrouw! Iedereen op zijn plaats, we beginnen van voren af aan!' Toen keek hij de diepgeschokte mevrouw Flanagan stralend aan en zei: 'Goed. Bent u, net als alle andere goede stand-ins, klaar om voor het voetlicht te komen?'

Hoofdstuk drieëntwintig

Steve was wel de allerlaatste met wie Portia ooit had gedacht onenigheid te krijgen, maar dat was precies wat er gebeurde, of ze het leuk vond of niet. Ze had gebedeld en gesmeekt, maar Steve liet zich niet vermurwen. Hij stond erop dat ze met hem meeging en nu zat ze, tegen beter weten in, in zijn jeep op weg naar het huis van opperrechter Michael De Courcey.

'Ik begrijp niet waarom je er zo'n probleem van maakt,' zei Steve toen ze de oprijlaan afreden. 'De Courcey bewijst ons een hele grote dienst. Het is maar dat je het weet. Hij is maar een half uurtje vrij en het is ongelooflijk aardig van hem om dat ene halve uurtje aan ons te willen besteden.'

'Maar jullie hebben elkaar toch al in Dublin gezien? Ik begrijp niet waarom jullie het, wat het ook mag zijn, toen niet hebben besproken? Waarom moet ik er per se bij zijn?' mopperde ze.

'Vertrouw me nou maar. Luister, als je me opdringerig vindt, moet je dat gewoon zeggen, maar heeft dit iets met Andrew De Courcey te maken?'

Voor deze ene keer was Portia blij dat het bij de poort wemelde van de journalisten en cameramannen. Toen Steve's jeep in zicht kwam, gingen de flitslichten weer af. Portia was het inmiddels helemaal gewend en kende alle fotografen bij hun voornaam, maar Steve niet.

'Die schoften veroorzaken nog eens een ongeluk,' mopperde hij. 'Weet je wat mijn secretaresse me een paar dagen geleden vertelde? Dat er in een van die vunzige roddelbladen een foto van jou en mij staat. Ze is ontzettend tegen me tekeer gegaan.'

'Ach, ik zou me er niet druk om maken als ik jou was,' antwoordde Portia. 'Het interesseert toch niemand wat die bladen schrijven. Bovendien zijn de boulevardbladen mama's grote bondgenoot sinds bekend is geworden dat de Nolans ons hebben uitgekocht. Met artikelen als "Red de Hall" en "Behoed de Hall voor de Ondergang".

Daisy en ik vermoeden dat mama elke ochtend voor dag en dauw naar de poort loopt om hen te informeren over de laatste ontwikkelingen. Het zou me echt niet verbazen.'

Steve glimlachte bij het horen van Daisy's naam. 'Hoe gaat het nu met haar na het debacle met Van der Post?' vroeg hij verlegen.

Portia bekeek hem even van opzij. Moest ze hem vertellen dat Paddy nu op kop liep in de strijd om Daisy's gunsten? Ze besloot discreet te zijn en niets te zeggen. Maar ze nam zich wel voor haar zusje te vertellen dat Steve zich uit de naad werkte om hen te helpen, en dat hij dat waarschijnlijk vooral voor haar deed.

Dat was het verschil tussen Steve en Andrew, dacht Portia. Steve aanbad de grond waar Daisy op liep en vanwege haar deed hij zijn uiterste best om ons te helpen. Terwijl Andrew... Sinds het jagersbal twee dagen geleden had ze niets meer van hem gehoord. Voor iemand die er altijd prat op ging een mensenkenner te zijn, moest Portia nu schoorvoetend toegeven dat ze er wat Andrew betrof volledig naast zat. Alleen al de gedachte aan alle beloften die hij had gedaan, deed haar bloed koken. Ze herinnerde zich die nacht dat ze tot het licht werd in de gele salon hadden gezeten en plannen hadden gemaakt voor de renovatie van de Hall, die ze in een supersjiek hotel in country-style zouden omtoveren. Hij had zelfs aangeboden om geld te investeren. Over lippendienst gesproken, dacht ze boos.

Nee. Hoe ze het ook bekeek, er was maar één aannemelijke verklaring voor zijn gedrag. Hij had alleen de tijd willen doden terwijl hij bij zijn ouders logeerde. Edwina en hij waren duidelijk weer bij elkaar en ze moest accepteren dat hij haar had gebruikt om de lange zomernachten door te komen in afwachting van de oplevering van zijn penthouse in Dublin. Portia kon het hem niet eens zo heel kwalijk nemen, want wie zou niet het huis uitvluchten met zo'n kreng van een moeder?

Wat een pech dat ze voor iemand was gevallen die duidelijk onbereikbaar voor haar was. Haar ogen werden vochtig. Het was zijn harteloosheid die haar zo boos maakte. Dat een man haar helemaal het hoofd op hol bracht en haar liet denken dat ze echt iets bijzonders hadden, om vervolgens van het ene moment op het andere te verdwijnen: lekker geneukt en *hasta la vista* maar weer. Er zat niets anders op dan de koude, harde realiteit onder ogen te zien. Hij had net een relatie van acht jaar achter de rug en wilde gewoon nog een laatste, kortstondige affaire beleven voordat hij onvermijdelijk terugkeerde naar de mooie, perfecte Edwina.

Ze wierp een blik op Steve die zich op de gaten in de weg concentreerde. Even kwam ze in de verleiding om hem te vragen of alle mannen zo waren of dat ze gewoon pech had met Andrew. Ze besloot haar mond te houden, want Steve had al heel lang geen vriendinnetje meer gehad. Zo lang, dat Lucasta hem, tactloos als ze was, regelmatig plaagde dat hij homo was. ('Serge en jij zouden zo'n leuk stel zijn!' jubelde ze dan plagerig.)

En dan te bedenken dat ik me zenuwachtig maakte omdat zijn vader ons heeft gevraagd langs te komen, dacht Portia. De kans dat ze Andrew tegen het lijf zou lopen, achtte ze heel klein (zijn appartement in Dublin zou intussen wel klaar zijn, redeneerde ze, dus waarom zou hij nog bij zijn ouders logeren?) Maar ze had ook niet verwacht hem in het Four Seasons Hotel tegen te komen, dus je wist maar nooit.

Mocht hij toch in Greenoge blijken te zijn, dan was het deze keer zijn beurt om zich vreselijk opgelaten te voelen.

***

Portia had geluk. Toen het gelikte gazon van de familie De Courcey in zicht kwam, was zijn Mercedes in geen velden of wegen te bekennen. Opgelucht liep ze met Steve over het roze grind naar de voordeur en dacht aan die laatste keer dat ze hier was en dat Andrew zo galant was geweest om haar met Daisy te helpen. En de volgende dag had hij bloemen gestuurd... Automatisch onderdrukte ze die gedachte. Dat was toen en dit was nu.

Steve belde aan en Portia bereidde zich voor op de zoveelste onaangename ontmoeting met mevrouw De Courcey, maar de rechter deed zelf open.

'Kom binnen, kom binnen,' zei Michael De Courcey. Hij was gekleed om uit te gaan en worstelde met een paar gouden manchetknopen.

Portia en Steve volgden hem naar een prachtig vertrek met eiken-houten lambrisering. Opnieuw werd Portia getroffen door het enor-me contrast tussen Davenport Hall en de ongelooflijke, onvervalste luxe van dit ultramoderne paleis. Ze had de neiging om op haar tenen te lopen uit angst afdrukken achter te laten in het roomkleurige, hoogpolige kasjmier tapijt en zag dat Steve hetzelfde deed. Vergele-ken met de De Courcey's woon ik in een lemen hut, dacht ze.

'Ga zitten, alsjeblieft,' zei Michael De Courcey die voor zijn doen opvallend zacht praatte. Hij wendde zich tot Portia en glimlachte vriendelijk.

'Beste jongedame, mijn excuses voor de geheimzinnigheid waarin deze ontmoeting is gehuld, maar zoals ik gisteren al tegen Steve zei, de situatie is op z'n zachtst gezegd kritiek, dus kunnen we niet voor-zichtig genoeg zijn. Daarom stond ik erop elkaar hier te ontmoeten, waar we vrijuit kunnen praten.'

Portia keek hem uitdrukkingsloos aan. Ze begreep er niets van.

'Naar verluidt hebben jij en je familie het de laatste tijd niet ge-makkelijk gehad.' Hij ging in de leren bureaustoel zitten.

'Eh... nee,' antwoordde ze en vroeg zich af waar hij naartoe wilde. Het zou toch niets met Andrew te maken hebben? Nee, dacht ze, want waarom zou Steve er dan bij zijn?

'Ik wil je niet verontrusten, beste kind, maar ik heb informatie die wel eens heel belangrijk voor jou en je familie kan zijn.'

***

Daisy zei vaak dat als de schoonmaakdames van het programma *Hoe schoon is jouw huis?* ooit Davenport Hall zouden bezoeken, ze direct in shocktoestand naar het ziekenhuis zouden moeten worden afge-voerd. Haar eigen slaapkamer diende als sprekend voorbeeld: wan-neer ze ook naar binnen ging, haar eerste gedachte was altijd dat er was ingebroken. Maar deze keer was het niet de algehele chaos die haar de schrik van haar leven bezorgde.

Aangespoord door Portia had ze een poging ondernomen haar spullen in te pakken. Liever gezegd, ze had al haar kleren op bed ge-gooid om vervolgens alles in vuilniszakken te proppen. Maar Daisy had zich nooit vol ijver op een taak kunnen storten en hield het na vijf minuten voor gezien. Ze had geen zin in saaie karweitjes en besloot dat ze beter Kat Slater kon gaan afrijden. Toen ze een paar uur later terugkwam, kon ze haar ogen niet geloven.

Al haar kleren waren keurig opgeruimd, het bed was opgemaakt, en voor het eerst dat zij zich kon herinneren, waren zelfs de ramen gelapt. Even schoot het door haar heen dat mevrouw Flanagan helemaal was doorgedraaid en had besloten om een grote schoonmaak te houden vlak voordat ze op straat zouden worden gezet. Maar toen zag ze de cd-speler op haar kaptafel met een stapel cd's van Metallica ernaast. Boven het bed hing een levensgrote poster van Elvis. En aan de bedstijl van het ledikant hing een boxershort...

'Waar is hij?' gilde ze met overslaande stem. 'Waar is hij? Ik vermoord hem!'

***

'En, wat vind je ervan?' vroeg Steve zachtjes toen de opperrechter naar de deur liep omdat er werd aangebeld.

Portia wreef over haar slapen en haalde diep adem. 'Als dit een film was, zou ik het niet geloven,' was het enige wat ze kon uitbrengen.

'Er moet ontzettend veel onderzoek worden gedaan, maar als we samenwerken, kunnen we hem pakken.'

'Wat gaat er nu gebeuren?' vroeg Portia.

'Zoals Michael net uitlegde, er hangt veel af van zijn contactpersoon bij de afdeling stadsplanning en hoeveel diegene bereid is naar buiten te brengen. Maar zelfs al weigert die man zijn medewerking, dan nog hebben we genoeg bewijzen om een gerechtelijk onderzoek in te stellen...'

'Om de donder niet!' onderbrak de opperrechter die weer binnenkwam en zijn smokingjas aantrok. 'We spannen in elk geval een interessante, sappige rechtszaak tegen hem aan. Ik kan met een gerust hart met pensioen gaan als ik weet dat Shamie Joe Nolan door mijn toedoen achter slot en grendel is beland. Waar hij hoort.'

Portia glimlachte.

'Wat is er?' vroeg Steve.

'O niets. In gedachten zie ik Bridie Nolan in een van haar opvallende creaties bij Shamie in de gevangenis op bezoek gaan.'

Steve lachte. 'Zijn medegevangenen zullen denken dat hij met een travestiet is getrouwd.'

'Het gaat gebeuren, neem dat maar van mij aan,' zei Michael De Courcey. 'Geen van zijn maatjes of golfvrienden die voor de regering werken kunnen hem nu nog helpen. De feiten liggen op tafel. Een parlementslid heeft het Davenport landgoed voor een prikje gekocht in de wetenschap dat de plannen voor goedkope woningbouwprojecten op tafel lagen en dat de waarde van het land zou verdriedubbelen. Het zijn zaken als deze die me doen betreuren dat we de doodstraf hebben afgeschaft.'

Portia keek hem aan en haar ogen vulden zich met tranen. 'U bent zo aardig. Ik weet echt niet hoe ik u moet bedanken.'

'Ik kan niet tegen onrechtvaardigheid, beste kind. Bovendien doe ik gewoon mijn werk. Maar als je ooit kans ziet mij aan de bekoorlijke Ella Hepburn voor te stellen, zou ik je eeuwig dankbaar zijn. Ik ben namelijk een groot fan van haar. Vanaf het moment dat ze in die geweldige Hitchcock thriller *Mental* speelde.'

Ze glimlachte naar hem en zag voor het eerst dat Andrew precies dezelfde blauwe ogen had als zijn vader.

'Het is het minste wat ik voor u kan doen.'

'Ik zou een gat in de lucht springen,' zei hij. Portia herinnerde zich dat ze hem aanvankelijk helemaal niet had gemogen en vroeg zich blozend af hoe het mogelijk was dat ze hem zo verkeerd had ingeschat.

'Het spijt me vreselijk dat ik zo onbeschoft moet zijn om afscheid van jullie te nemen,' vervolgde de rechter, 'maar mijn chauffeur wacht en ik moet nu echt weg. Ik ben al aan de late kant.'

'Ga je uit?' vroeg Steve beleefd toen Michael hen uitgeleide deed.

'Ik ga naar het Unicorn Restaurant in Dublin,' antwoordde hij. 'Voor de generale repetitie van een bruiloftsmaal. En de bruiloft is pas over een week. Pure tijdverspilling als je het mij vraagt. In mijn tijd had je gewoon een trouwdag en dat was het, maar tegenwoordig moet alles op z'n Amerikaans, met vrijgezellenavonden, generale repetities en zwangerschapsfeestjes. Maar ja, de bruid wil nu eenmaal een extravagante happening die drie dagen duurt. Ze is trouwens een beroemd model. Misschien hebben jullie wel eens van Edwina Moynihan gehoord?'

Hoofdstuk vierentwintig

'U heeft me compleet voor schut gezet en mijn carrière te gronde gericht, stom wijf!' schreeuwde Lucasta zo hard dat ze haar in Ballyroan konden horen.

'Zo gaat het nu eenmaal in de showbusiness, schat,' antwoordde mevrouw Flanagan koeltjes. 'Wen er maar vast aan.' Ze stond in de deuropening van de trailer waarin ze tussen de opnamen door verbleef. 'Beveiliging!' schreeuwde ze tegen niemand in het bijzonder. 'Kan iemand deze persoon onmiddellijk verwijderen? Ik heb nog meer scènes te doen vandaag en dit mens haalt me uit mijn concentratie!'

'Is alles in orde, dames?' vroeg Johnny, op weg naar de cateringtrailer voor een snelle lunch.

'Nee! Helemaal niet,' snauwde Lucasta. 'Nu weet ik precies hoe Bette Davis zich in *All About Eve* voelde, toen haar carrière meedogenloos werd ingepikt door een achterbaks kreng!'

'Neem me niet kwalijk, maar er zijn een paar zaken die in mijn caravan ontbreken, Johnny,' zei mevrouw Flanagan die deed alsof Lucasta lucht was. 'Kun je me een glutenvrije maaltijd brengen en een schaal met m&m's waar alle bruine snoepjes zijn uitgevist en...' Ze zweeg even en dacht diep na. Welke andere bespottelijke eisen stelden rocksterren volgens de roddelbladen voordat ze het podium betraden?

'En twintig, nee veertig John Player Blue en een draagbare tv met een beeldbuis van zesendertig centimeter. O ja, en "no snow, no show" wat dat ook moge betekenen, dus breng me ook maar een kom met sneeuw. Misschien moet ik gewoon een persoonlijke assistent in dienst nemen.'

Johnny sloeg zijn ogen ten hemel. Mevrouw Flanagan had geen flauw benul dat ze om een kan coke vroeg. 'Creëer een ster en je creëert een monster. Dat heb ik al zo vaak zien gebeuren,' fluisterde hij tegen Lucasta.

'Eh... ja, natuurlijk, ik zal het meteen door iemand laten regelen!' riep hij tegen mevrouw Flanagan die nog steeds in de deuropening van haar trailer stond en de herkenningsmelodie van *A Star is Born* zong voor het geval ze Lucasta nog niet boos genoeg had gemaakt.

'Met de Verlichte Meesters als mijn getuigen,' gromde Lucasta dreigend tegen haar, 'laat ik u dit vertellen, mevrouw Flanagan. Op dit moment vliegt door het heelal een gigantische hoeveelheid slecht karma recht op u af.'

'O, en dan nog wat!' riep mevrouw Flanagan Johnny na. 'Graag een fles koolzuurhoudend water waar de prik uit is. En geen Eau de Davenport. Dat is zo'n gore troep, ik zou er nog niet eens mijn toilet mee doorspoelen.'

***

'Ik zou wel eens willen weten waar jij in godsnaam mee bezig bent?'

'Schatje, je staat in mijn zon. Kun je niet een eindje opzij gaan?'

Daisy liep stampvoetend om hem heen en ging aan de andere kant van Paddy staan die languit in de zon lag. Hij had zijn bovenkleding uitgetrokken en zijn magere, puisterige lijf werd met de minuut roder.

'Denk je nu echt dat je zo maar je intrek bij mij kunt nemen? Zonder iets te zeggen?' schreeuwde Daisy. Ze had niet in de gaten dat de overige crewleden, die in hun lunchpauze ook van de zon genoten, nieuwsgierig hun kant opkeken.

'Doe nou niet zo pissig, schatje, ik lig net zo lekker,' zei hij en leunde op een elleboog om een sigaret op te steken. 'Dit is gewoon een natuurlijke ontwikkeling in onze relatie. Het is toch godverdomme weggegooid geld als ik in dat naargeestige b&b blijf als we toch samen slapen. Tussen twee haakjes, ik hoop niet dat je een probleem hebt met mijn Elvisposter. Ik heb het met mijn vorige vriendinnetje uitgemaakt omdat ze zijn optreden in Jailrock afkraakte.'

'Het interesseert me geen reet wat je vorige vriendinnetje vond! Luister je wel naar me? Ik wil dat jij en Elvis Presley onmiddellijk mijn kamer verlaten! Nu meteen!' brulde Daisy.

Paddy ging weer in het gras liggen en trok zich niets van haar tirade aan. 'Ook goed, schatje. Je bent gewoon nog een beetje ouderwets, je wilt niet met mij samenwonen. Daar kan ik respect voor opbrengen.'

'Als je je rotzooi niet binnen vijf minuten hebt weggehaald, gooi ik alles uit het raam. Je bent gewaarschuwd, Paddy!' schreeuwde ze en liep kwaad terug naar de Hall.

Paddy nam nonchalant een trekje van zijn sigaret. 'Goed. Dan stappen we over naar plan B.'

***

Het was alsof alle wraakgodinnen uit de hel op aarde waren neergedaald toen Lucasta razend en tierend de bibliotheek instormde en regelrecht naar het dressoir liep. Ze kookte van woede en mompelde iets over wraak nemen toen de telefoon rinkelde.

'Wie dit godverdomme ook is, je hebt een heel slecht gevoel voor timing,' blafte ze in de hoorn.

'Lucasta? Je spreekt met Andrew De Courcey. Zou ik Portia even mogen spreken? Het is echt heel belangrijk.'

'Jij hebt lef! Hoe durf je ons nog te bellen? Donder op en laat ons met rust voordat ik mijn katten op je afstuur, zakkenwasser.' Ze smeet de hoorn op de haak, schonk zichzelf een driedubbele gin met een scheutje tonic in, stak met trillende handen een sigaret op en verliet de bibliotheek.

Even later ging de telefoon weer, maar niemand hoorde het.

***

'Als je soms denkt dat ik met de kinderen naar het eiland Man vlucht, moet je vroeger opstaan, Shamie Nolan.'

'Zo simpel is het niet, schat,' zei Shamie die ongemakkelijk op zijn stoel schoof. 'Je zou het toch niet begrijpen, het is veel te gecompliceerd.'

Nu had hij het helemaal gedaan.

'Wou je soms beweren dat ik dom ben? Is dat het? Terwijl ik nota bene degene ben die je uit de goot heeft geraapt? Je denkt toch niet dat ik de afgelopen twintig jaar voor niets handen heb geschud en bomen heb geplant en kou heb geleden in grote zalen terwijl jij weer eens een van je saaie toespraken hield!'

'Luister schat, zo erg is het nou ook weer niet. Mijn vrienden in de gemeenteraad zullen toch niet met modder gooien naar een oude kameraad als ik? Ze zouden geen van allen een vakantievilla in Marbella hebben of hun kinderen naar een privé-school kunnen sturen als ze niet zo af en toe van mij een envelop met inhoud kregen. De afdeling stadsplanning in Dublin kan haar handen in onschuld wassen, maar iedereen weet dat dit de enige manier is om iets in dit land gedaan te krijgen.'

'Ik mag hopen dat je dat niet als verdediging aanvoert, achterlijke imbeciel,' antwoordde zijn liefhebbende vrouw. 'Want anders zijn we helemaal de klos.'

'Ach schat, die rechtszaken kunnen jaren voortslepen en iedereen weet dat er uiteindelijk toch niets gebeurt. Misschien een paar ingezonden brieven in de krant over belastinggeld dat verspild wordt, veel meer zal het niet zijn. Ik probeer zo veel mogelijk geld het land uit te sluizen nu het nog kan. Je weet maar nooit.'

'Hoezo, je weet maar nooit?'

'O, maak je geen zorgen, schat. Zover zal het nooit komen.'

***

Mevrouw Flanagan was een natuurtalent. Zelfs Montana haastte zich naar haar toe om haar na haar eerste optreden te feliciteren. 'U doet het zó goed!' riep ze opgetogen. 'Het komt heel zelden voor dat een acteur of actrice één is met zijn of haar rol. Het is geweldig om te zien.'

'Het overkomt sommige mensen die zichzelf actrice noemen zelfs nooit,' zei Guy die Montana veelbetekenend aankeek. 'Tenzij ze toevallig de rol van een aan drank verslaafde pornoster spelen.'

'U was zo echt toen u zei dat de aardappelhonger was begonnen,' lachte Montana die Guy dapper negeerde. 'Ik kreeg bijna honger.'

'O, ze heeft honger,' vervolgde Guy. 'Nou, dan zou ik alle slablaadjes maar achter slot en grendel bewaren. En hetzelfde geldt voor de drank.'

Montana bloosde, maar zei niets.

'Ik heb nooit geweten dat hij zo'n zakkenwasser is,' zei mevrouw Flanagan hoofdschuddend. Ze boog zich naar Montana toe en fluisterde op samenzweerderige toon: 'Luister, als je trek hebt in een lekkere gin-tonic, moet je bij mij wezen, schat.'

Mevrouw Flanagan had geen flauw idee van de hiërarchie op de set en overtrad in haar onschuld de allerbelangrijkste, ongeschreven regel door op Ella Hepburn af te stappen en haar aan te spreken.

'Ik neem aan dat u me niet heeft herkend nu ik geschminkt ben?' zei ze.

Ella keek voor zich uit en negeerde mevrouw Flanagan volkomen.

'Tussen twee haakjes, u en ik hebben meer gemeen dan u denkt,' vervolgde mevrouw Flanagan in de misvatting dat ze een band hadden. 'Weet u dat we in hetzelfde jaar geboren zijn?'

Ella's leeftijd was een goed bewaard staatsgeheim. Ze keek mevrouw Flanagan nijdig aan.

'Ja, dat is echt zo! Nu ziet u er een stuk beter uit dan ik, want er is heel wat aan uw gezicht gedaan, maar uw handen verraden u. Let op mijn woorden. Als u doodgaat, kunnen ze uw werkelijke leeftijd alleen vaststellen door u doormidden te snijden en de ringen te tellen.'

Montana moest hard op haar lip bijten om het niet uit te schateren. 'Kom, mevrouw Flanagan, we staan in de weg want ze gaan alles opstellen voor een tegenshot,' zei ze en trok mevrouw Flanagan mee.

'Een tegen wat?'

'Het komt erop neer dat we weer precies hetzelfde doen, alleen worden de camera en de microfoons nu aan de andere kant opgesteld, zodat Jimmy D de scène later kan monteren,' legde ze geduldig uit.

'God, ik dacht dat die man alleen maar op zijn dikke reet zat, sigaren rookte en zo nu en dan "actie" riep. Vertel me eens, liefje, hoe ga jij met de media om? Je hebt natuurlijk nog maar weinig privacy als je zo bekend bent. Ik vraag het alleen zodat ik me kan voorbereiden op wat komen gaat,' zei mevrouw Flanagan alsof ze elk moment door *Vanity Fair* gebeld kon worden omdat ze haar op de cover wilden. 'O ja, en dan nog wat. Heb je misschien nog een paar tips hoe ik met afgunst en jaloezie moet omgaan? Ik heb zo'n gevoel dat ik wel wat goede raad kan gebruiken.'

Ze maakte geen grapje. Ongeveer een uur later, toen ze eindelijk gereed waren om het tegenshot te filmen, sloeg het noodlot toe.

De camera's draaiden, de microfoons stonden aan en mevrouw Flanagan wilde net aan haar monoloog beginnen over de onteigende pachtboeren bij de achterdeur die bloed wilden zien, toen de grond onder hun voeten begon te schudden. Niet een beetje, maar zo hard dat het een gradatie op de schaal van Richter verdiende. De ruiten rammelden alsof ze elk moment zouden breken en de kristallen kroonluchters zwiepten vervaarlijk heen en weer.

Mevrouw Flanagan vervolgde haar monoloog, ook al trilden de muren en weerklonk er een hard, knarsend geluid alsof twintig misthoorns tegelijk schalden.

'Aardbeving!' riep Jimmy D vanuit zijn regisseursstoel. 'Ontruim het gebouw!'

'Aardbeving? In dit afgelegen gat?' schreeuwde Johnny terug. 'Denk je soms dat je in San Francisco bent?'

'Iedereen naar buiten!' beval Jimmy D die Johnny negeerde.

'Nee, blijf filmen!' krijste mevrouw Flanagan die haar gooi naar roem in rook zag opgaan. 'Het zijn de leidingen! Over een paar minuten is het voorbij! Laat die klotecamera's lopen!'

'Iedereen kalm blijven en via de hoofdingang naar buiten... ach, laat ook maar. Maak als de sodemieter dat je wegkomt!' riep Jimmy D in paniek, en dat kon hem niet kwalijk worden genomen, want het klonk alsof de Hall elk moment kon instorten. Als een kudde op hol geslagen paarden renden de figuranten en de leden van de crew allemaal naar de deur. De arme mevrouw Flanagan bleef helemaal alleen in de balzaal achter.

Twintig minuten later stormde ze de keuken in waar Lucasta bedaard een sigaret rookte en het pootje van een van haar katten in een bakje met desinfecterend middel hield.

'Bent u nu al klaar?' vroeg ze onschuldig. 'Hoe is het gegaan?'

'Alsof u dat niet weet, gemeen en achterbaks kreng!'

'Waar heeft u het in vredesnaam over, uitgezakt wijf?'

'Iemand heeft alle kranen opengezet en alle toiletten in dit vervloekte huis doorgetrokken toen ik op het punt stond mijn tekst te zeggen!! Rara, hoe kan dat?' riep mevrouw Flanagan woest.

'Ik maak me echt zorgen om u, mevrouw Flanagan. Het bestaat gewoon niet dat u zo veel woede tijdens één leven hebt opgekropt. Die verbittering moet wel uit een vorig leven stammen.'

'U kunt zich beter zorgen maken over dit leven.'

'Is dat soms een dreigement?' vroeg Lucasta. Ze legde haar handen op de oortjes van de kat, alsof hij de ruzie kon horen en negatieve vibraties slecht voor hem waren.

Er verscheen een sluwe blik in de ogen van mevrouw Flanagan. 'Ik zeg alleen dat er nu zo'n vijfentwintig katten in de Hall rondlopen en het is natuurlijk moeilijk, zo niet onmogelijk om ze alle vijfentwintig voortdurend in de gaten te houden.'

***

'Dit is de laatste oproep voor de passagiers voor vlucht BA 3619. Wil iedereen zich zo snel mogelijk naar gate B27 begeven?'

De grondstewardess van British Airways stond ongeduldig bij de gate en controleerde de instapkaarten van de laatste passagiers. Nu was er nog één passagier, een jongeman die met zijn mobieltje tegen zijn oor geklemd door de wachtruimte van de businessclass ijsbeerde. Normaal gesproken zou ze hem vuil hebben aangekeken, maar deze man was anders. Om te beginnen was het een kanjer: lang, blond en prachtige blauwe ogen. Ten tweede voerde hij een felle discussie over de telefoon en dat was nog zachtjes uitgedrukt. Ze wilde hem niet onderbreken, maar hij had nog twee minuten om in te stappen.

'Alstublieft mevrouw, probeert u het nog eens. Het is een noodgeval,' zei hij luid. 'Ik probeer dit nummer al uren te bereiken. Het bestaat gewoon niet dat dit nummer is afgesloten. Het is in Kildare, 045 37210. Ja, dat klopt. Davenport Hall.'

'Het spijt me vreselijk, meneer,' zei de grondstewardess flirterig. 'Maar dit is echt de laatste oproep.'

'Oké.' Hij zette zijn mobieltje uit en stopte hem in zijn binnenzak.

'Mag ik uw instapkaart en paspoort zien, alstublieft?' vroeg ze en keek naar zijn hand om te zien of hij getrouwd was.

'Dankuwel. Ik wens u een prettige vlucht, meneer De Courcey.'

Hoofdstuk vijfentwintig

Portia had wijselijk besloten om het nieuws van Michael De Courcey pas te vertellen wanneer de hele familie bij elkaar was. Tegen de tijd dat de opnamen voor die dag klaar waren en iedereen in de keuken zat, was het al over tienen. (Dit had tot voordeel dat Lucasta al behoorlijk in de olie was en er makkelijker met haar te praten viel.)

Ze was onkundig van het feit dat haar moeder en mevrouw Flanagan die dag vreselijke ruzie hadden gemaakt en vroeg onschuldig of er een speciale reden was waarom ze allebei koppig weigerden om met elkaar in één vertrek te zitten?

'Ik heb de hele dag mijn best gedaan om al mijn katten bij elkaar te houden zodat dat gemene kreng ze geen pijn kon doen en ik kan niet meer,' jammerde Lucasta. 'Wat ik altijd heb vermoed is waar, meisjes. Boogschuttervrouwen zijn vuile krengen.'

'Ik weet zeker dat ze me beledigt,' schreeuwde mevrouw Flanagan die in de keukentuin een sigaret rookte, 'want haar lippen bewegen.'

Portia zuchtte vermoeid. Ze had al genoeg aan haar hoofd.

'Wat is er, zus?' vroeg Daisy. 'Als het slecht nieuws is, wil ik het niet horen. Ik heb voor vandaag mijn portie gehad.'

'Ik heb inderdaad nieuws,' zei Portia, 'maar of het goed of slecht is, laat ik aan jullie over.'

Uit de tuin klonk een kakelend lachje.

'Negeer haar,' beval Lucasta. 'Ik meen het. Ik verbied jullie om met die verschrikkelijke slons in de tuin praten.'

'Het lijkt net alsof ik naar een aflevering van *Hercule Poirot* kijk,' riep mevrouw Flanagan vanuit de tuin. 'Jezus, Portia, het enige wat ontbreekt, is een Frans accent en een snor. Straks zeg je nog "Ik neem aan dat u zich afvraagt waarom u ik u allen heb verzocht om hier bijeen te komen."'

'Steve en ik zijn vandaag bij Michael De Courcey op bezoek geweest,' begon Portia.

'Andrew's vader? Dat lekkere ding?' Lucasta klaarde op. 'Wat wilde hij in godsnaam?'

'Mama!' siste Daisy. 'Laat haar even uitpraten, wilt u?'

'Het ging over Shamie Nolan.'

'O, ik ben bezig met een bezweringsformule. Die schoft krijgt zijn verdiende loon nog wel,' zei Lucasta.

'Dat zit er dik in,' antwoordde Portia. 'Het schijnt dat de afdeling stadsplanning in Dublin een onderzoek naar hem heeft ingesteld inzake land dat hij heeft gekocht voor de bouw van goedkope huizen. Ook wordt er een onderzoek ingesteld naar de steekpenningen die hij gemeenteraadsleden zou hebben betaald om de bestemmingsplannen te wijzigen. Volgens Michael heeft hij er een fortuin aan verdiend en komt al jaren met deze praktijken weg.'

'Maar wat heeft dit met Davenport Hall te maken?' vroeg Daisy.

'Volgens Michael had Shamie de bestemmingsplannen voor iedere are van ons land al op zijn bureau liggen voordat hij het van vader kocht.'

'Met andere woorden, hij heeft Davenport Hall gekocht in de wetenschap dat het land ongeveer tien keer zo veel waard zou zijn als wat hij er voor betaalde,' zei Daisy die boos begon te worden.

'Die vuile achterbakse schoft,' schreeuwde mevrouw Flanagan vanuit de tuin.

'Om kort te gaan,' zei Portia, 'Michael zei dat zijn contactpersoon bij de afdeling stadsplanning vermoedt dat ons landgoed bestemd is voor de bouw van goedkope huizen.'

'Wat! Je bedoelt van die rottige, smerige, kleine vakantiehuisjes?' schreeuwde mevrouw Flanagan. 'Denkt Shamie Nolan nou echt dat hij Davenport Hall in Albert Square kan veranderen?'

'U slaat de spijker op z'n kop. Er is een enorme vraag naar betaalbare woningen in Dublin en hij was van plan om zo'n vierhonderd wooneenheden te laten bouwen. Twee- en driekamerwoningen, twee onder een kap en zelfs een appartementencomplex. Er zou een heel dorp op ons landgoed verrijzen.'

'Het is toch niet te geloven,' zei Lucasta verbijsterd.

'En gaan ze die schoft nu aanpakken?' vroeg Daisy met tranen in haar ogen.

Portia glimlachte naar haar. 'Was het leven maar zo simpel, lieverd. Steve acht het zeer onwaarschijnlijk dat hij achter slot en grendel verdwijnt. Michael De Courcey zal een gerechtelijk onderzoek instellen naar de transacties die Shamie Nolan de afgelopen jaren heeft verricht en naar de steekpenningen die de gemeenteraadsleden hebben aangenomen. Volgens Michael De Courcey hoeven ze alleen maar de geldstroom te volgen.'

'Maar wat is zijn straf?' vroeg Daisy. 'Of ontloopt hij die?'

'Als het een grote rechtszaak wordt, zal zijn naam in de krant komen en zal hij publiekelijk vernederd worden. Volgens Steve zal hij gedwongen zijn zijn functie als parlementslid neer te leggen en zal hij zich volledig uit de politiek moeten terugtrekken. Als hij al politieke ambities had, kan hij die nu wel op zijn buik schrijven.'

Daisy grinnikte. 'Ik zie die vreselijke vrouw van hem al in vol ornaat in de rechtszaal verschijnen! Ze zullen denken dat hij met een travestiet is getrouwd.'

'Alles goed en wel,' zei mevrouw Flanagan, 'Shamie Nolan mag dan de grootste zeikerd zijn die er op aarde rondloopt, maar als ik me niet vergis is hij nog steeds de wettige eigenaar van Davenport Hall, of niet?'

Portia knikte.

'Heb je soms alle getallen van de Staatsloterij goed en ook nog eens de jackpot gewonnen zodat we de Hall kunnen terugkopen en het allemaal toch nog goed afloopt... Want waarom zou dit goed nieuws moeten zijn?

***

Uren later lag Portia klaarwakker in bed en dacht aan wat mevrouw Flanagan had gezegd. Ze had natuurlijk gelijk, die vreselijke Nolans waren nog steeds de nieuwe eigenaren van Davenport Hall. Ongeacht hoe diep Shamie publiekelijk vernederd zou worden, het lot van de Hall was nog steeds onzeker. Het enige waar ze zeker van konden zijn, was dat Albert Square, zoals mevrouw Flanagan het noemde, niet op hun land zou verrijzen. Maar dat weerhield de Nolans er natuurlijk niet van om eind van deze maand volgens plan hun intrek in de Hall te nemen.

De staande klok in de hal beneden sloeg vier keer en nog steeds lag Portia naar het plafond te staren. Ze had de hele dag dapper haar best gedaan om niet aan Andrew te denken, maar het was zinloos. Hoe ze ook haar best deed, ze moest telkens weer denken aan wat Michael De Courcey had gezegd. Over een week zou hij trouwen. Hun eerste afspraakje stond haar nog zo scherp voor de geest: hoe ze als giechelende tieners in de regen op het strand patat hadden gegeten. Ze dacht aan wat hij over Edwina had gezegd en hoe ongelukkig hij met haar in New York was geweest en waarom hij het huwelijk had afgezegd.

En over een week zouden Edwina en hij getrouwd zijn. En zij kon helemaal niets doen.

***

Paddy liet niets, maar dan ook helemaal niets aan het toeval over. Zelfs het feit dat hij een gesprek moest voeren met degene die hij het meest verafschuwde, nam hij voor lief.

'Binnen!' riep een stem vanuit de make-up trailer.

'Dankuwel, eh, meneer Van der Post, dankuwel,' zei Paddy en ging naar binnen. 'Ik wil alleen even de microfoon voor deze scène bij u opbrengen. Als u daar tenminste geen bezwaar tegen heeft.'

'Ga je gang,' antwoordde Guy terwijl Serge heel zorgvuldig een litteken op de zijkant van zijn ribbenkast aanbracht.

'Wat is dat?' vroeg Paddy terwijl hij het microfoontje aan de taille-band van Guy's witlinnen pak bevestigde.

'Vind je het mooi?' vroeg Serge. 'Jimmy D vroeg erom. Het moet Brent een beetje meer macho maken. Meer een alfa-mannetje. Alsof hij bij een knokpartij in een bar betrokken is geweest...' Toen hij het beledigde gezicht van Guy in de spiegel zag, maakte hij de zin niet af. 'O, niet dat de Brent die u neerzet niet stoer genoeg is, maar...' krabbelde hij snel terug.

'Blijf met je vieze handen van me af, zo is het wel genoeg,' snauwde Guy tegen Serge. Hij stond op uit de stoel en sloeg de deur van de trailer met een enorme dreun dicht.

'Godallemachtig, ik wist dat het een grote lul was, maar niet dat hij zo erg was,' zei Paddy ongelovig.

'O schat, ik zou een boek kunnen schrijven,' antwoordde Serge en nam bedaard een slokje Eau de Davenport. 'En op een dag zal ik dat ook doen. Het zal *Film Sets Uncovered* gaan heten en een geheide bestseller zijn. Geloof me, ik zal alle intieme details onthullen. Ik heb met heel wat monsters gewerkt, maar Guy is in vergelijking met de anderen Godzilla.'

'Shit. Ik wilde hem iets vragen.'

'Misschien kan ik je helpen?' vroeg Serge nieuwsgierig.

Paddy keek hem aan of hij hem kon vertrouwen en dacht toen: wat kan mij het ook verdommen. 'Het gaat over Daisy.'

'O, dan ben je aan het juiste adres. Ga zitten en vertel me alle smerige details.'

'Reageer nu niet al te overdreven, oké? Ik heb mijn intrek bij haar genomen maar dat was geen succes. Ze heeft al mijn spullen in vuilniszakken gestopt en uit het raam gegooid. Volgens mij is ze nog niet toe aan samenwonen, begrijp je? Ik denk dat ze nog niet helemaal over die achterlijke idioot van een Guy heen is.'

Serge knikte, als een therapeut die naar de symptomatische klachten van een patiënt luistert.

'Dus dacht ik: oké, ze is nog een beetje ouderwets en wil niet samenwonen zolang we niet getrouwd zijn, dus waarom vraag ik haar niet gewoon—'

Serge drukte zijn hand tegen zijn mond die inmiddels was opengevallen.

'Oh, mijn god! Je gaat me toch niet vertellen dat je haar ten huwelijk wilt vragen!'

Paddy werd zo rood als een biet. 'Eh... ja. Eigenlijk zou ik Guy willen vragen hoe ik het moest aanpakken, snap je?'

'O, dit is zo romantisch,' jubelde Serge die van opwinding niet stil kon blijven staan. 'Je moet het groots aanpakken, zo groots dat de gelukkige dame in kwestie het van haar leven niet meer vergeet!'

'In mijn familie zegt de jongen meestal: "Je bent wat? Nou, dan gaan we maar zo snel mogelijk trouwen."'

'O, daar kun je toch niet mee aankomen,' gilde Serge. 'Weet waar je mee te maken hebt, schat. Vergeet niet, Daisy is van adel. Die familie staat stijf van de inteelt, kijk maar naar haar moeder. Jezus, als er ooit een familie was die nieuw bloed nodig heeft, zijn het de Davenports wel.'

'Mooi!' zei Paddy, blij met zijn nieuwe vertrouweling. 'Ik maakte me namelijk best wel een beetje zorgen om onze afkomst. Ik weet honderd procent zeker dat ik heel goed in haar wereldje pas, maar de vraag is: past ze in mijn wereldje?'

'Ze krijgt een man die echt van haar houdt,' zei Serge met tranen in zijn ogen. 'Wat kan een meisje nog meer willen?'

'Hoe moet ik haar volgens jou vragen?'

Serge haalde diep adem. 'Je moet het morgen tijdens het diner doen dat voor de cast wordt georganiseerd, wanneer iedereen bij elkaar is. Volgens mij moet je tot na het eten wachten en dan... O! O! Ik krijg ineens inspiratie! Vraag die gekke huishoudster om chocolademousse voor haar te maken en daar verstop je de verlovingsring in!'

'Dat is een briljant idee!' zei Paddy. 'God, wat ben ik blij dat ik jou om advies heb gevraagd. Jij hebt echt een goed ontwikkelde vrouwelijke kant. Je zegt toch echt niets tegen Daisy? Het moet absoluut een verrassing zijn.'

'Liefje, als er iemand op het noordelijk halfrond loopt die discreter is dan ik, geef me dan snel zijn telefoonnummer.'

***

Precies tien minuten later stormde Serge zonder te kloppen Daisy's slaapkamer binnen en plofte op bed neer. Daisy was bezig met pakken, dat wil zeggen dat ze haar rijbroeken in een vuilniszak propte, en keek hem verbaasd aan.

'O, later zul je me dankbaar zijn,' zei hij. 'Laat ik het erop houden dat iemand mij een GROOT geheim heeft toevertrouwd, maar de drang om te communiceren is gewoon te hevig.'

'Serge, als je van plan bent om de hele middag op mijn bed te zitten en onzin uit te kramen, maak jezelf dan in elk geval nuttig door me te helpen.'

'Never nooit zul je mij het geheim kunnen ontfutselen, maar ik zal je een hele kleine aanwijzing geven, mazzelaarster die je bent! Aan de ringvinger van je linkerhand zal binnenkort een ring schitteren!'

Hoofdstuk zesentwintig

Na weer een slapeloze nacht dwong Portia zichzelf om om zeven uur op te staan, op hetzelfde moment dat de filmploeg begon met het opzetten van de apparatuur in de balzaal. Zelfs al had ze kunnen slapen, dan zou dat onmogelijk zijn geweest, want als de filmploeg eenmaal begon, werd er heel veel lawaai gemaakt.

Het hoeft geen betoog dat de kleine maar cruciale rol van juffrouw Murphy, de huishoudster, zonder pardon eruit was geknipt.

'Je moeder en mevrouw Flanagan zijn allebei heel sterke persoonlijkheden,' had Jimmy D Portia de vorige avond uitgelegd. 'En ik heb eigenlijk geen zin om scheidsrechter te spelen. Zelfs Kofi Annan zou daar, denk ik, een hele zware klus aan hebben. Dus in het belang van iedereen, en om agressie te voorkomen, heb ik besloten de rol helemaal te schrappen.'

Portia kon hem alleen maar gelijk geven.

Ze trok haar enige schone spijkerbroek aan, deed haar haar in een paardenstaart en pakte een warme, behaaglijke fleece trui om zich tegen de kou te weren. Het was juli en de zon scheen zowaar, maar het bleef onverbiddelijk koud in de Hall. Ze holde naar beneden en maakte in gedachten een lijstje van alle dingen die ze die dag moest doen. Het was een gigantisch karwei om alles in te pakken. Aan Daisy en Lucasta had ze weinig, want die barstten steevast in tranen uit als ze haar probeerden te helpen. Als Portia nog één keer naar hun klaagzang over de onrechtvaardigheid van hun situatie moest luisteren, ging ze gillen. Er zit niets anders op dan je bij de situatie neer te leggen, had ze steeds weer met Andrew in haar achterhoofd tegen hen gezegd.

Waar stond geschreven dat het leven eerlijk is?

Toen ze de keuken binnenging, werd ze overvallen door een overweldigende lucht van spek en kool. Hoestend pakte ze de ketel om water voor thee op te zetten toen mevrouw Flanagan met ongeveer vijf pond rauwe worstjes tussen haar blote handen geklemd uit de bijkeuken kwam.

'Hoe is het, kind? De thee is net gezet. Ik leg de ingrediënten voor het castdiner van vanavond vast klaar.'

Jimmy D had uitgelegd dat, afgezien van het feestdiner als de film klaar was, het castdiner de enige keer was dat de cast en de crew samen aan tafel zaten. Het moest een groots diner worden en zou in de rode eetzaal worden gegeven omdat daar plaats was voor zestig mensen. (Volgens Montana was de gouden regel voor castdiners dat je niet te vroeg, maar ook niet te laat mocht komen. Te vroeg betekende dat je naast de regisseur kwam te zitten, kwam je te laat dan moest je naast de mensen van de garderobe zitten.)

'Dat ruikt echt bijzonder,' loog Portia. 'Wat maakt u?'

'Dublinse stoofpot. Gekookte spek en worstjes die in de melk zwemmen. Hoog tijd dat die filmsterren eens wat dikker worden, die arme Montana ziet eruit alsof ze net uit Dachau komt.'

'Thee?' vroeg Portia en pakte twee bekers uit de kast.

'Nee, dank je lieverd, maar ik moet zeggen dat het een zeer welkome verandering is wanneer iemand van de familie een keer beleefd tegen me doet. Ik vraag me wel eens af of je moeder het zou merken als ik er niet meer was?'

Portia protesteerde omdat ze wist dat mevrouw Flanagan een paar geruststellende woordjes wilde horen en om duidelijk te maken dat er tenminste iemand was die haar aanwezigheid in de Hall op prijs stelde. 'Hoe kunt u dat nu denken? U bent hier al sinds ik een baby was, u heeft altijd alles gedaan om onze familie bij elkaar te houden, en nu hebben we u harder nodig dan ooit, mevrouw Flanagan,' zei Portia vriendelijk.

'Ik verbaas me er vaak over dat jij zo normaal bent geworden met twee van die geestelijk gestoorde ouders,' snoof mevrouw Flanagan. 'Ik zweer je dat die vrouw me niet nog een keer iets moet flikken, want dan ben ik weg. Dan zullen we eens zien of hoe dat stomme wijf het vindt om haar eigen boontjes te doppen.'

Portia ging vermoeid aan de keukentafel zitten. Ze was de eeuwige ruzies tussen mevrouw Flanagan en haar moeder wel gewend. Het waait wel weer over, dacht ze. Ze hadden nu eenmaal een haat-liefdeverhouding en de storm ging wel weer liggen. Haar oog viel op het blad *Kildare People* dat opengeslagen op tafel lag. Het was niet de kopregel die haar aandacht trok (ELLA HEPBURN DOET HET VIJF KEER OP EEN NACHT stond er in vette letters met weer een foto van haar en Guy. Hoe kwamen ze toch in hemelsnaam aan die informatie?) Nee, het was het feit dat de advertentiepagina met werk aangeboden was uitgescheurd. En enkele advertenties waren door mevrouw Flanagan met een bibberig rood lijntje omcirkeld.

***

'Ik heb wel eens eerder in moeilijkheden gezeten en ben er altijd zonder kleerscheuren afgekomen,' zei Shamie tegen Bridie in de bar van het Ierse Lagerhuis. De regeringszaken voor die dag waren afgehandeld en de bar was stampvol met parlementsleden die profiteerden van de belastingvrije drankjes en absoluut geen haast hadden om naar huis te gaan. Achterin stond een tv luid schetterend aan.

'Wil je nu in godsnaam naar me luisteren, Shamie?' zei zijn broer en campagneleider Tommy die zijn bierglas met een dreun op tafel zette. 'Laten we nu als de donder maken dat we wegkomen voordat het journaal begint! Ik zeg je toch dat ik telefonisch contact heb gehad met een vriend van me. Zijn neef heeft een buurman en die kent weer iemand die een hoge positie bij RTE bekleedt, maar zelfs die kon de uitzending niet tegenhouden.'

'Tommy Nolan, nou moet je even goed naar me luisteren,' zei Bridie op bevelende toon. 'Denk je nu echt dat Shamie en ik als ordinaire criminelen op de vlucht gaan? Alsof we iets hebben gedaan waar we ons voor zouden moeten schamen? Over mijn lijk. We blijven hier en kijken met opgeheven hoofd naar het nieuws. Ze zeggen maar wat ze willen.'

Tommy schoof ongemakkelijk op zijn stoel en wenste grondig dat hij niet in de bar van het Ierse Lagerhuis zat, maar ergens waar hij minder mensen kende. Alle oude vrienden en kornuiten van zijn broer waren er en iedereen keek met één oog naar Shamie en met het andere naar het scherm.

Eindelijk was de reclame afgelopen en begon het journaal. De barman was zo attent om de afstandsbediening te pakken en het gluid harder te zetten voor het geval er iemand van de planeet Mars kwam die niet wist waar het om draaide.

'Begin je al te zweten, Nolan?' riep een grappenmaker ergens in een hoek van de bar.

'Laten we hopen dat je je BMW coupé nog niet voor een Lada hoeft om te ruilen, Bridie!' riep een andere onzichtbare grappenmaker spottend.

'Denk niet dat ik die opmerking als een belediging ervaar,' siste Bridie tegen haar man, 'maar als deze ellende achter de rug is, zorg jij dat die zakkenwasser ontslagen wordt.'

Het journaal begon met een vier minuten durend verslag van een autobom in Irak waarbij tientallen doden waren gevallen. Daarna werden beelden getoond van een verdwenen schoolmeisje dat net weer met haar doodsbange ouders herenigd was. Shamie wilde opgelucht ademhalen toen de nieuwslezer met een ernstig gezicht het volgende onderwerp aankondigde. 'Verder binnenlands nieuws. Shamie Joe Nolan, parlementslid van Kildare South Country, wordt beschuldigd van fraude. In het rapport dat aan het eind van deze week bekendgemaakt zal worden, blijkt dat Shamie Nolan betrokken is geweest bij het illegaal herbebouwen van privé-land voor commerciële doeleinden. Een reportage van onze politieke verslaggever Richard McHugh.'

Een verslaggever voor de poort van Davenport Hall kwam in beeld (achter hem was duidelijk de graffiti zichtbaar die op de muur was gespoten: VIRGIN MEGASTORE).

'Het is nauwelijks te geloven dat Davenport Hall ooit als een staaltje van architectonische schoonheid werd beschouwd, maar het staat vast dat het land waar dit huis op staat, zo'n duizend hectare, goud waard is,' zei de ongelukkige verslaggever die keek alsof hij liever ergens anders was. 'En het is dit land dat heel veel stof heeft doen opwaaien en verdeeldheid heeft veroorzaakt rond het zwaar bekritiseerde parlementslid Shamie Nolan. Uit het uitgelekte rapport van de afdeling stadsplanning in Dublin blijkt duidelijk dat Nolan tot in de hoogste regeringskringen betrokken is bij corrupte herbestemmingplannen voor sociale woningbouw. Het schijnt dat meneer

Nolan de Hall en het landgoed met voorkennis heeft gekocht nadat een voorstel om het land te herbebouwen met goedkope woningen al door de Kildare gemeenteraad was aangenomen.'

De nieuwslezer kwam weer in beeld. 'En Richard, wat staat Shamie Nolan nu te wachten? Zal er een gerechtelijk onderzoek komen?'

'Daar ziet het wel naar uit,' antwoordde de verslaggever. (Deze keer kon je op de achtergrond mevrouw Flanagan zien die in de Mini Metro door de poort reed en als een gek naar de camera's zwaaide.)

'Opperrechter Michael De Courcey heeft laten weten dat hij al benaderd is met het verzoek een onderzoek in te stellen naar de bijzonderheden van de zakelijke transacties van meneer Nolan. Intussen lijkt parlementslid Shamie Nolan geen andere weg open te staan dan zijn functie onmiddellijk neer te leggen en te wachten tot het gerechtelijk onderzoek begint.'

De nieuwslezer knikte. 'Dank je, Richard. Eerder vandaag hebben we meneer Nolan in Leinster House gesproken en dit is zijn reactie.'

Shamie Nolan kwam in beeld. Hij stond niet op zijn gemak voor het regeringsgebouw en zweette als een otter.

'Wel verdraaid, nou moeten jullie eens goed naar me luisteren. Als jullie het financiële gesjacher van alle politici zouden onderzoeken, zouden we genoeg rechtszaken kunnen voeren om het geld van de belastingbetaler tot in de eeuwigheid te verkwisten. In het hele regeringsgebouw is geen parlementslid te vinden die in januari geen kalender ontvangt van een bank op de Kaaimaneilanden.'

'En nu kort ander nieuws...'

De barman zette de tv uit. In de vreselijke stilte die volgde, was het alsof iedereen naar Shamie keek.

Stamelend zei hij: 'Dat is helemaal uit zijn context gerukt, jongens! Die schoften hebben alles wat ik heb gezegd eruit geknipt! Heus, ik heb jullie niet door het slijk gehaald...'

Achter in de bar werd langzaam geklapt en dat zwol aan tot een oorverdovend applaus. Een aarzelend boegeroep veranderde al snel in een fluitconcert. 'Treed af! Treed af!' werd er geschreeuwd.

Het leek wel alsof iedereen in de bar joelde en stampte om uiting te geven aan hun minachting. Althans, zo kwam het op Bridie over terwijl ze met opgeheven hoofden aan de bar zaten.

Hoofdstuk zevenentwintig

Steve was er na al die jaren wel aan gewend dat chaos en drama's aan de orde van de dag waren in Davenport Hall, maar hier was hij niet op voorbereid. Net als de familie was ook hij die avond uitgenodigd voor het castdiner, maar hij was wat eerder gekomen om de familie te informeren over de laatste ontwikkelingen inzake Shamie Nolan. Hij reed over de oprijlaan toen de aanblik van een paar blote benen en een felblauwe onderboek uit het raam op de eerste verdieping hem bijna tegen een boom deed rijden. Toen hij dichterbij was, zag hij dat het Daisy was die gevaarlijk aan een richel hing met haar rok praktisch om haar nek. Hij trapte op de rem en sprong uit de auto.

'Heb je hulp nodig?' riep hij.

'Wat denk je?' snauwde ze. 'Steve, ik kan geen kant op!'

Hij kon zich niet inhouden. 'Werk je nu als stand-in voor Montana? Als ik jou was, zou ik me maar bedekken, tenzij het een film voor boven de achttien is!'

'Steve!' jammerde ze geprikkeld. 'Help me nou!'

'Oké, ik kom naar boven en trek je naar binnen. In welke kamer ben je?'

'Je kunt niet naar binnen komen! Kun je me niet zo helpen?'

'Alleen als je springt.'

'Ik heb net mijn enkel verstuikt. Straks breek ik ook nog mijn rug!'

'Nee hoor. Het is hooguit drie meter. Ik vang je wel op, vertrouw me nou maar.'

'O god, waarom overkomt mij altijd dit soort dingen?'

'Luister Daisy, je kunt daar niet eeuwig blijven hangen. Wil je dat de heren van de pers foto's nemen van je prachtige onderbroek of waag je de sprong? Ik zie de kopregel al voor me: EEN EENZAME BLOTE KONT.'

Daisy besloot eieren voor haar geld te kiezen en sprong. Steve had gelijk, het was een sprong van nog geen drie meter en hij ving haar met gemak op. Terwijl Daisy in zijn armen naar adem hapte, keek ze hem aan. Hij zag er opvallend goed uit en Daisy kon haar ogen nauwelijks geloven. Hij had het advies van mevrouw Flanagan om zichzelf een beetje op te knappen duidelijk ter harte genomen en zag er sexy uit in een modern donkerblauw kostuum van gekreukt linnen en een gekreukt wit overhemd.

'Kom, laten we gaan,' zei ze en worstelde zich los uit zijn armen. 'Instappen en wegrijden.'

'Waarheen?'

'Zo ver mogelijk hiervandaan.'

***

Mevrouw Flanagan had echt alles uit de kast gehaald en trof opgewekt de laatste voorbereidingen voor het diner van die avond. Van linnen servetten hadden ze in de Hall nog nooit gehoord, maar ze was speciaal naar Ballyroan gereden om papieren servetten te kopen, in schril contrast met de stukken keukenpapier die ze normaal gesproken gebruikten. Ze had zelfs kaarsen gevonden die als tafelversiering konden dienen. (Helaas waren het geen smaakvolle witte kaarsen. Ze hadden de kleuren van de Ierse vlag en waren versierd met gouden letters: World Cup Italia 1990. Mevrouw Flanagan had ze al die tijd voor een bijzondere gelegenheid bewaard.)

Ze stond net het resultaat te bewonderen toen ze werd afgeleid door gekrijs boven haar hoofd. Ze keek op en zag een van Lucasta's lievelingspoesjes, Uri Geller, in de kristallen kroonluchter boven de tafel hangen.

'Stom beest. Hoe ben je daar nu terechtgekomen?' mompelde ze in zichzelf. Er was geen beweging te krijgen in de kat. Hij keek haar hulpeloos aan terwijl de kroonluchter vervaarlijk heen en weer zwaaide. Er zat niets anders op een bezem te pakken en proberen hem naar beneden te krijgen. Aangezien het plafond bijna tien meter hoog was, had ze geen andere keus dan op een stoel op de eettafel te gaan staan en hem met de bezem uit de kroonluchter te jagen.

Op dat moment kwam Lucasta binnen. Ze nam het tafereel in

ogenschouw en trok onmiddellijk de verkeerde conclusie.

'Laat dat lieve, onschuldige diertje met rust, moordenaar!' gilde ze.

'Ik probeer hem alleen te helpen, getikt wijf,' zei mevrouw Flanagan, die de arme Uri Geller in beweging probeerde te krijgen door de bezemsteel tegen hem aan te duwen.

'Maak me nou niet wijs dat u geen moordplannen heeft!'

'De kat leeft toch nog, stommeling. Wat denkt u, dat ik hem soms probeer dood te vegen?'

'U bent tot alles in staat,' zei Lucasta die op ruzie uit was. 'En mag ik vragen waarom die Italia '90 kaarsen op tafel staan? Bent u helemaal gek geworden? Dat zijn collectorsitems en niet bedoeld om aangestoken te worden. Als Jack Charlton dood was, zou hij zich in zijn graf omdraaien.'

'Goed, nu is het welletjes,' zei mevrouw Flanagan. Ze gooide de bezem op de grond en klom van de tafel. 'Ik heb het helemaal met u gehad. U behandelt me als een stuk vuil, u praat tegen me alsof ik stront ben en u betaalt me verdomme niet eens. Zoek maar een andere witte slaaf, ik kap ermee!'

Lucasta keek haar aan alsof ze een klap in het gezicht had gekregen. 'Doe niet zo belachelijk...' stamelde ze geschrokken. 'U kunt niet zo maar ontslag nemen.'

'Neem me niet kwalijk, maar u heeft me gehoord.'

'Maar... maar... u woont hier! En u werkt hier! Waar had u trouwens in godsnaam heen willen gaan?' Lucasta raakte langzaam in paniek nu het mevrouw Flanagan menens leek te zijn.

Mevrouw Flanagan waggelde op haar toe en keek haar recht in de ogen. 'Ik heb vandaag op een baan gesolliciteerd en ik ben aangenomen. Ik begin aan een nieuwe carrière.'

'Als wat? U gaat me toch niet vertellen dat u het nieuwe gezicht van L'Oréal bent?' Lucasta was inmiddels rood aangelopen.

'Als u het per se wilt weten, ik heb een baan in The Crown and Glory in Ballyroan en ze zeiden dat ik meteen kon beginnen. Ik was niet van plan om de baan te nemen, maar ik lijk wel gek om me nog langer door u te laten uitschelden voor alles wat mooi en lelijk is!' zei ze met tranen in haar ogen.

'The Crown and Glory? De kapsalon? Wat weet u nou van knip-pen af?' schreeuwde Lucasta, maar haar stem trilde.

Mevrouw Flanagan bekeek haar van top tot teen en werd nu heel erg boos. 'Ik weet bij voorbeeld dat de grungelook uit is, dus u loopt wel een beetje achter!'

'De modewereld mag wel oppassen!' schreeuwde Lucasta haar na toen mevrouw Flanagan de eetzaal uitwaggelde. 'The Crown and Glory zal de enige kapsalon zijn waar je neten van de kapper kunt krijgen!'

'Dat zult u nooit weten, want wij behandelen geen rasta's!' ant-woordde ze en knalde de deur achter zich dicht.

Lucasta bleef alleen achter. In een paar weken tijd was er een heleboel gebeurd: haar man was weggelopen, ze stond op het punt uit huis te worden gezet en ze had geen flauw idee hoe zij en haar dochters moesten overleven. Maar dit was voor het eerst dat Lady Lucasta huilde.

***

'Ga je me nou nog vertellen wat er aan de hand is?'

Daisy gaf geen antwoord en staarde recht voor zich uit.

'De laatste keer dat ik je uit een raam zag klimmen, was je een jaar of veertien en wilde je naar een disco in Kildare.'

'Papa had me verboden om te gaan want volgens hem waren disco-theken alleen voor sletten, dus ben ik uit het raam van de biljartka-mer geklommen.' Daisy glimlachte bij de herinnering. 'Een jongen van school had me meegevraagd en ik was stapelgek op hem. Ik denk dat ik zelfs een tunnel zou hebben gegraven. Maar toen ik de disco binnenkwam – de tent heette de Galleria, maar wij noemden het altijd de Gonorrhea – liep ik meteen papa met een van zijn vriendin-netjes tegen het lijf.'

Steve wierp haar een zijdelingse blik toe om zich ervan te overtui-gen of het wel goed met haar ging. Op een slechte dag was alleen al het noemen van Blackjack's naam genoeg om haar hysterisch te maken, maar Daisy maakte vandaag een kalme indruk. Ze had Steve verzocht om haar naar het mausoleum te brengen en Steve, altijd een heer, had natuurlijk aan haar verzoek voldaan. Ze zaten zwijgend naast elkaar op een met mos begroeid bankje en genoten van de omgeving.

'Dit is mijn favoriete plekje,' zei ze. Hij knikte. Het uitzicht was ronduit spectaculair, vooral op een heldere dag als deze.

'Wist je dat die vreselijke Nolans van plan waren om het mausoleum uit te breken en er een bowlingcentrum van te maken?' vroeg ze. 'Mama zegt dat Shamie Nolan alleen al daarvoor in zijn volgende leven als een toiletborstel terug moet komen.'

Hij glimlachte. De excentrieke Lucasta maakte hem altijd aan het lachen.

'Steve, mag ik je iets vragen?'

'Ga je gang.'

'Zijn alle mannen grote schoften of geschifte stalkers? Is dat het scala waar ik uit moet kiezen?'

Hij wilde antwoorden, maar zij was hem voor. 'Eerst was er Guy. Ik was gek op hem maar hij wilde me alleen maar neuken tot er iets beters langskwam. Als je die vervloekte Ella Hepburn iets beters kunt noemen,' voegde ze er verbitterd aan toe. 'Ik mag dan geen Hollywoodberoemdheid zijn, maar ik ben ruim zestig jaar jonger dan zij en ik heb tenminste mijn eigen tieten. En nu gedraagt Paddy zich alsof hij volkomen geobsedeerd is. Met zijn verknipte brein denkt hij dat we een stelletje zijn, maar er is helemaal niets gebeurd dat hem daar aanleiding toe heeft gegeven.'

'Helemaal niets?'

'Nou ja, ik ben twee keer met hem naar bed geweest, maar dat was puur uit eenzaamheid. Je weet hoe het is.' Ze keek hem aan, verbaasd dat ze zo open tegen hem kon zijn. 'En nu heeft hij zich ontpopt tot een stalker, hij laat me geen seconde met rust. Paddy is de ideale persoon voor een onderzoek naar mannelijk gedrag: hoe slechter ik hem behandel, hoe meer hij me achterna loopt. Daarom ben ik uit het badkamerraam geklommen, hij laat me niet eens op m'n gemak naar het toilet gaan. Hij stond voor de deur een van zijn liefdesgedichten voor te lezen.'

'Daisy, mijn advies is om gewoon open kaart te spelen. Zeg hem dat je gevleid bent, maar geen interesse hebt.'

'Maar je begrijpt het niet!' jammerde ze. 'Iemand van de crew heeft me stiekem verteld dat hij me ten huwelijk gaat vragen. Vanavond, tijdens het castdiner! Waar iedereen bij is! Wat moet ik doen?'

Hoewel hij niet gewend was om raad te geven op het gebied van de liefde, dacht Steve serieus over het probleem na.

Daisy schopte haar hakken uit en kreeg ineens een lumineus idee. 'Ik weet het!' riep ze en keek hem stralend aan.

'O, ja?' vroeg hij glimlachend.

'Het is een peulenschil,' zei ze. 'Steve... zou je me een plezier willen doen?'

***

Mevrouw Flanagan hield zich aan haar woord. Nog geen uur later had ze haar verzameling dusters in een gedeukte koffer gestopt en stond ze bij de Mini Metro. Portia stond naast haar en smeekte haar voor de zoveelste keer van gedachten te veranderen.

'Als het alleen om jou en Daisy ging, lieverd, zou ik met plezier de rest van mijn leven hier blijven. Maar... ik weet dat ze je moeder is, maar dat verschrikkelijke mens maakt me het leven zuur. Ik werk heel hard en krijg geen enkele waardering...' Ze maakte de zin niet af en de tranen biggelden over haar gerimpelde, verweerde gezicht.

'O, mevrouw Flanagan, ik weet hoe ze is, maar ik smeek u om nog eens goed na te denken. U maakt deel uit van ons gezin en ik moet er niet aan denken dat we u kwijtraken. Ik weet zeker dat mama het niet zo heeft bedoeld. U weet toch zelf dat ze het ene moment heel kwetsend kan zijn, en het volgende moment is ze alles weer vergeten. Ze snauwt me twintig keer per dag af en vijf minuten later is ze moeder Theresa.'

Mevrouw Flanagan depte haar ogen. 'Ik heb me vijfendertig jaar voor haar uitgesloofd en ik kan er niet meer tegen. Ze misbruikt me gewoon. Als ze nou nog haar excuses aanbood, zou ik er nog over nadenken, maar ze deed zo gemeen toen ik vertelde dat ik een andere baan had gevonden. Ronduit gemeen.'

Portia omhelsde haar hartelijk en haar ogen prikten. 'Ik wil wedden dat ze nu boven is en spijt heeft als haren op haar hoofd. Ik weet zeker dat ze net als ik heel graag wil dat u blijft.'

'Denk je dat echt?' vroeg mevrouw Flanagan aarzelend.

'Jazeker,' antwoordde Portia troostend. 'Ze houdt echt heel veel van u, maar ze uit dat op een heel vreemde manier.'

Mevrouw Flanagan keek haar met waterige rode ogen aan. Portia kreeg de indruk dat ze op het punt stond van gedachten te veranderen, toen ze een snerpende kreet hoorden. Ze keken omhoog en zagen dat Lucasta uit het raam op de derde verdieping hing.

'Moge de vloek van Apollo op u neerdalen, trouweloze bediende!' riep ze. 'Ik weet nog iets beters! Moge Apollo van grote hoogte op u en uw nazaten schijten!'

Mevrouw Flanagan keek Portia aan. 'Dat is het dan, lieverd. Tot ziens. Als je ooit je haar wilt laten doen, weet je waar terecht kunt. En bedankt voor het lenen van de auto.'

'Moge een sprinkhanenplaag op die klerekapsalon neerdalen en moge u, gillend om een priester, sterven!' schreeuwde Lucasta steeds harder toen de Mini Metro luid knallend de oprijlaan afreed.

Het laatste wat Portia van mevrouw Flanagan zag, was dat ze het raampje omlaag draaide, haar arm naar buiten stak en met twee vingers naar hen zwaaide.

Hoofdstuk achtentwintig

Het hoeft geen betoog dat het castdiner op een regelrechte ramp afstevende. Na het vertrek van mevrouw Flanagan had Portia geen andere keus dan Daisy's hulp in te roepen en samen een maaltijd in elkaar te draaien voor hun gasten. Dat was echter gemakkelijker gezegd dan gedaan, want hun kookkunst was niet van dien aard dat ze Nigella Lawson, uit angst voor concurrentie, slapeloze nachten bezorgden.

'Mevrouw Flanagan moet toch wel iets hebben klaargezet voordat ze wegging?' klaagde Daisy. 'Want wat is dan die smerige stank?'

'Dublinse stoofpot,' antwoordde Portia die de pan boven de vuilnisbak omkieperde.

'Waarom gooi je het weg? Het ruikt naar een open riool, maar kunnen we het niet gewoon op tafel zetten?'

'Gekookte worst en spek? Voor een stel vegetariërs?'

De zusters keken elkaar aan en raakten langzaam in paniek. 'Kunnen we geen pizza's laten bezorgen?' vroeg Daisy hoopvol.

'Dat kunnen we altijd nog doen. Luister, er moeten toch ingrediënten zijn om iets te maken. Kijk jij wat er in de koelkast ligt, dan inspecteer ik de vrieskist,' zei Portia, en de twee zusjes gingen aan de slag.

Twintig minuten later was het probleem min of meer opgelost. In de bijkeuken hadden ze twee dozijn eieren gevonden en in de vriezer lagen vijf familiezakken met bevroren aardappelschijfjes.

'Hoe moeten we hier in godsnaam mee wegkomen?' vroeg Portia.

'Heel eenvoudig,' zei Daisy, die een schort achterstevoren ombond en er als de meest onhandige serveerster ter wereld uitzag. 'We zeggen gewoon dat eieren een belangrijk product van Davenport Hall zijn en dat we het alleen met bijzondere gelegenheden eten... omdat...' Ze dacht diep na. 'Ik weet het al! Want de Davenports en hun pachtboeren hebben de hongersnood overleefd omdat ze van hun kippen leefden en we eten nu alleen nog eieren op St. Patrick's Day en als er vips op bezoek zijn.'

'En hoe verklaren we dan de bevroren aardappelschijfjes, professor David Starkey? Zeggen we dat de Davenports ondanks de mislukte aardappeloogst altijd nog bevroren aardappelschijfjes hadden?'

'Kun jij dan iets beters bedenken?'

***

Het diner begon om half acht en Portia kreeg bijna een hartaanval toen de deurbel om half zeven als een sirene door het huis loeide. De maaltijd, als je het tenminste een maaltijd kon noemen, was nog lang niet klaar en Portia en Daisy vroegen zich in paniek af wie dat kon zijn. Op datzelfde moment stak Montana haar hoofd om de deur en zei vrolijk: 'Hallo dames! Ik vroeg me af of jullie soms hulp konden gebruiken?'

'Wat aardig van je,' zei Daisy die uien hakte. 'Zou je alsjeblieft willen opendoen?' Sinds ze openlijk door Guy aan de kant was gezet, deed Montana ontzettend lief tegen haar.

'Ben zo weer terug,' zei Montana. Ze liep naar de voordeur en moest op haar tenen staan om deurgrendel opzij te schuiven. Tot haar verbazing stond Paddy op de stoep. Hij droeg een Miami Vice-kostuum en klemde een bosje anjers in zijn hand dat hij bij een benzinestation had gekocht.

'Hé, wat een mooie bloemen! Zijn die voor mij?' vroeg ze plagend.

'Donder op,' zei Paddy, die zich duidelijk niet op zijn gemak voelde.

'Ook goed. Ik geloof dat Lady Davenport het aperitief in de Long Gallery serveert, dus als je vast naar boven wilt...' zei ze, enigszins van haar apropos doordat iemand van de crew zo tegen haar sprak.

'Eh... ja, bedankt,' zei hij en liep langs haar heen. Voor de vergulde spiegel boven de schoorsteenmantel bleef hij even staan om zijn haar, dat hij met gel had ingesmeerd, naar achteren te strijken en een puistje uit te knijpen dat hem al dagen irriteerde. Toen hij helemaal tevreden was over zijn verschijning, haalde hij diep adem, liep naar boven en neuriede een paar noten van het liedje *I'm getting married in the morning.*

***

'Wie was dat?' vroeg Portia toen Montana zich weer bij hen in de keuken voegde, die intussen op een Koreaans slavenhok leek.

'O, die jongen van het geluid... hoe heet hij ook alweer?'

'Paddy. Jezus, wat is hij vroeg,' zei Portia.

Daisy gaf geen antwoord. Ze klopte eieren in een kom en bloosde een beetje.

'En hij is overdreven sjiek gekleed,' giechelde Montana terwijl ze vakkundig een theedoek om haar middel bond. 'Eigenlijk zag hij er heel leuk uit. Oké, wat moet er gedaan worden?'

'Kun je alsjeblieft wat knoflook fijnsnijden?' vroeg Portia.

'Natuurlijk, maar... Mag ik wat vragen, Daisy? Probeer je die eieren soms dood te slaan?'

'Ik maak een omelet,' zei ze verdedigend.

'O liefje, laat mij dat maar even doen. Een omelet is om op te eten en niet om de muren mee te pleisteren. Kom, dan zal ik je laten zien hoe het moet.'

De zusjes staakten hun bezigheden en staarden haar verbaasd aan.

'Jullie hoeven niet zo geschokt te kijken,' lachte ze. 'Ik heb jarenlang zonder werk in LA gezeten, en dat is een andere manier om te zeggen dat ik serveerster was. Hebben we bieslook in huis?'

Nog geen half uur later had Montana alles onder controle. Ze had zelfs asperges in de moestuin ontdekt en boende die nu onder de kraan. 'De asperges dienen we op als voorgerecht. Met een beetje citroensap zijn ze heerlijk, geloof me,' zei ze tussen de roddels over Guy en Ella door.

Het laatste nieuws over hen was (volgens de goede, oude, betrouwbare *National Intruder*) dat ze medicijnflesjes met bloed hadden uitgewisseld en die als teken van liefde om hun hals droegen.

'Gadverdamme, wat smerig!' zei Portia met een vies gezicht.

'En volgens Serge is het waar dat ze het vijf keer per nacht doen,' vervolgde Montana. 'Hij zwoer dat hij niet met een glas tegen de deur van hun trailer heeft geluisterd, maar ik zie hem er wel voor aan.'

'Nou,' zei Daisy, die volkomen overbodig was nu de efficiënte Montana de regie in de keuken had overgenomen, 'als de *National Intruder* mij ooit voor mijn verhaal wil betalen, zal ik eens flink uit de school klappen. Zien jullie dit?' vroeg ze, en hield een piepklein bevroren bospeentje omhoog. 'Dit heeft ongeveer dezelfde afmetingen als Guy's piemel. Echt. En een pakkende kopregel heb ik ook al. Ik zie het al voor me: TOEN IK GUY VOOR HET EERST NAAKT ZAG, DACHT IK DAT DE CHIRURG DIE ZIJN PENIS HEEFT VERLENGD ZICH DOOD MOEST SCHAMEN.'

De drie vrouwen schaterden het uit, vooral Portia die zelden over sex praatte en in weken niet had gelachen.

'Hoe zit het met jou?' vroeg Montana onschuldig. 'Wat is er met die goddelijke vent gebeurd die in de kranten steeds de graaf van Ierland werd genoemd? Ik meen dat ik een foto heb gezien waarop jullie elkaar kusten.'

'Dat klopt, maar we zien elkaar niet meer,' antwoordde Portia.

'Wat is er dan gebeurd? Wil je erover praten?' vroeg Montana alsof ze een therapeutische groepssessie leidde.

'Er valt niets te vertellen, vrees ik. Althans geen pakkende kopregels voor de *National Intruder*. Hij is weer bij zijn ex terug en ze gaan binnenkort trouwen. Toen ik hem ontmoette, waren ze uit elkaar en ik veronderstel dat hij bij mij alleen even wilde uithuilen.'

'Wees toch niet zo hard voor jezelf, schat. Je bent een mooie, elegante vrouw en het kan niet anders of hij is een gefrustreerde lijperik dat hij zo'n kanjer als jij laat schieten. Dat is de enige verklaring die volgens mij hout snijdt.'

Portia keek haar even aan. 'Als een vrouw aan de kant wordt gezet, zeggen ze altijd dat de man bindingsangst heeft of gewoon een regelrechte schoft is. Maar dat gaat bij Andrew niet op. Hij is een fantastische vent die gewoon niet op mij valt.'

***

Intussen hadden de meeste gasten zich in de Long Gallery verzameld en sloegen enorme hoeveelheden gin achterover die Lucasta met een beetje tonic had aangelengd. 'Het geheim van slecht eten serveren,' zei ze altijd, 'is zorgen dat je gasten zo dronken zijn dat ze het niet merken.' Daarom gaf ze niet om goede wijn, want volgens haar werd je van goedkope wijn stomdronken en ook nog veel sneller. In plaats van op de piano te rammen en een Broadwaynummer te verkrachten, had ze besloten om vanavond Lady Lucasta te spelen: de tragische, onrechtvaardig behandelde werkgeefster die door haar trouweloze huishoudster in de steek was gelaten. Het afgelopen uur had ze tegen de arme Steve haar beklag gedaan over de gebeurtenissen van die dag.

'Weet je, lieverd,' zei ze en drukte haar peuk in de vensterbank uit, 'in dit soort tijden wou ik echt dat ik een hond had.'

'Maar Lucasta, je hebt al veertig katten,' antwoordde hij kalm.

'Dat weet ik, maar ik heb echt zin om iemand een schop te geven.'

'Mevrouw Flanagan is pas twee uur weg. Ze is wel eens langer weg geweest als ze boodschappen ging doen.'

Portia voegde zich bij hen en schudde haar hoofd toen Steve haar een gin-tonic aanbood.

'Wat een tragedie!' vervolgde Lucasta. 'Eva's verraad in het paradijs is niets vergeleken bij dit soort trouweloosheid! Niemand zal ooit weten hoe ontzettend verlaten en eenzaam ik me voel!'

'Maar je hebt ons toch nog, mama,' zei Portia.

'Dat bedoel ik nou net!' Lucasta was al aardig in de olie en de alcohol maakte haar tong losser.

'Wat is er nou zo verschrikkelijk aan om haar te bellen en uw verontschuldigingen aan te bieden? Ze logeert bij Lottie O'Loughlin tot ze iets anders heeft gevonden, dus u kunt haar daar bellen als u haar zo mist,' zei Portia.

'Verontschuldigingen aanbieden? Aan dat zwijn? Ik gebruik nog liever Gnasher als asbak,' snifte Lucasta met een gekwelde, verdrietige blik in haar ogen.

Daisy kwam ook binnen, want het had geen zin het onvermijdelijke nog langer uit te stellen. Paddy had al die tijd bij de deur rondgehangen en elke keer dat de deur openging, bezorgde hij zichzelf bijna een whiplash. Toen hij haar eindelijk zag, stoof hij als een raket op haar af.

'Grote goedheid,' zei Daisy bij het zien van zijn pak. 'Het is Don Johnson!'

'Vind je het mooi? Ik draag het alleen tijdens speciale gelegenheden.'

'Ik neem aan dat je eerste speciale gelegenheid je catechisatie was,' zei Daisy zo hatelijk als ze maar kon.

'Nee, de laatste keer dat Arsenal de beker en het kampioenschap won. Luister Daisy, ik wil je iets vragen en het kan niet wachten.'

Daisy wist wat er komen ging en opende meteen de aanval. 'Hoho! Voordat je iets zegt, moet ik je iets over mezelf vertellen. Je moet weten dat wij Davenports alleen met onze neven trouwen, we zijn pure inteelt. Daarom staan de ogen van aristocraten altijd zo dicht bij elkaar. Kijk maar naar prins Charles!'

'Ach, is dat alles waar je je zorgen om maakt, liefje? Ik kom zelf ook niet bepaald uit een al te beste genetische poel, snap je?'

'En ik geloof helemaal niet in het huwelijk,' vervolgde Daisy in paniek. 'Volgens mij is het een van de meest zinloze instituten van de wereld. En... o ja! Op sexueel gebied neem ik het niet zo nauw! Ik heb twee jaar in een massagesalon in Thailand gewerkt.'

'Dat was toch niet toevallig Lucky Changs? Daar ben ik ook geweest! Jaren geleden toen we *Shanghai Noon* filmden. Of zoals wij het noemden, *Shanghai Shit*.'

Daisy keek hem woest aan. Ze was steeds harder gaan praten en wist dat iedereen in de Long Gallery naar hen keek. 'Paddy, je luistert niet naar me! Ik heb nooit willen trouwen! Nooit! Om te beginnen...' Ze probeerde koortsachtig een aannemelijke leugen te verzinnen. 'Kan ik geen kinderen krijgen. Ik heb geen baarmoeder!'

'Liefste, ik heb een hele rij zussen met kinderen, en dus zo'n dertig neefjes en nichtjes. Het kan me geen donder schelen als je geen kinderen kunt krijgen. Des te beter, dan hoef ik nooit meer te babysitten. Eerlijk gezegd is dat een hele opluchting voor me.'

'Goed, jij je zin!' riep Daisy en gooide haar laatste wapen in de strijd. 'Je laat me geen andere keus. Ik had het je niet op deze manier willen vertellen, maar er zit niets anders op. De waarheid is dat ik verliefd ben op een ander en alleen nog maar bij hem wil zijn.'

'Wie is die schoft? Dan zal ik hem een flinke opdonder geven!'

Steve, die zich discreet aan de zijlijn had opgesteld, wist dat hij in actie moest komen. Hij ging naast Daisy staan en legde zijn arm om haar middel.

'Ben je daar, lieveling,' zei ze en ging op haar tenen staan om hem op zijn wang te kussen.

'Hij?' zei Paddy ontsteld. 'Ik dacht dat hij homo was. Ik heb hem verdomme een keer in een roze streepjesoverhemd gezien!'

'Lieveling, zullen we aan tafel gaan?' Daisy gaf Steve een arm. 'Dat klonk vreselijk, hè,? Ik weet het,' fluisterde ze tegen Steve toen ze de Long Gallery verlieten. 'Maar soms moet je wreed zijn om de pil te vergulden.'

Paddy stond als aan de grond genageld en staarde naar het bosje anjers dat hij aan Daisy had willen geven. Serge en Montana, die al die tijd bij de schouw hadden gestaan, liepen op hem toe.

'Je weet wat ik altijd zeg, schat,' zei Serge opgewekt. 'Liefde en haat liggen dicht bij elkaar.'

'Sorry, maar ik ben een beetje... jeweetwel... emotioneel,' zei Paddy. 'Ik denk dat ik beter weg kan gaan en mijn gevoelens via een lied kan uiten.'

'Misschien heb je zin om de avond met ons door te brengen?' vroeg Montana hoopvol. 'Als je wilt, mag je zelfs naast me zitten.'

***

Het was al over vijven toen het feest was afgelopen. Dat was volgens Davenport-maatstaven vroeg, want een echt knalfeest kon wel drie dagen duren, afhankelijk van de hoeveelheid alcohol die voorradig was en de stemming van de gastvrouw. Lucasta was de hele avond echter opvallend stil geweest, en toen iemand vroeg of ze misschien wat voor hen wilde zingen, weigerde ze tot ieders verbazing en tot opluchting van enkelen. (Guy had gedreigd de gebrandschilderde ramen een voor een stuk te gooien als ze alleen al haar mond opendeed.)

Daisy had plichtsgetrouw de hele avond naast Steve gezeten en zijn toegewijde vriendinnetje gespeeld. Tot haar verbazing had ze meer plezier dan ze voor mogelijk had gehouden. Steve mocht dan niet zo knap of beroemd zijn als Guy, maar hij was tenminste normaal, en niet sneu en obsessief zoals die arme Paddy. En na wat zij allemaal had meegemaakt, viel er heel wat te zeggen voor iemand die normaal was. Steve was de hele avond lief voor haar geweest en ze had heerlijk met hem kunnen kletsen. Het had iets warms en knus en geruststellends om in zijn gezelschap te verkeren en ze beschouwde Steve als de remedie voor haar morele kater.

Ze liep met hem mee naar buiten. Het begon al licht te worden en de zachte mistdeken die over de velden rondom de Hall hing, loste langzaam op. De maan stond nog hoog aan de hemel en dompelde de Hall in een zilverachtige gloed. Als een indrukwekkend, statig spookschip leek de Hall uit de duisternis op te duiken.

'Davenport,' zei Steve vol ontzag bij het zien van al die adembenemende schoonheid op dit vroege uur. 'Ik zal het net zo erg missen als jij.'

'Laten we er niet over praten, alsjeblieft, anders ga ik weer huilen. Weet je dat ik, nu we Davenport Hall verliezen, pas besef hoe veel het voor me betekent?' Ze rilde in de koude ochtendlucht.

Zonder na te denken trok Steve zijn colbert uit en hing dat teder om haar blote schouders.

'Bedankt voor alles, Steve.'

'Geen dank.'

Er viel even een ongemakkelijke stilte, zo'n zullen-we-wel-of-zullen-we-niet moment en ze voelden zich allebei vreselijk opgelaten. Ten slotte mompelde Steve dat hij de volgende ochtend vroeg op moest. Ze volgde hem naar zijn jeep, verbaasd dat hij niet had geprobeerd om haar te kussen. Verbaasd en ook een beetje teleurgesteld.

'Welterusten, Daisy Davenport,' zei hij en startte de motor.

'Ik zie je morgen, toch?' riep ze hem na toen zijn jeep de oprijlaan afreed.

Maar het was te laat. Hij was al weg.

Hoofdstuk negenentwintig

Voor het eerst in tijden prees Shamie Nolan zich gelukkig dat er filmsterren op Davenport Hall verbleven, om de eenvoudige reden dat de aandacht van de pers van hem werd afgeleid, al was het maar tijdelijk. Dat betekende niet dat zijn mobiele telefoon niet om de vijf minuten ging en dat verslaggevers, radiostations en nieuwsprogramma's steeds weer dezelfde vraag stelden. 'Heeft u nog commentaar nu u eindelijk uw functie in het Ierse parlement heeft neergelegd, meneer Nolan, commentaar over het op handen zijnde gerechtelijk onderzoek naar uw diverse zakelijke transacties? Opperrechter Michael De Courcey heeft gezegd dat zorgvuldig zal worden nagegaan waar al het geld is gebleven en dat elke onregelmatigheid zal worden nagetrokken, de onderste steen moet hoe dan ook boven komen.'

Shamie was grondig door zijn advocaten geïnstrueerd en gaf iedereen het standaard antwoord. 'Luister, vrienden. Ik ben helemaal niet bang voor een gerechtelijk onderzoek. Integendeel, ik kijk er zelfs naar uit. Ik verwelkom de kans om mijn naam te zuiveren, die door de media de afgelopen weken zo door het slijk is gehaald.' Vervolgens controleerde hij of zijn mobieltje uit stond en liep weer naar de keuken waar een spoedbijeenkomst plaatsvond.

'Wie was dat nu weer?' vroeg zijn advocaat, Harry Smith, die weer een grote stapel mappen op tafel legde.

'O, dat stelletje idioten van Channel Six. Ik zweer je, als dit allemaal voorbij is, zal ik eens een hartig woordje met hun directeur wisselen. Tegen de tijd dat ik met die linkse klootzak klaar ben, zal hij niet eens meer als rubriekschrijver bij een wijkkrant aan de slag kunnen. En dan te bedenken dat ik dat tv-station de afgelopen jaren met giften heb overstelpt!'

'Meneer Nolan, dat is nou precies het soort opmerkingen dat tijdens het gerechtelijk onderzoek beslist niet in goede aarde zal vallen,' zei Harry koel. 'Zullen we het er nu weer hebben over hoe we de schade zo veel mogelijk kunnen beperken?'

'Maar natuurlijk,' zei Shamie terwijl hij aan de keukentafel plaatsnam. 'Jij denkt dat we er niet onderuit kunnen?'

'Ik vrees van niet.'

'Als Bridie dit hoort, gaat ze door het lint en dan—' Shamie maakte de zin niet af, want zijn vrouw kwam met uitpuilende boodschappentassen de keuken binnen.

'Shamie Nolan, ik heb een heleboel geld uitgespaard!' Het was haar standaardbegroeting wanneer haar uitgaven in de vier cijfers liepen, wat dikwijls het geval was. 'Hallo Harry, heb je al thee gehad?' vroeg ze rommelend in een van de vele tassen.

'Ja, dank je,' antwoordde hij beleefd.

'Dit moeten jullie echt zien!' gilde ze en showde een van de meest opzichtige creaties ooit gezien sinds Marc Bolan nummer één stond tijdens het hoogtepunt van de glitterrock. Zelfs Gianni Versace, meester in het overdrijven, zou terugschrikken voor een dergelijke creatie in fluorescerend groen met vleermuismouwen en een schreeuwerig motief van grote, glinsterende insecten. Ze hield de jurk trots voor zich en paradeerde door de keuken. 'Nou? Is het schitterend of is het schitterend?'

'Heel leuk,' zei Harry die een doorgewinterde leugenaar was. 'Heel erg, eh, Braziliaans regenwoud.'

'Het leek me een geweldig idee om dit tijdens de eerste rechtszitting te dragen,' vervolgde ze. 'Herinneren jullie je nog hoe de rechter in de rechtszaak tegen Jeffrey Archer een blik op diens appetijtelijke vrouw wierp en hem vrijsprak? Wacht maar tot Michael De Courcey me hierin ziet! En deze japon is ook uitermate geschikt voor de feesten die we zullen geven als we eenmaal onze intrek in de Hall hebben genomen...'

'Ja, Davenport Hall,' antwoordde Harry, blij dat Bridie degene was die het vervelende onderwerp ter sprake bracht. 'Daar hadden je man en ik het net over.'

***

De eerlijkheid gebood Portia toe te geven dat zelfs zij nooit echt had gewaardeerd hoeveel werk mevrouw Flanagan altijd had verricht, en nu was het te laat. Daisy en zij waren de hele ochtend bezig geweest met het opruimen van de troep van de vorige avond en dat was geen eenvoudige opgave.

'Niet te geloven hoeveel flessen wijn erdoorheen zijn gegaan,' zei Daisy terwijl ze geeuwend een heleboel lege flessen verzamelde.

'Zeg dat wel. Goddank heeft mama het idee om met Eau de Davenport de wereldmarkt te veroveren uit haar hoofd gezet, anders zou ze ons vermoorden dat we al die lege flessen weggooien.' (Lucasta stond erom bekend dat ze razend enthousiast aan zwendelpraktijken begon en iedereen hoorndol maakte met haar ideeën, om dan ineens alles te laten vallen omdat ze het niet meer interessant vond.)

'Waar is ze trouwens?' vroeg Portia die een halfvol glas in de gootsteen leegde.

'Ze ligt vandaag opgebaard op haar praalbed en weigert in beweging te komen. Ze beweert dat ze met gene zijde communiceert en om een oplossing heeft gevraagd voor al onze problemen. Ze heeft me verteld dat ze contact heeft met een spirituele gids die zegt dat hij Shamie Nolan een schop onder zijn reet zal geven.'

'Het is pure nieuwsgierigheid, maar ik zou dolgraag willen weten wie die spirituele gids is. Al Capone misschien?'

Daisy giechelde.

'Je bent nogal opgewekt vanochtend, juffie,' zei Portia. 'Is daar een speciale reden voor?'

'Nee,' antwoordde ze en leegde een volle asbak in de vuilnisemmer.

'Goed,' zei Portia. 'Ik moet naar Ballyroan om bij mevrouw Flanagan de auto op te halen. Heb je zin om mee te gaan?'

'Ga jij maar, dan maak ik hier verder wel schoon. En vergeet niet tegen haar te zeggen dat we haar allemaal vreselijk missen en dat ze terug moet komen! Ik ben toch niet zo mooi op de wereld gezet om mijn dagen te slijten met het leeggooien van volle asbakken?' vroeg ze melodramatisch.

Portia gooide voor de grap een theedoek naar haar en rende naar haar kamer om haar tweedjasje te pakken. Toen ze door de gang op de tweede verdieping liep, hoorde ze Lucasta chanten, of liever gezegd krijsen. De deur van haar slaapkamer stond open en Lucasta, nog steeds gekleed in haar grijze lange nachtjapon, liep heen en weer alsof ze in trance was.

'Ik smeek u, ik verzoek u, o welwillende macht, om ons in deze tijden van hoge nood te hulp te komen en dit huis te bevrijden van duistere krachten die ons op dit moment bedreigen.'

'Heeft u nog iets uit het dorp nodig, mama?' Portia stak haar hoofd om de deur.

'Duistere en kwade geesten trekken zich rond mij samen en alleen uw tussenkomst kan ons nog redden!' vervolgde Lucasta, die Portia volkomen negeerde. 'Ik verzoek u om ons uit de duisternis te redden en het licht weer te laten schijnen en HAAL BIJ DE SPAR EEN PAAR FLESSEN TONIC, WANT DIE ZIJN OP!' riep ze Portia achterna zonder een seconde uit haar trance te komen.

Het was een koude, vochtige en sombere dag en Portia had medelijden met de crew die de hele dag in de gele salon zou filmen. Het was weliswaar een binnenopname, maar omdat het in de gele salon net zo koud was als op de noordpool en de temperatuur drastisch daalde wanneer de noordenwind door de gaten in het dak blies, hadden de opnamen net zo goed buiten kunnen plaatsvinden. Gelukkig regende het niet, dacht ze en trok de voordeur achter zich dicht. Het dak lekte zo erg dat ze zouden hebben gedacht dat ze in de Niagara Falls filmden.

Ze verheugde zich op een lekkere, lange wandeling in haar eentje (het was praktisch onmogelijk om tegenwoordig in de Hall nog een moment rust te vinden) en was dan ook verbaasd toen Daisy haar bij de stallen inhaalde.

'Ik ben van gedachten veranderd, ik ga mee,' zei ze buiten adem. 'Ik moet er even uit. Godallemachtig, wanneer is die film nu eens eindelijk klaar?'

'Wat is er gebeurd?' vroeg Portia.

'Terwijl ik aan het boenen was stond Paddy ineens achter me, die vuile gluiperd. Ik schrok me wezenloos. Hij gaf me dit,' zei ze en viste een met de hand geschreven gedicht uit de zak van haar oliejack.

Portia bekeek het gedicht dat 'O, verderfelijke vrouw' heette en

zag dat het even lang was als *Paradise Lost*, maar wellicht niet zo poëtisch. Haar blik viel op een vers dat als volgt ging:

Je bent gewoon een slons
Je bent gewoon een slet
Gemeen vuil kreng
Je gaf mij de bons
Ik dacht dat je mijn vriendin was
Ik dacht dat je oké was
Ik dacht dat je een dame was
Maar wat mij betreft kun je aan het gas

'Ik denk niet dat hij ooit een gelauwerde dichter zal worden, maar het
lukt hem aardig om zijn bedoeling duidelijk te maken, nietwaar?'
   'Neem maar van mij aan, die man is helemaal de kluts kwijt. Hij
is volledig geobsedeerd. Als ik straks thuiskom, heeft hij al mijn on-
dergoed verscheurd.' Ze wuifde dramatisch met het gedicht onder
Portia's neus en leek op Neville Chamberlain in 1939. 'Dit, dit, dit
zijn nou dingen die... die...'
   'Die wat?'
   'Die je doen appreciëren dat er ook gewone mannen rondlopen.
Zoals... eh... Steve bij voorbeeld, om maar eens iemand te noemen,'
maakte ze de zin zwakjes af.
   Portia zou in de lach zijn geschoten, want Daisy had in het verleden altijd neerbuigend en zelfs gemeen tegen Steve gedaan, ware het
niet dat ze bijna bij de poort waren.
   Normaal gesproken stond daar een handjevol klagende en zielig
uitziende verslaggevers. De Davenports hadden in de laatste weken
een haast vriendschappelijke band met de pers opgebouwd, die nu
wezenlijk deel uitmaakte van hun dagelijks leven. Het verbaasde
Portia telkens weer hoe ze erin slaagden informatie los te krijgen
over wat er in de Hall gaande was. Hoe wisten ze bij voorbeeld
zeker dat Ella Hepburn Hellman's mayonaise als haarconditioner
gebruikte, of dat ze dagelijks een chemische gezichts- en halspeeling
onderging? ('ELLA'S HUID VERDWIJNT IN DE VUILNISBAK,' had de
kopregel geluid.) Ze schenen zelfs op de hoogte te zijn van de meest

intieme details van Montana's maandelijkse cyclus ('MONTANA'S HORMONEN SCHREEUWEN WEER OM CHOCOLA,' was een andere kopregel.) Portia's persoonlijke theorie was dat ze de vuilnisbakken omkeerden. Maar hoe ze erin slaagden om uit zo weinig zo veel informatie te vergaren, was haar een raadsel. Ze vond dat hun talent op journalistiek gebied volkomen verspild was en dat ze veel beter tot hun recht zouden komen als ze voor de geheime dienst zouden werken of als wapeninspecteurs in het Midden-Oosten.

Maar verreweg het meest populaire personage in de soap die ze hadden gecreëerd was Lucasta zelf, die ze afschilderden als een beminnelijke kruising tussen Barbara Cartland en Joyce Grenfell. Er werd de laatste tijd zo veel over haar geschreven dat ze een soort plaatselijke beroemdheid was geworden en de roddelbladen stonden vol met foto's waarop ze haar katten de fles gaf. De afgelopen dagen had de pers zelfs de koop van de Hall door de Nolans tot een geruchtmakende zaak gemaakt en foto's gepubliceerd van Lucasta en Bridie Nolan met kopregels als: 'WIE MOET VOLGENS U DE EIGENARESSE VAN DAVENPORT HALL WORDEN? DE DAME OF DE LICHTEKOOI?' En dat terwijl zes maanden geleden niemand je kon vertellen waar Davenport Hall precies lag. Portia dacht vaak dat het niet anders kon of Andrew moest weten wat er gaande was. En dat leidde weer tot de onvermijdelijke conclusie dat het hem niet kon schelen.

De meisjes liepen door de grote, vervallen toegangspoort en maakten een praatje met de journalisten die ze tegenwoordig bij de voornaam noemden.

'Ben je nog verkouden, Simon?' vroeg Daisy aan een van hen. 'Heeft het drankje van mama nog geholpen?'

'Het gaat veel beter, dank je,' antwoordde hij. 'Dames, mogen we alsjeblieft even snel iets vragen?'

Portia en Daisy keken elkaar verbaasd aan. 'Natuurlijk,' zei Portia, 'als het maar geen persoonlijke vraag is.'

Plotseling werden er allemaal microfoons en camera's op hen gericht, en ze schrokken van de felle lampen. 'Dus zo voelt het om Posh Spice te zijn,' grapte Daisy, maar niemand lachte.

Verdomme, dacht Portia. Ze vroeg zich af wat ze wilden weten en bereidde zich voor om met 'geen commentaar' te antwoorden. Daisy had niet eens tijd om haar haar in model te brengen voordat Simon de vraag stelde.

'Wat is jullie mening over de dreigende verkoop van Davenport Hall?'

De meisjes ontspanden zichtbaar en Portia beantwoordde de vraag. 'Natuurlijk vinden we het vreselijk om ons huis te moeten verlaten, maar of we het leuk vinden of niet, de Nolans nemen eind deze maand hun intrek.' Hoewel de camera's haar zenuwachtig maakten, flitste het door haar hoofd dat dit nauwelijks nieuws was. Uiteindelijk hadden de Nolans de Hall al weken geleden gekocht.

Simon stelde de vraag anders. 'Misschien hebben jullie het nog niet gehoord. De advocaten van Shamie Nolan hebben bekendgemaakt dat, gezien de omstreden omstandigheden waaronder hij de Hall heeft gekocht en indachtig het feit dat zijn advocatenkosten wel eens in de miljoenen zouden kunnen lopen, hij tot zijn spijt heeft besloten de Hall met onmiddellijke ingang te verkopen. Davenport Hall staat dus weer te koop.'

***

De dag begon slecht voor Edwina en het werd er in de loop van de middag niet beter op. 'Ben je niet goed bij je hoofd?' snauwde ze tegen de onfortuinlijke naaister die de taak had om haar japon bij de taille in te nemen. 'Ik ben een paar pondjes afgevallen en jij kunt de jurk niet eens innemen zonder dat het afbreuk doet aan de coupe? Dit is geen hersenoperatie, hoor. Ik vraag je toch niet om de Kanaaltunnel te graven.'

Kate Egan, haar bruiloftsplanner, liep discreet naar voren. Aanstaande bruiden waren altijd nerveus, kattig en snel geïrriteerd. Vooral wanneer de laatste voorbereidingen voor de grote dag werden getroffen. En zeker voor zo'n grootse bruiloft als deze. Ze wist uit ervaring dat een paar vleiende opmerkingen genoeg waren om de aanstaande bruid te kalmeren.

'O Edwina,' dweepte ze beroepsmatig, 'je ziet er fantastisch uit! Je bent inderdaad wat afgevallen, maar dat probleem is opgelost als we deze naad een heel klein beetje innemen. Hij mag zich wel heel gelukkig prijzen met zo'n mooie vrouw als jij,' voegde ze er voor de zekerheid aan toe, want ze verdiende niet voor niets een jaarsalaris van zes cijfers.

Om niet over haar drie meter lange sleep te struikelen, stapte Edwina heel voorzichtig van de verhoging af die midden in het atelier stond.

'Wij moeten even praten,' fluisterde ze op dreigende toon tegen Kate. 'Ik doe mijn best om kalm te blijven, maar zie jij wat ik zie?' vroeg ze en knikte naar de andere kant van het atelier, waar haar twee jonge nichtjes hun bruidsmeisjesjurken pasten.

'Zijn ze niet schattig?' was het enige wat Kate kon bedenken.

'Kate, laat één ding absoluut duidelijk zijn,' zei Edwina hooghartig. 'Toen ik hen als mijn bruidmeisjes koos, was dat in de volle wetenschap dat geen van hen ooit een schoonheidswedstrijd zou winnen. Ik was bereid hun tekortkomingen voor lief te nemen, want ik wist dat ik dan nog mooier voor de dag zou komen. Maar moet je ze nou toch eens zien, verdomme!'

Kate keek plichtmatig naar de meisjes. Ze zagen er inderdaad verschrikkelijk uit. De koraalrode kleur van hun jurkjes in Bo-Peepstijl vestigde juist de aandacht op de vetpuisten op hun door acne ontsierde gezichten, en de speciale lingerie die de ontwerper hen had laten aantrekken, had geen enkel effect op hun slappe borsten die bij elke beweging op en neer deinden. Waarschijnlijk bestonden er geen beha's die hun borsten op hun plek zouden houden.

'Het is de belangrijkste dag van mijn leven,' snifte Edwina bijna in tranen, 'en nu lijkt het alsof ik transsexuele bruidsmeisjes heb. Als ik naar het altaar loop, zal het net de *Rocky Horror Show* lijken.'

'Ik regel het wel,' antwoordde Kate kalm. 'Ik vrees dat de bruidsjurken van de meisjes helemaal vermaakt moeten worden,' zei ze tegen de naaister, 'ook al moet er de hele nacht worden doorgewerkt om ze op tijd af te krijgen. Het is nu vier uur. Dat betekent dat we nog precies vierentwintig uur hebben voordat de show begint.'

Hoofdstuk dertig

Het gerucht deed als een lopend vuurtje de ronde. Toen Portia en Daisy door Mainstreet liepen, kwamen ze Steve tegen die op weg was naar Davenport Hall om het nieuws te vertellen.

'Wat heeft Shamie Nolan in vredesnaam ertoe bewogen om de Hall te koop te zetten?' vroeg Portia.

'Geld,' antwoordde Steve. 'Wat anders? Ik had Michael De Courcey net nog aan de lijn. Hij vertelde me dat hij de minister vanochtend heeft gesproken. Het gerechtelijk onderzoek begint over een paar weken en volgens hem zou het wel eens anderhalf jaar kunnen duren, gezien de hoeveelheid bewijsmateriaal tegen Nolan. De juridische kosten alleen al zullen dus buitensporig hoog zijn.'

'En het zou natuurlijk heel vreemd zijn als Bridie en hij de Hall intussen voor miljoenen laten opknappen,' dacht Portia hardop. 'Hoeveel denk je dat de Hall op de onroerendgoedmarkt opbrengt?'

'Dat is moeilijk te zeggen,' antwoordde Steve die zijn opvallend hippe en dure zonnebril afzette. 'Nolan heeft er twee miljoen voor betaald, maar dat was een koopje. Ik denk dat hij een makelaar inschakelt die het huis zo hoog mogelijk taxeert.' Hij keek naar Daisy die onmiddellijk een kleur kreeg. 'Wat vinden jullie van deze laatste ontwikkeling?'

'Als we de Staatsloterij niet winnen, hebben we er niets aan, toch?' zei Portia, die het feit negeerde dat Daisy inmiddels zo rood was als een biet. 'We zijn toch niet meer de wettige eigenaren, we wonen daar toch alleen maar in geleende tijd? Tenzij jij nog ergens een paar miljoen hebt liggen die je ons kunt lenen...' Steve glimlachte en wendde zijn gezicht af. 'Ik dacht wel dat advocaten niet zo veel verdienden,' plaagde Portia. 'In elk geval is er een klein lichtpuntje. Wie de Hall ook koopt, de nieuwe eigenaar kan nooit zo erg zijn als de Nolans. Wie weet geven ze ons uit medelijden wel een baantje op het landgoed.'

Steve knikte en veranderde ineens van onderwerp. 'Willen jullie een lift naar huis?' vroeg hij.

'Nee dank je,' antwoordde Portia. 'We moeten de auto bij mevrouw Flanagan ophalen.'

'Ik zou het wel heel fijn vinden om met je mee te rijden,' zei Daisy zonder na te denken. 'Het is nat en druilerig en ik wil mijn laarzen niet verpesten.'

Portia keek geamuseerd toe toen ze in Steve's jeep stapte. Daisy had kaplaarzen aan.

***

Mevrouw Flanagan had het ook gehoord. De krakende radio in de kapsalon had net het nieuws uitgezonden, dus waarschijnlijk wist inmiddels iedereen het. Zodra Portia over de drempel van de The Crown and Glory stapte, waggelde mevrouw Flanagan op haar toe om haar te begroeten. Portia omhelsde haar en besefte nu pas dat ze haar echt vreselijk miste.

'Ik ben zo blij dat die schoft van een Shamie Nolan eindelijk zijn verdiende loon krijgt,' zei mevrouw Flanagan. 'Stiekem naar Las Vegas gaan om die halve gare van een vader van je om te lullen om de Hall te verkopen. Daarvoor alleen al zou hij moeten worden opgesloten. En wat dat stomme wijf van hem aangaat, weet je dat ze hier met de regelmaat van een klok komt om haar uitgroei te laten behandelen en nooit, maar dan ook nooit fooi geeft?'

'Sst,' zei Portia voor het geval klanten hen konden horen.

'Ben je soms bang dat er iemand meeluistert?' lachte mevrouw Flanagan terwijl ze naar de toonbank waggelde. 'Waar denk je dat je bent? Bij Vidal Sassoon soms?'

Portia keek over haar schouder en zag dat de kapsalon leeg was.

'En, heeft ze al naar me gevraagd?' vroeg mevrouw Flanagan en stak een sigaret op. 'Of heeft ze nog niet eens gemerkt dat ik weg ben?'

Portia gaf niet onmiddellijk antwoord, want nu kwam het eropaan om zo tactisch en diplomatiek mogelijk te werk te gaan. De vorige dag had ze haar moeder geprobeerd over te halen om mevrouw

Flanagan haar excuses aan te bieden en uiteindelijk had ze het haar zelfs gesmeekt, maar zonder resultaat. 'Ik snij nog liever mijn linkertiet af en eet die vanavond op dan dat ik die bulldozer mijn excuses aanbied,' had ze gezegd. En als Lucasta iets weigerde, was ze met geen tien paarden over te halen.

'We missen u allemaal vreselijk en we willen dolgraag dat u weer terugkomt. Ik neem aan dat ik u niet kan overhalen om uw hand over uw hart te strijken en terug te komen...'

'Luister, lieverd. Al vergaat de wereld, ik vertik het om weer voor dat gekke wijf te werken. Op het nieuws zeiden ze dat Shamie Nolan vijf miljoen voor de Hall vraagt. Zeg maar tegen je moeder dat ze heel lang op haar rug de kost zal moeten verdienen voordat ze genoeg geld heeft om de Hall terug te kunnen kopen.'

***

De belangstelling voor Davenport Hall was overweldigend. Eamonn Cassidy, de makelaar die de verkoop afhandelde, had zoiets nog nooit meegemaakt. Zodra de Hall te koop stond, werd zijn kleine kantoor in Kildare overspoeld met telefoontjes, faxen en e-mails, die zelfs helemaal uit Canada kwamen, van belangstellenden die vragen stelden over de openbare veiling. Shamie Nolans instructies waren kort en bondig. 'Probeer er zo veel mogelijk uit te slepen en laat zo min mogelijk van het huis zien als er kopers komen. Als een aspirantkoper de werkelijke staat van Davenport Hall ziet, rent hij gillend weg.'

En dus verschool Eamonn zich achter een ingenieuze smoes die voor de hand lag. 'Natuurlijk zou ik u graag Davenport Hall laten zien,' zei hij vriendelijk tegen potentiële kopers, 'maar er vinden op dit moment filmopnamen plaats, dus zijn bepaalde delen van het huis niet toegankelijk.' Hij liet belangstellenden het land zien en als ze het huis van binnen wilde bezichtigen, liet hij de meest uitgewoonde vertrekken links liggen en concentreerde zich in plaats daarvan op de balzaal, het enige vertrek dat de filmploeg enigszins had opgeknapt voor de binnenopnamen. Hij was ook zo slim om alleen 's avonds bezichtigingen te organiseren, want dan zag de koper de in verval geraakte plafonds en de verrotte vloeren niet. En hij zorgde ook dat het tijdens die bezichtigingen nooit regende, uit angst dat het woord 'waterattractie' een heel andere betekenis zou krijgen.

Door de aandacht van de pers stond Davenport Hall midden in de belangstelling en Eamonn's taak bestond er dan ook uit onderscheid te maken tussen oprecht geïnteresseerden en dagjesmensen die de Hall alleen wilden bezichtigen in de hoop een glimp van een Hollywoodster op te vangen. (De vuistregel was dat als een aspirant-koper met een camera en een handtekeningenboekje kwam opdagen, de kans groot was dat hij geen miljoenen had om over de balk te gooien.)

Er was echter een aantal oprecht geïnteresseerde kopers, onder wie enkele voorname beroemdheden. Billy Toner, de leadzanger van Ierland's beroemdste rockband *The Living Dead* arriveerde per helikopter om de Hall te bezichtigen en was erg enthousiast. Het feit dat het avond was en hij niet één keer zijn onafscheidelijke zonnebril afzette, had natuurlijk ook geholpen om hem te af te schermen voor de ergste gruwelen van het huis. Het bleek dat Billy Toner de trotse vader was van maar liefst negen kinderen van allemaal verschillende moeders. In Davenport Hall zou iedereen in elk geval zijn eigen slaapkamer hebben.

'*Yeah man*, natuurlijk is het een beetje vervallen,' zei hij met zijn aangeleerde Amerikaanse accent, 'maar ik wil dat mijn kinderen bewust opgroeien, weetjewel. Ze moeten weten wat het is om kansarm te zijn, want zo is het mij ook vergaan, man. En hier in Davenport Hall lijkt het een beetje alsof ze in een getto wonen.'

Een andere serieuze gegadigde was de leider van een religieuze sekte die de New Age Loons heette. Hij kwam op een avond met Eamonn mee, geheel gekleed in witte gewaden, en stelde zich aan Lucasta voor met zijn spirituele gidsnaam, Chasing Moonbeams. Vervolgens inspecteerde hij elke vierkante centimeter van de Hall en merkte op hoe armzalig de energielijnen waren. Toen hij de balzaal zag, zei hij dat het de ideale tempel voor de godin Isis zou zijn, maar dat de zaal eerst van onder tot boven in feng-shui stijl zou moeten worden ingericht. Chasing Moonbeams was ook erg in zijn nopjes met de gele salon, die volgens hem uitermate geschikt was om terug te gaan naar vorige levens. En toen hij midden in de ontvangsthal stond, beweerde hij dat hij een groot aantal verdwaalde geesten kon voelen die aan de andere kant geen volledige rust vonden.

'Het is godverdomme te hopen dat hij het niet koopt,' zei Lucasta toen Chasing Moonbeams en Eamonn weg waren. 'Volgens mij heeft die man ze niet allemaal op een rijtje.'

***

Er was ook uit onverwachte hoek belangstelling voor de Hall. Op een ochtend, toen Guy en Ella in bed lagen en een postcoïtale sigaret rookten, kregen ze ineens een idee.

'Ik heb gewonnen, lieveling,' zei Guy die de *National Intruder* van de vorige dag op de grond gooide. 'Mijn naam wordt vierenveertig keer genoemd en de jouwe slechts zesendertig keer. Sorry schat, maar als ik goed heb geteld, heb ik nu twee dagen achter elkaar gewonnen.' Ella zei niets en blies de rook naar het plafond.

'Volgens de regels,' vervolgde Guy met zijn lijzige accent, 'had jij tien punten extra gekregen als ze een foto van jou hadden afgedrukt, maar de enige foto die ze hebben genomen was van mij toen ik mijn yoga-oefeningen deed. Dus jij hebt verloren, lieveling.'

Ella keek hem aan en haar ogen schoten vuur.

'Ik weet precies wat je denkt, schat,' lachte hij. 'Natuurlijk fotograferen ze me als ik mijn yoga-oefeningen midden op de oprijlaan doe op nog geen zeven meter afstand van de fotografen, maar daar zijn ze voor. Als de bladen miljoenen verdienen omdat ze vol staan met foto's van mij, heb ik als dank toch zeker wel recht op een beetje publiciteit? Dat is waarschijnlijk het enige positieve aan dit afschuwelijke oord, de pers is tenminste bereid om helemaal hierheen te komen. Toen die arme, ouwe Burt Reynolds zijn ranch in Nevada kocht, ging het er heel anders aan toe. Weet je nog?'

Ella staarde nog steeds naar het plafond.

'Hij dacht dat de pers hem wel zou weten te vinden,' lachte Guy die zijn eigen mop prachtig vond, 'en dat hij dan kon zeggen: "Rot op en gun me een beetje privacy!" maar ze vonden het allemaal veel te ver, dus namen ze niet eens de moeite. Burt heeft de ranch binnen zes maanden verkocht, hij kon er niet tegen dat er zo lang geen foto's van hem in de bladen verschenen!' Guy lachte zich een breuk omdat de media iedereen altijd net even te slim af was, toen hij ineens een ingeving kreeg. Hij rolde op zijn zij, keek Ella aan en zei: 'Weet je, schat, het is helemaal geen slecht idee als wij de Hall kopen.' Blijkbaar drong het tot haar door, want haar oogleden trilden een onderdeel van een seconde. 'Ik meen het,' vervolgde Guy die dit als een aanmoediging opvatte. 'Natuurlijk is het op dit moment een bouwval, maar met de juiste architect en de juiste binnenhuisarchitect kan er echt iets van gemaakt worden. Denk eens aan de feesten die we hier kunnen geven! Vliegtuigen vol met topacteurs en actrices zullen hier landen! Als we een golfterrein laten aanleggen, komen Catherine en Michael zeker op bezoek en natuurlijk moet er een crèche zijn voor hun kinderen, maar dat hoeft geen probleem te zijn. En als we een echte Ierse bar hebben, zullen Leo, Brad en Tom beslist ook komen. Zeker wanneer ik hun vertel dat de pers bij de poort bivakkeert. Een vakantie op het mooie Ierse platteland en de pers die hun bezoek wereldkundig maakt, wat willen ze nog meer?'

Ella stak haar arm uit en drukte haar sigaret nonchalant in een pot vaseline uit.

'Volgens mij is het een geweldig idee, schat,' zei Guy die weer op zijn rug ging liggen. 'Ik ben echt blij dat we erover gepraat hebben.'

***

Het was de avond voor de veiling en Portia was volledig afgemat. Ze was de hele dag in haar eentje in de bibliotheek bezig geweest en had het ene stoffige boek na het andere in een van de vele kartonnen dozen gestopt en het eind was nog lang niet in zicht. Nu weet ik waarom families generatie na generatie in dit soort grote huizen blijven wonen, dacht ze, want het was gewoon ondoenlijk om te verhuizen. Uiteindelijk, toen de staande klok in de hal middernacht sloeg, hield ze het voor gezien. Het was te hopen dat degene die de Hall kocht, medelijden met de Davenports had en hen in de gelegenheid zou stellen hun tweehonderd jaar oude geschiedenis in kartonnen dozen te stoppen en Davenport Hall te verlaten met het laatste beetje waardigheid dat hen nog restte.

Uitgeput liep ze naar de keuken om thee te zetten. Het was doodstil in de Hall, want de filmploeg had de opnamen voor die dag al lang voltooid. Lucasta was nauwelijks uit haar kamer gekomen en had de hele dag met de andere kant gecommuniceerd om hulp te vragen en Daisy had zich helemaal niet laten zien. Ze wreef over haar pijnlijke nek en zette het draagbare tv'tje van mevrouw Flanagan aan om haar gedachten af te leiden, want ze wilde niet aan morgen denken. Channel Seven zond net het laatste nieuwsbulletin uit.

'En dan nu het laatste nieuws uit de showbusiness. Vandaag, in de tijdelijk als kathedraal gebruikte kerk in Dublin, is ongetwijfeld het huwelijk van het jaar gesloten. Het Ierse topmodel Edwina Moynihan...' Portia stond als aan de grond genageld toen een stralende Edwina gracieus uit een antieke Rolls Royce stapte, gevolgd door twee zeer ongelukkig kijkende bruidsmeisjes. De camera betrapte een van hen zelfs op neuspeuteren. De bruid gaf haar een tik op haar hand en zwaaide naar de toeschouwers alvorens aan de arm van haar vader de trappen van de kathedraal op te huppelen.

Portia kon het niet langer aanzien. Ze zette het toestel uit en plofte in de oude, versleten fauteuil van mevrouw Flanagan neer.

En toen ze haar tranen eenmaal de vrije loop liet, was er geen houden meer aan.

Hoofdstuk eenendertig

Tot Lucasta's afschuw scheen de volgende dag de zon. Ze was al vanaf zes uur op en had om regen gechant in de ijdele hoop dat potentiële kopers zouden worden afgeschrikt als dikke waterstralen door het plafond naar beneden kwamen. Tijdens het ontbijt die ochtend had Portia haar er voor de zoveelste keer aan herinnerd dat de Hall zou worden verkocht en dat ze er niets tegen konden doen, maar zoals gewoonlijk had ze net zo goed niets kunnen zeggen.

'Vandaag kan ik geen negativiteit om me heen hebben, liever,' zei Lucasta voordat ze naar boven ging om zich aan te kleden. 'Heb vertrouwen in mij. Ik heb al de hele week contact met de andere kant en zij zeggen dat alles goed komt. Ik heb voor een positief resultaat gechant en we weten allemaal hoe krachtig mijn chanten is.'

Daisy was ook geagiteerd en nerveus. Ze keek voortdurend op haar horloge en vroeg Portia dan twee seconden later hoe laat het was. Ze hadden besloten dat de veiling het best in de Long Gallery kon worden gehouden. Eamonn Cassidy had gewaarschuwd rekening te houden met een grote opkomst en de Gallery was verreweg de grootste zaal in de Hall. De veiling zou om twaalf uur beginnen en Portia en Daisy hadden de hele ochtend stoelen in rijen opgesteld zodat de Gallery nu iets van een parochiezaal weg had.

Jimmy D had zich heel begripvol getoond en vriendelijk aangeboden om te wachten met filmen tot de veiling achter de rug was en de crew weer over de Hall kon beschikken. Zelfs Montana had een berichtje gestuurd. 'Ik kan er niet bij zijn,' had ze geschreven, 'maar mijn gedachten zijn bij jullie. Ik wou dat ik met deze film genoeg verdiende om de Hall te kopen en aan jullie te schenken.'

'Ze bedoelt het goed,' zei Portia toen ze zag dat Daisy's ogen zich met tranen vulden.

'Ik weet het, ik weet het,' antwoordde Daisy en bekeek de Long

Gallery alsof het de laatste keer was. 'Het is alleen... tja, dat was het dan, nietwaar?'

***

Lucasta gedroeg zich ronduit verschrikkelijk. Vanaf elf uur stroomden de eerste kopers al binnen en de Long Gallery was al snel tot de nok gevuld. Lucasta stelde zich aan iedereen voor en vertelde dat er een vloek op de Hall rustte.

'Kopers moeten op hun hoede zijn!' verkondigde ze melodramatisch. Ze schudde haar geklitte grijze haar over haar schouders en hield haar lievelingskat Gnasher dicht tegen zich aangedrukt. 'Hij die onrechtmatig deze familie uit hun voorouderlijk huis verjaagt, zal generaties lang vervloekt zijn. De bewoner van Davenport Hall zal hier nooit gedijen. Kijk maar naar mijn dochters, dat zijn twee onvruchtbare, oude vrijsters.'

En als Portia haar eindelijk van een groep potentiële kopers had weggeloodst, stortte Lucasta zich op de volgende gegadigde. 'Het is te hopen dat u het niet bezwaarlijk vindt om met ectoplastische manifestaties te leven, want dat staat u te wachten. Uw kinderen zouden heel goed van de duivel bezeten kunnen worden. Heeft niemand van u de *The Exorcist* gezien?'

Toen de arme Billy Toner arriveerde, die er als altijd opvallend uitzag met zijn kenmerkende zonnebril, stortte ze zich vol overgave op hem. 'Hoe kunt u zelfs maar overwegen om ons uit ons voorouderlijk huis te zetten? Wij zijn de laatste telgen van het adellijke geslacht Davenport. Afgezien van die ene die in het gevang zit.' Ze maakte geen grapje. Hun neef Gekke Jasper Davenport zat een straf van twintig jaar uit in een extra zwaar beveiligde gevangenis vanwege een protestactie voor dierenrechten. (Helaas bestond zijn protest uit het doodschieten van twee boeren die grove taal hadden gebruikt tegen batterijkippen, zoals hij later in de rechtszaal getuigde.) Jasper vond de gevangenis in vergelijking met Davenport Hall echter een vijfsterrenhotel.

'Ik voelde me daar echt rot over, weetjewel. Dus jullie mogen zo lang als je wilt in het poorthuis wonen,' antwoordde Billy. 'Vooropgesteld dat ik de Hall krijg.'

Ten slotte ging Eamonn Cassidy voor in de zaal staan en probeerde iedereen tot de orde te roepen. Portia stond achterin en keek of er nog ergens een stoel vrij was toen Daisy als een gek naar haar zwaaide. 'We zitten hier!' riep ze vanaf de eerste rij en Portia liep opgelucht naar voren. Er waren misschien wel vijfhonderd mensen en de Gallery was nog nooit zo vol geweest. Billy Toner ging op de tweede rij zitten en Chasing Moonbeams zat een eindje verderop. Hij was gehuld in witte gewaden en werd omringd door drie heel mooie en heel jonge vrouwen die allemaal sterk naar wierook roken. Naast Eamonn stonden twee opvallend lange en knappe mannen in mooie zwarte kostuums. Portia vermoedde dat ze van de belastingdienst waren vanwege Shamie Nolans betrokkenheid bij de verkoop. In de zaal werd gefluisterd dat ze leden waren van de Al Maktoum-familie die de Hall wilde kopen om er een hengstenfokkerij van te maken. ('Dan wordt het gras tenminste een keer gemaaid,' hoorde ze een grappenmaker zeggen.)

Ze ging op de lege stoel tussen Daisy en Lucasta zitten en zag tot haar verbazing dat Serge bij hen zat. Hij draaide de dop van een klein flesje los en gaf het door. 'Neem allebei een flinke slok, meisjes,' zei hij. 'Dan voel je gegarandeerd niets.'

'Wat doe jij hier?' vroeg Portia. 'Ik dacht dat Jimmy D jullie allemaal een vrije ochtend had gegeven.'

'Dat is ook zo, liefje, maar ik voel me zo tot levensechte drama's aangetrokken. Ik kan er niets aan doen.'

Als op afspraak sloeg de staande klok in de hal twaalf keer. Langzaam werd het stil in de zaal.

'O, dit is net als die film *High Noon*!' zei Serge. 'Ik sta stijf van de zenuwen!' Een toeschouwer zou denken dat hij de wettige eigenaar van de Hall was.

'Ik ben niet op mijn gemak,' zei Daisy.

'En ik ben aan de Xanax,' antwoordde hij.

'Dames en heren, ik heet u allen hartelijk welkom,' begon Eamonn Cassidy, die moest schreeuwen om zich verstaanbaar te maken. 'Vandaag zal Davenport Hall geveild worden. Zoals u in de brochure kunt lezen, is dit imposante huis door Charles Gandon aan het eind van de achttiende eeuw gebouwd en toont enige tekenen van verval.'

'Enige?' fluisterde Serge.

'De Hall beschikt over acht ontvangstkamers, inclusief een balzaal, die de meesten van u al hebben gezien, een bibliotheek, een biljartkamer en de Long Gallery waar u zich nu bevindt. Tevens zijn er zestien slaapkamers die... eh... moeten worden opgeknapt. Het bijbehorende land heeft een oppervlakte van duizend hectare, waarvan een deel uit bos bestaat, en beschikt over twee viswaters: de rivier de Kilcullen en Loch Moluag aan de rand van het eigendom. Mag ik het eerste openingsbod? Hoor ik een miljoen euro?'

Portia hoorde niemand iets zeggen, maar blijkbaar werd er toch geboden, want enkele seconden later werd er al anderhalf miljoen geboden en binnen een mum van tijd was het bod opgelopen tot twee miljoen. Vervolgens verklaarde Eamonn trots dat het bieden geopend was en al gauw klom het bod op tot drie miljoen.

'Ik word gewoon misselijk van het idee dat Shamie Nolan zo veel winst maakt,' fluisterde Daisy tegen Portia.

Het kwam er al gauw op neer dat drie bieders de strijd met elkaar aanbonden: Billy Toner, die vlak achter hen zat, Chasing Moonbeams en een derde bieder achter in de Gallery, maar die konden ze niet zien. Er werd nu drieëneenhalf miljoen geboden en Lucasta zat op het puntje van haar stoel alsof ze naar paardenrennen keek. 'Kom op, Billy Toner!' gilde ze. 'Je kunt het!'

Eamonn Cassidy moest het bieden even onderbreken, verzocht om stilte en ging weer verder. Bij wijze van uitzondering was Portia het deze keer met haar moeder eens. Billy Toner had in elk geval een groot gezin en het was best een leuk idee dat er weer kinderen in Davenport Hall zouden rondlopen.

'En hij is voorstander van het kwijtschelden van schulden van de Derde Wereld,' fluisterde Daisy, 'dus misschien scheldt hij onze schuld ook wel kwijt. Of geeft hij ons in elk geval een baantje.'

De arme Eamonn wilde net verder gaan toen er iets heel onverwachts gebeurde. Plotseling ging een zijdeur van de Gallery open. Guy en Ella kwamen hand in hand binnen en keken alsof zij de nieuwe eigenaren waren.

'Vertel me nou niet dat jullie zonder ons zijn begonnen,' zei Guy tegen de aanwezigen terwijl handtekeningenjagers zich om Ella verdrongen. 'Goh, ik dacht dat in Ierland nooit iets op tijd begon.'

'Hier zijn nog twee stoelen vrij als u wilt bieden,' zei Eamonn die bijna van verbazing omviel toen hij Ella zag. Ze zag er inderdaad spectaculair uit in een lichtblauwe wijdvallende broek met een bijpassende sjaal die ze om haar hoofd had gebonden en haar Pekinees die ze tegen haar borst klemde. Toen ze gingen zitten, werd er zachtjes geapplaudisseerd en Ella knikte nauwelijks zichtbaar.

'Ik steek Davenport Hall in de brand als zij hier komen wonen,' zei Daisy woest en het kon haar niet schelen wie het hoorde.

'Geef me maar een doosje lucifers, dan steek ik dat klerehondje van haar in de fik,' zei Lucasta. 'Dat kleine mormel maakt Gnasher helemaal van streek.'

'Ik kan het niet geloven!' jammerde Serge, die zich helemaal liet meeslepen door het moment. 'Zij mogen de Hall niet kopen, want ze maken er vast en zeker een themapark voor bejaarde filmsterren van!'

Het had er echter alle schijn van dat ze de Hall wilden kopen, want Guy bood onmiddellijk mee en daarmee kwam het laatste bod op 3,8 miljoen.

'Kom op, verhoog je bod!' siste Daisy tegen Billy Toner in de rij achter haar. 'De Derde Wereld kan de pot op, je moet Davenport Hall kopen!'

'Precies!' beaamde Lucasta. 'Laat die kansloze Afrikaanse landen toch links liggen, je moet je geld hier uitgeven!'

Portia kneep zo hard in haar handen dat haar vingers tintelden toen het bieden naar de vier miljoen euro ging. Chasing Moonbeams had intussen de handdoek in de ring gegooid en schudde met zijn hoofd naar Eamonn ten teken dat hij niet meer meedeed.

'Goddank,' fluisterde Lucasta. 'Wie wil nu dat de Hall door zulke griezels wordt bevolkt?'

Eamonn ging door en Guy dreef de prijs op tot viereneenhalf miljoen euro. Billy Toner trok zich terug.

'Vuile lafaard!' zei Daisy bijna in tranen. Nu werd de strijd nog gevoerd tussen Guy en iemand achter in de Gallery die zich niet liet kennen.

'Vijf miljoen euro,' verkondigde Eamonn. 'Hoor ik vijf miljoen euro?'

Het werd even stil terwijl Guy en Ella overleg pleegden. 'Ik weet dat het jouw geld is, maar ik dacht dat we het eens waren!' zei Guy zacht maar iedereen kon hem horen.

'Meneer?' vroeg Eamonn, die popelde om verder te gaan. Guy vouwde zijn armen over elkaar, schudde zijn hoofd en keek Ella vuil aan.

'Hoor ik vijf miljoen euro? Ja? De heer achter in de zaal, dank u.' Portia en Daisy strekten hun hals zo ver mogelijk, maar er waren te veel mensen om te kunnen zien wie het was.

'Vijf miljoen euro... eenmaal... andermaal... Verkocht, aan de heer achterin!'

Er werd geapplaudisseerd en toen het weer stil was, vroeg Eamonn: 'Mag ik uw naam, meneer?' Maar het antwoord ging verloren in een kakofonie van stemmen.

'Meneer?' schreeuwde Eamonn. 'Mag ik uw naam, alstublieft?'

'Heeft u me niet gehoord?' klonk een stem achterin en de rillingen liepen onmiddellijk langs Portia's rug.

'Ik vrees van niet, meneer,' zei Eamonn. 'Mag ik uw volledige naam alstublieft?'

'Mijn naam is Davenport. Jack Davenport.'

***

Portia voelde haar knieën knikken en klampte zich aan Daisy vast. Lucasta was flauwgevallen en Serge goot de inhoud van zijn flesje in haar keel. Er was geen vergissing mogelijk. Tussen de mensen die zich om hem verdrongen om hem te feliciteren, herkende Portia de achterkant van haar vaders hoofd. Hij schudde glimlachend handen, als een koning die uit ballingschap was teruggekeerd. Steve stond achter hem en keek net zo verbijsterd als zij. Blackjack zag er als altijd weer even knap en zwierig uit: hij droeg een perfect gesneden maatkostuum, het ravenzwarte haar was glad naar achteren gekamd en zijn zwarte ogen twinkelden. Hij zag hen en wuifde koninklijk naar haar en Daisy, ten teken dat hij zich zo bij hen zou voegen. Maar dat was niet de reden waarom Portia bloednerveus was en dat haar adem in haar keel stokte.

Naast hem stond Andrew, die nog even bruin en knap was als in haar herinnering.

Hoofdstuk tweeëndertig

'Papa!' riep Daisy en ze wierp zich als een klein meisje in zijn armen. 'Ik wist wel dat u terug zou komen!'

'Lieve kind, dacht je nu echt dat ik zou toestaan dat Davenport Hall aan vreemden werd verkocht? Dit huis waar we allemaal zo veel van houden?' Op de een of andere manier slaagde Blackjack er altijd in om net zo oprecht te klinken als de presentator van een talkshow. Zijn stem was zalvend en donker en zijn zwarte ogen dansten bij het zien van zijn lievelingsdochter.

'Dat is precies wat we dachten,' zei Portia die geen zin had om net te doen alsof dit een gelukkige familiereünie was. Ze voelde dat Andrew naar haar keek, maar ze was vastbesloten om niet naar hem te kijken, hoewel ze geen flauw idee had waarom hij er was. Wat kan mij het ook schelen, dacht ze, ik zeg mijn zegje, al wordt het mijn dood.

'U vergeeft het me wel dat ik niet meedoe aan het onthalen van de held,' zei ze met onvaste stem. 'Mag ik u eraan herinneren dat u Davenport Hall heeft verkocht? En dat u ons huis heeft vergokt en niet eens de moeite heeft genomen om ons in te lichten?'

'Lieve Portia,' antwoordde hij, 'een straight flush van azen is geen gok. Wat ben je bleek en wat kijk je somber, lieverd. Ben je dan niet blij dat je je huis weer terug hebt?'

Portia keek hem vol walging aan. Zo ver zij zich kon herinneren, had haar vader zich altijd met gladde praatjes en charme uit elke situatie weten te redden. De man was een ongelooflijke charmeur en hij wist precies hoe hij zijn charme moest aanwenden om een maximum aan effect te bereiken. Of zoals mevrouw Flanagan het altijd verwoordde: 'Die man weet zich nog uit een emmer stront te praten.'

'Ja, ik heb het geld van Shamie Nolan aangenomen,' vervolgde hij met zijn diepe rokersstem, 'maar ik heb het altijd alleen beschouwd als een kortlopende lening. Ik wist dat ik alles weer terug zou winnen en meer, als de inzet hoog genoeg was, en ik had gelijk. Acht miljoen dollar om precies te zijn. Je moet vertrouwen hebben in de voorzienigheid, dat heb ik toch altijd gezegd?'

'Papa!' gilde Daisy en gooide hem bijna omver. 'U hebt voor het eerst van uw leven echt gewonnen!'

'En hoe zit het met uw vriendinnetje?' vroeg Portia, die weigerde om zich gewonnen te geven. 'Is ze bij u? Want ik weet zeker dat mama u graag even wil spreken.'

'Je hebt alle recht om boos op me te zijn,' antwoordde hij kalm. 'Maar probeer alsjeblieft te begrijpen dat ik echt mijn best heb gedaan om het goed te maken. Ik verwacht niet dat je me het vergeeft, Portia, maar je zou op z'n minst deze jongeman kunnen bedanken,' zei hij en knikte naar Andrew, die schuin achter hem stond.

Voor het eerst keek Portia Andrew aan. Er viel een stilte waarin ze zich allebei afvroegen wie het eerst iets zou zeggen. Na wat een eeuwigheid leek, hield Portia het niet meer vol. 'Ik had niet verwacht je hier te zien,' zei ze zwakjes.

'Ik ben blij dat jij als eerste sprak,' zei hij droog, 'want ik was even bang dat het gênant zou worden.'

'Dat moet de kortste huwelijksreis in de geschiedenis zijn geweest,' zei ze.

'Ik zou het niet weten, ik ben niet getrouwd.'

Plotseling voelde ze zich tegelijkertijd opgelaten en slap.

'Heb je behoefte aan frisse lucht?' vroeg Andrew.

Ze kon alleen maar knikken en hij leidde haar zachtjes door de menigte naar de deur.

Intussen was Lucasta door de bekwame verzorging van Serge weer bijgekomen.

'Mama, is het niet fantastisch?' dweepte Daisy terwijl tranen van blijdschap over haar wangen rolden.

'Ach, onzin,' antwoordde Lady Davenport. 'Ik dacht dat ik droomde. Weet je nog die bezwering die ik over mezelf heb afgeroepen om mezelf onweerstaanbaar te maken voor het andere geslacht? Dat was een grote vergissing!'

***

Het was een schitterende dag en zodra ze de zachte bries voelde en frisse lucht inademde, kwam Portia weer tot zichzelf. Andrew liep naast haar en loodste haar weg van de mensen die de Hall verlieten.

'Voel je je al wat beter?' vroeg hij toen ze over het zandpad liepen dat naar Loch Moluag leidde en keek haar vluchtig van opzij aan.

'Mmm,' antwoordde Portia. Ze stond nog steeds enigszins wankel op haar benen en beefde als een rietje.

'Kom, ga even zitten,' zei hij en wees naar een houten bankje met uitzicht op het meer. 'Je bent nog steeds lijkwit.' Ze ging gehoorzaam zitten en deed haar best om diep adem te halen en kalm te blijven.

Het uitzicht hielp. Als de zon scheen was Loch Moluag werkelijk een plaatje. De manier waarop het zonlicht in het water werd weerkaatst, zou geen enkele schilder kunnen vastleggen. Ze zaten naast elkaar in de schaduw van een wilg en Portia begon zich langzamerhand weer een normaal mens te voelen.

Andrew viste een pakje sigaretten uit zijn zak en stak er een op. Hij leek ook een beetje nerveus en keek gespannen.

'Het huwelijk was op tv,' zei Portia. Ze keek hem opzettelijk niet aan en staarde naar het meer. 'Ik heb gisteravond een klein stukje gezien.'

'Tja,' zei hij en inhaleerde de rook diep. 'Ik wens Edwina alle geluk van de wereld toe. Ze heeft in elk geval de man die ze wilde.'

Portia keek hem aan. Ze begreep er helemaal niets van.

'Ik heb het allerbeste alibi dat je maar kunt bedenken en kan bewijzen dat ik gisteren niet eens in de buurt van een kerk was, want ik zat met je vader in het vliegtuig op weg van Las Vegas naar Dublin.'

'Wat zei je?'

'Portia, dacht je nu werkelijk dat het zuiver toeval was dat hij uitgerekend vandaag als een deus ex machina opdook? Waarom denk je dat hij wist dat Davenport Hall vandaag geveild zou worden? En wie denk je heeft hem overgehaald om de Hall voor zijn gezin terug te kopen? Als ik iets heb geleerd in al die jaren als bedrijfsjurist, is het wel om overtuigend te zijn. Zodra mijn vader me vertelde dat er een gerechtelijk onderzoek zou worden ingesteld, kwamen we allebei tot de conclusie dat er niets anders op zat dan dat iemand naar Amerika ging om Lord Davenport te halen. En die iemand was ik. Als die zakkenwasser van een Shamie Nolan Blackjack kon traceren, moest ik het ook kunnen. Blackjack zal een van mijn vaders kroongetuigen zijn.'

'Maar hoe zit het dan met Edwina? Je moeder vertelde me dat jullie weer bij elkaar waren.'

'Nou, dat is nieuw voor mij.'

Portia keek hem volkomen verbijsterd aan.

'Weet je, ondanks alles denk ik toch dat je een goed mens bent.' Hij nam weer een trekje en keek naar het meer. 'Ik moet je nageven dat je recht door zee bent. Valsheid is jou vreemd en ik denk dat jij je met de beste wil van de wereld niet kunt voorstellen hoe vals sommige vrouwen kunnen zijn. Wat dat betreft spant mijn moeder de kroon. Haar talenten worden volledig verspild met het bakken van taarten en het verzorgen van maaltijden voor de Irish Coutrywoman's Association. Zij zou soaps moeten schrijven. Mijn moeder heeft zonder meer de meest valse, manipulatieve en vindingrijke geest die ik ooit ben tegengekomen en ik kan het weten want ik ben jurist.'

'Wil je daarmee zeggen dat ze loog?' Portia's hoofd tolde. 'Maar waarom zou ze dat doen? Waarom gaat ze tot het uiterste?'

'Met het risico dat ik verwaand klink: ze wilde dat Edwina en ik weer bij elkaar kwamen en die trefzekere opmerking moest jou op je plaats zetten. Natuurlijk hebben de foto's en verhalen over jou en mij in de *National Intruder* haar tot haar besluit aangespoord.'

'Met wie is Edwina dan getrouwd?'

'Goh, ik was helemaal vergeten dat je zo'n geïsoleerd bestaan leidt, milady,' zei hij plagend. 'Is de postduif nog niet met het nieuws gearriveerd? Het stond in alle kranten.' Ze grinnikte, verbaasd dat ze zo snel weer op de oude voet stonden.

'Voor het geval het je nog niet is opgevallen, Andrew, ik was de hele ochtend druk.'

'Goed, dan heb ik nieuws voor je. Herinner je je nog die eerste avond dat ik je mee uit nam en we haar in dat vreselijke, pretentieuze restaurant tegenkwamen?'

Portia raadde het al. 'Nee! Je gaat me toch niet vertellen dat ze met Trevor Morrissey is getrouwd? Maar die is minstens veertig jaar ouder dan zij! En hij heeft de kleur van een sinaasappelcake. En zijn laatste album was verschrikkelijk. Zelfs mama zingt nog beter dan hij.'

'Maar hij is ook multimiljonair, en dat maakt in haar ogen een hoop goed.'

Portia kon het nauwelijks geloven. 'Waarom heb je niets gezegd? Ik bedoel, dat je naar de Verenigde Staten ging om Blackjack te zoeken? Je hebt zelfs nooit meer gebeld. Ik dacht dat ik helemaal gek werd.'

Andrew boog voorover om zijn sigaret uit te maken. 'Ik heb wel degelijk gebeld. Maar als je Davenport Hall probeert te bereiken, is het net alsof je naar stalinistisch Rusland probeert te bellen. Ik heb je moeder en mevrouw Flanagan gesproken en gevraagd de boodschap door te geven. Als ik me goed herinner waren mevrouw Flanagan's exacte woorden: "Ik moest van haar zeggen dat ze er niet was." En Daisy zei dat je het te druk had met Steve om aan de telefoon te komen en smeet zowat de haak op de hoorn. De boodschap was duidelijk. Ik heb aldoor geprobeerd te bellen, tot vlak voor mijn vertrek naar Las Vegas, maar het leek wel alsof de telefoon was afgesneden. Toen ik je die avond in het Four Seasons Hotel tegenkwam, wist ik dat je meteen de verkeerde conclusie trok toen je mij met Edwina zag, ook al was ik alleen met haar meegegaan omdat we dat al maanden geleden hadden afgesproken. Maar je gaf me niet eens de kans om het uit te leggen.'

Portia gaf geen antwoord. Hij had gelijk, ze had botweg geweigerd om aan de telefoon te komen.

'Ik heb je niet bedrogen, Portia. Ik was woest op je om wat je had gedaan en woest op mezelf dat ik je zo verkeerd had ingeschat, maar ik heb in elk geval geprobeerd om het uit te leggen.'

In haar hoofd rinkelde een alarmbel. Hij was woest om iets wat ze had gedaan? Ze dacht koortsachtig na terwijl hij zijn derde sigaret opstak en verder praatte.

'Ik denk niet dat ik dat vreselijke midzomernachtfeest ooit nog zal vergeten. Als een gek ben ik die ochtend naar de Hall gereden, na een ontmoeting met Paul O'Driscoll—'

'Wie?' viel ze hem in de rede.

'Een hooggeplaatst gemeenteraadslid van Kildare die ik net had weten over te halen om de herbebouwing van het Davenport landgoed in de openbaarheid te brengen. Ik heb de hele avond op hem ingepraat en me voor jou uit de naad gewerkt, en toen ik hier kwam omdat ik popelde om het je te vertellen, zei mevrouw Flanagan langs haar neus weg dat je met een ander naar bed was gegaan.'

'Wat!' Portia kon haar oren niet geloven.

'Zo reageerde ik ook. Dus ben ik naar je kamer gegaan en zag met eigen ogen dat ze de waarheid sprak. Ik geloof niet dat ik je tot zoiets in staat had geacht als ik het niet zelf had gezien. En zien is geloven. Vervolgens zie ik foto's van jou en hem in de bladen en dacht: dat heb je weer goed gedaan, De Courcey, je weet wel steeds de verkeerde uit te kiezen.'

Het duizelde Portia. 'O god,' stamelde ze toen het kwartje viel. 'Je bedoelt Paddy. Die stomme Paddy.'

'Nog een vriendje over wie je me voor het gemak maar niets hebt verteld? Wie is in vredesnaam Paddy?'

'Andrew, luister alsjeblieft naar me.' Portia haalde diep adem en probeerde na te denken. Alstublieft, lieve God, laat me dit niet verknallen. 'Paddy is de geluidsman van de filmcrew en hij is volkomen geobsedeerd door Daisy. Hij was behoorlijk beneveld en kon haar kamer niet vinden en is toen bij mij in bed geploft. Ik heb niet eens gemerkt dat hij naast me lag, want ik was helemaal bewusteloos omdat Steve me een hele sterke slaappil had gegeven.' Ik klink net als een getuige die tijdens een kruisverhoor in paniek raakt, dacht Portia. Ze keek hem van opzij aan, maar hij staarde naar het meer.

'Dat brengt ons weer bij Steve.' Zijn stem klonk hard en snijdend. 'Portia, ik heb de meest rare dingen meegemaakt, maar dit slaat alles.'

'Als je soms denkt dat ik iets met Steve heb, ben je echt helemaal geschift. Hij is een vriend van de familie, ik beschouw hem min of meer als een broer. Hoe kun je nu in hemelsnaam denken dat wij iets hebben?'

'Het spijt me dat ik niet in staat ben om je gedachten te lezen. Wat moest ik dan denken?'

'Je had me kunnen vertrouwen!'

'En jij had mij kunnen vertrouwen!'

Er viel een boze stilte. Portia nam zich voor om nooit meer met een jurist in discussie te gaan. Het had geen zin, Andrew stak haar steeds de loef af. Wat kon haar het ook schelen, dacht ze. Ze had niets meer te verliezen.

'Ik dacht dat je troost bij me zocht omdat het uit was met Edwina,' zei ze een stuk kalmer.

Hij draaide zich om en keek haar doordringend aan. 'Zo te horen hebben we flink langs elkaar heen gepraat. Goed, ik zal mijn kaarten op tafel leggen. Ik wilde je dit al op de dag van het bal vertellen, maar toen wilde je niet luisteren. Misschien nu wel. Wat wij hadden was me nog nooit overkomen en ik betwijfel ten zeerste of het me ooit nog eens zal overkomen. Ik was verliefd op je, Portia, tot over mijn oren verliefd. Vanaf het moment dat ik je voor het eerst in de tuin van mijn ouders ontmoette en jij champagne over je truitje morste.'

Daar had je het al. Was verliefd. Verleden tijd. Portia kreeg nauwelijks adem.

'Maar toen kreeg ik de indruk dat het allemaal te snel ging voor jou,' vervolgde hij, 'en Edwina deed er natuurlijk ook geen goed aan. En dan mijn moeder, die je niet bepaald het gevoel gaf dat je welkom was.'

Portia kon het niet meer aanhoren. Er was een tijd om te zwijgen en je bij de feiten neerleggen en er was een tijd om je mond open te doen.

'Andrew,' zei ze en keek hem aan. 'Het ging helemaal niet te snel voor mij. Integendeel zelfs, het kon me niet snel genoeg gaan. Ik ben stapelgek op je. Ik bedoel, ik denk dat ik verliefd op je ben... ik bedoel... o god, wat maak ik er weer een puinhoop van!'

'Ga verder,' drong hij aan.

'Ik heb gewoon nooit het gevoel gehad dat ik goed genoeg voor je was. Ik bedoel, kijk toch eens naar je! Jij kunt iedere vrouw krijgen die je wilt en ik kon maar niet begrijpen waarom jij bij mij wilde zijn. Ik wist dat je op de dag van het midzomernachtfeest om de een of andere reden boos op me was, maar ik had geen idee waarom. En ineens was je verdwenen. Volledig verdwenen. Ik was er helemaal van ondersteboven en bleef maar hopen dat je op een dag weer zou opduiken, maar niets hoor.' Nu ze eindelijk al haar opgekropte gevoelens onder woorden bracht, kwamen bijna de tranen. 'En toen vertelde je moeder dat Edwina en jij weer bij elkaar waren en toen Steve en ik bij je vader in Greenoge waren—'

'Je bent bij mijn ouders thuis geweest?' onderbrak hij haar.

'Ja. Je vader had ons gevraagd om te komen, want hij wilde ons over het gerechtelijk onderzoek inlichten. Hij was zo aardig, zo begripvol, maar toen zei hij dat hij naar de generale repetitie van Edwina's bruiloftsmaal ging...'

'Je moet nooit jurist worden, Portia. Je hebt absoluut geen oog voor details. Hij zei dat hij naar de generale repetitie van Edwina's bruiloftsmaal ging, niet naar het mijne.'

'Wat moest ik dan denken, Andrew? Ik had geen andere keus dan te accepteren dat je zo goed als getrouwd was en mijn best doen om je zo snel mogelijk te vergeten.'

Hij tilde zijn hand op en streek heel teder een haar uit haar gezicht. 'Ik hoop van harte dat je, na alle moeite die ik heb gedaan, me nog niet bent vergeten.'

Ze pakte zijn hand en glimlachte door haar tranen heen. 'Je bent geen seconde uit mijn gedachten geweest.'

'Godzijdank.' Hij omhelsde haar en streek met zijn vingers door haar haar. Ze vlijde zich in zijn armen en hield hem stevig vast, alsof ze hem nooit meer wilde loslaten. Hij streelde zachtjes haar wang en boog zich naar haar toe om haar te kussen. Ze beantwoordde zijn kus gretig en werd overspoeld door opluchting en geluk.

'Vertel eens, milady,' fluisterde hij in haar oor terwijl hij haar hals kuste, 'denk je werkelijk dat je met een gewone burger als ik kunt leven?'

'Ja, alsjeblieft,' mompelde ze. 'Ja, ja, alsjeblieft.'

Toen ze uren later gearmd naar de Hall terugliepen, bleef Andrew staan en zei: 'Lieveling, je ziet er bleek en moe uit. Je bent kapot. Wat zeg je ervan als we er een paar weken tussenuit gaan. Met z'n tweetjes?'

'O Andrew, ik zou niets liever willen.' Ze sloeg haar armen om zijn nek en omhelsde hem innig. 'Het kan me niet schelen waarheen, zo lang ik maar bij jou ben.'

Wat denk je van een zonnige en exotische plek?' vroeg hij en kuste haar op haar voorhoofd. 'We kunnen het altijd onze huwelijksreis noemen.'

***

Andrew en Portia wisten niet dat ze werden gadegeslagen. Terwijl ze elkaar op het veld achter de Hall als een stel tieners hartstochtelijk kusten, keek Lucasta toevallig uit het raam op de tweede verdieping en ving een glimp van hen op.

Ze tilde Gnasher op en wees naar het verliefde paar. 'Zie je nu wel, Gnasher? Mijn bezweringen hebben altijd effect. Ik heb je toch gezegd dat alles goed zou komen?'

Hoofdstuk drieëndertig

De sfeer in Davenport Hall was die avond heel anders dan de vorige avond. Toen iedereen zich in de Long Gallery verzamelde om het heuglijke feit met een borrel te vieren, was Portia de eerste die haar geluk niet langer voor zich kon houden.

'Liefje, je straalt gewoon!' riep Serge toen ze hem het nieuws vertelde. 'Ik heb ooit ergens gelezen dat het enige wat een vrouw nodig heeft om echt mooi te zijn, is zich helemaal in het zwart kleden en aan de arm lopen van de man van wie ze houdt, en jij bent het levende bewijs. Dus die sexy bink is de beroemde Andrew?' fluisterde hij. Portia knikte glimlachend. 'Waarom zijn alle knappe kerels toch hetero?' zei hij en schudde dramatisch zijn groene haar. 'Ik ben uiteraard de laatste die de aandacht van het gelukkige paar wil afleiden, maar willen jullie de allerlaatste en allerheetste roddels van de set horen?'

'Ja, alsjeblieft, ik ben dol op roddels,' zei Daisy die inmiddels bij hen was komen staan. Ze sloeg haar armen om Portia's middel en keek haar zus stralend aan. 'Is het geen geweldig nieuws, Serge? Mijn grote zus gaat trouwen!'

'Eerst de allerlaatste roddels, daarna is er nog alle tijd om uitbundig te zijn,' zei Serge verheugd dat hij toehoorders had. 'Wat ik jullie ga vertellen, is zeer vertrouwelijk, dus vertel het aan één persoon tegelijk. Ik hoorde van Caroline die het weer van Johnny had gehoord die het weer van Jimmy D had gehoord dat Montana en Paddy de nacht samen hebben doorgebracht! En, zijn jullie perplex?'

'Ik weet het, ik weet het!' riep Daisy opgewonden, 'Want ik heb hem vanochtend stiekem uit haar kamer zien komen. Hij viel bijna flauw toen hij mij zag en verzon het meest idiote excuus. Hij zei dat hij een microfoontje op een bijzonder gevoelig lichaamsdeel moest aanbrengen voor de liefdesscène die ze morgen filmen. Ik moest zo lachen dat ik het bijna in mijn broek deed.'

'Sst, als je het over de duivel hebt!' fluisterde Serge toen het onder-werp van gesprek de Long Gallery binnenliep. Paddy liep meteen op hen toe, omhelsde Portia en wenste haar op zijn eigen onnavolgbare manier geluk.

'Je hebt eindelijk een vent gestrikt, wat fijn voor je!' zei hij. Toen wendde hij zich tot Daisy en fluisterde: 'Luister, schatje, ik hoop niet dat je een verkeerd idee hebt gekregen. Montana en ik hadden alleen sex, begrijp je? Ik bedreef niet de liefde met haar zoals ik met jou de liefde bedreef.'

'Ach, echt?' stamelde Daisy terwijl Serge en Portia de slappe lach kregen.

'Ga je nog steeds met hem?' vroeg Paddy met een knik naar Steve die bij het raam stond en diep in gesprek was met Andrew en Blackjack.

'Ja,' loog Daisy, 'maar ik wil je nog wel even zeggen dat Montana zich gelukkig mag prijzen.'

Paddy grijnsde blij. 'Ja, ze is helemaal niet verkeerd, hè? En het kan me niet schelen wat ze over haar zeggen, het zijn haar eigen lip-pen.'

'Moet ik nog steeds je vriendje spelen?' vroeg Steve die meteen op haar toeliep zodra Paddy wat te drinken ging halen.

'Dat is geen slecht idee,' zei Daisy en pakte zijn hand. Steve bloos-de diep en hield haar hand stevig vast. Daisy wist niet waarom, maar het was heerlijk om midden in het vertrek hand in hand met Steve te staan. Op de een of andere manier gaf het haar een goed gevoel.

'Wat is er in vredesnaam allemaal gebeurd tijdens mijn afwezig-heid?' zei Blackjack met zijn zware, knarsende stem terwijl hij het tafereel in ogenschouw nam. 'Ik heb twee maagdelijke dochters ach-tergelaten en nu lijkt het wel alsof ik naar Madonna en haar zuster Elizabeth Hurley kijk.'

Aangespoord door Andrew deed Portia haar uiterste best om be-leefd tegen haar vader te zijn. 'Ik weet dat hij zich niet bepaald netjes heeft gedragen,' had Andrew uitgelegd, 'maar hij heeft echt zijn best gedaan om het weer goed te maken. Ik ben de laatste dagen veel met hem opgetrokken en ik ben bijzonder gesteld op hem geraakt. Geef hem een kans, lieveling, hij is in wezen echt een aardige vent.'

Maar er was één iemand die helemaal niet blij was dat Lord Davenport weer thuis was. Voor het eerst sinds ze zich konden heugen, kwam Lucasta niet naar de Long Gallery om voor het eten een paar sterke gin-tonics achterover te gieten. Daisy begon zich na een poosje zorgen te maken en fluisterde tegen Steve dat ze discreet poolshoogte ging nemen. Ze vond haar in de keuken waar ze bij de Aga een van Gnasher's kittens druppeltjes melk voerde.

'Is alles goed, mama?' vroeg Daisy oprecht bezorgd. 'Het is bijna negen uur en u bent nog nuchter.'

'O ja, liefje,' zei ze zonder op te kijken. 'Ik denk niet dat ik kom eten, ik krijg nog steeds bezoek van de andere kant, dus is het beter als ik hier blijf.'

'Mama,' zei Daisy streng, 'u kunt hem niet eeuwig ontlopen. Vroeg of laat zult u hem onder ogen moeten komen.'

Lucasta zuchtte en viste een pakje sigaretten uit de zak van haar waxcoat. 'Ik weet het, lieverd. Maar het is... tja, toen hij ervandoor ging, was ik natuurlijk van streek, maar toen kwam de filmploeg en alles en tja, de afgelopen maanden waren eigenlijk zo leuk zonder hem! Ik had de tijd van mijn leven, lieverd, en nu moet ik weer de saaie Lady Davenport uithangen en laten we eerlijk zijn, dat is allemaal zo'n flauwekul. Waarom laat hij ons niet met rust? We nemen wel contact met hem op als we zijn handtekening nodig hebben of zoiets.'

'Maar daar gaat het nu juist om, mama, hij blijft niet. Hij heeft me verteld dat hij alleen blijft om Portia's huwelijk bij te wonen en dan gaat hij weer terug naar de Verenigde Staten. Heus, hij blijft niet voorgoed.'

'Weet je dat zeker, liefje?' vroeg Lucasta die zichtbaar opfleurde. 'Weet je zeker dat hij niet zomaar wat zegt? Ik bedoel, jij weet toch ook hoe Blackjack is. Die man kan liegen of het gedrukt staat. Ik wil niet zeggen dat hij slecht is,' verbeterde ze zichzelf toen ze de gekwetste blik in Daisy's ogen zag. 'Hij is een zakkenwasser, maar geen slechterik. Denk je echt dat hij naar Amerika teruggaat?'

'Ik weet het zeker. Ik denk dat hij popelt om terug te gaan naar...' Daisy aarzelde omdat ze niet wist hoe haar moeder het zou opnemen als ze wist dat haar man nog steeds een vriendinnetje had. 'Hij heeft het daar gewoon enorm naar zijn zin,' maakte ze de zin onhandig af.

'Dat is het beste nieuws van vandaag,' zei Lucasta opgetogen. 'En weet je, het is ook het beste voor hem. Ik heb altijd het gevoel gehad dat Las Vegas het spirituele thuis van je vader was.'

***

Portia was nog nooit zo gelukkig geweest. Andrew zat naast haar en streelde discreet haar been onder de tafel. Hij had de hele avond alleen maar oog voor haar en Portia waande zich in het paradijs.

'Jullie moeten in Ballyroan Church trouwen,' verkondigde Blackjack die aan het hoofd van de tafel zat. Hij liet de cognac in zijn glas ronddraaien en had de hele avond de tafel afgespeurd op zoek naar een vrouw tussen de achttien en de veertig om mee te flirten, maar afgezien van Montana die diep in gesprek was met Paddy, had hij geen geluk. 'En zo snel mogelijk,' vervolgde hij met een verveelde stem. 'Er is niets ergers dan een lange verloving, dat is totaal zinloos.'

'Als uw dochter mij wil hebben, meneer, trouw ik morgenochtend met haar,' antwoordde Andrew lachend.

'Als ik jou wil hebben?' zei Portia. Ze boog zich naar hem toe om hem te kussen en het kon haar niet schelen wie het zag.

Daisy en Steve zaten verderop en waren ook diep in gesprek verwikkeld.

'Tot dusverre speel je je rol heel goed,' zei ze plagerig, 'maar ik denk dat je me voor de zekerheid moet knuffelen.'

'Nu?' vroeg hij blozend.

'Nu,' antwoordde ze streng. Ze pakte de vork uit zijn hand en tilde haar gezicht naar hem op. Hij gaf haar verlegen een kusje op haar wang en trok zijn hoofd terug, maar daar wilde Daisy niets van weten. 'Steve, wanneer heb jij voor het laatst gekust?'

'Eens even kijken,' zei hij met een advocatenstem, 'vandaag is het vrijdag, dus dat zal in... eh... 1995 geweest zijn.'

'Sindsdien is het een en ander veranderd, dus ik zal je laten zien hoe het moet,' antwoordde ze en trok zijn hoofd naar zich toe. Ze kuste hem langzaam en teder en toen hij de smaak te pakken kreeg, verbrak ze de kus. 'Mmm, niet slecht,' mompelde ze, 'maar we moeten nog heel veel oefenen.'

Montana en Paddy zaten tegenover hen en genoten van de voorstelling. 'Zie je nu wat ik je probeer duidelijk te maken, liefste,' zei Paddy tegen Montana. 'In dit land zijn de hoogste standen allemaal sloeries.'

Montana knipoogde glimlachend naar Daisy, want zij wist hoe de vork in de steel zat.

Lucasta zat aan het andere eind van de tafel, zo ver mogelijk van haar echtgenoot vandaan.

'Al die gelukkige stelletjes,' kwetterde ze vrolijk tegen Jimmy D die links van haar zat, 'hebben hun geluk aan mij te danken. Ik heb de hele avond gechant dat zoiets als dit zou mogen gebeuren, maar denk maar niet dat die ondankbare schoften op het idee komen om een gin voor me in te schenken.'

***

Portia had als klein meisje niet echt van een sprookjeshuwelijk gedroomd en dat was waarschijnlijk maar goed ook. Andrew noch zij zouden met veel nostalgie aan de dag terugdenken, maar zoals hij op weg naar het vliegveld tegen haar zei: hoe erger de trouwdag, hoe beter het huwelijk. 'Dus, lieveling, als we onze gouden bruiloft vieren, kijken we er lachend op terug.'

De dag begon goed. Serge legde de laatste hand aan haar kapsel en make-up terwijl Daisy en Lucasta beneden kibbelden wie het sjofele parelsnoer mocht dragen (het enige sieraad in huis). Serge deed net een stap naar achteren om het resultaat te bekijken toen er op de deur van haar slaapkamer werd geklopt en Blackjack binnenkam. Hij droeg een jacquet en zag er zoals altijd uit om door een ringetje te halen, alsof hij elke dag van de week zo gekleed ging.

'Ik hoop niet dat het ongeluk brengt om de bruid te zien voordat we naar de kerk gaan?' vroeg hij.

'O nee, Lord Davenport, kom binnen, kom binnen,' zei Serge dweperig. 'Is ze niet beeldschoon?'

'Kind, je bent oogverblindend,' zei hij, en bij wijze van uitzondering loog hij deze keer niet. Ze droeg een lange, eenvoudige japon van roomkleurige zijde, die haar slanke figuur accentueerde. Serge had haar haar opgestoken, zodat de halspartij van haar japon goed uitkwam en hij had haar heel licht opgemaakt. Ze zag er inderdaad fantastisch uit.

'Ik hoop niet dat ik stoor,' vervolgde Blackjack. 'Maar omdat Andrew en jij meteen na de receptie weggaan, leek me dit een geschikt moment om je mijn huwelijkscadeau te geven.' Hij haalde een dikke witte envelop uit zijn vestzak en overhandigde die aan haar.

Portia wist niet wat ze moest denken en maakte de envelop open. Ze viel van verbazing bijna van haar stoel toen de envelop een oud, vergeeld en heel dik perkament bleek te bevatten dat met de hand in het Latijn was beschreven. Ze keek haar vader niet-begrijpend aan.

'Kijk maar eens goed,' zei hij. 'Dat is de eigendomsakte van Davenport Hall. Ik weet hoeveel je van dit oude huis houdt, Portia, en daarom wil ik Davenport Hall aan jou en Andrew schenken. Het is het minste wat ik kan doen.'

'Papa,' zei ze volledig overdonderd, 'ik weet niet wat ik moet zeggen.'

'Ik wel,' tjirpte Serge vrolijk. 'Omhels hem!'

'Ik vind het een fijne gedachte dat ik ooit misschien kleinkinderen zal hebben en dat ik hen op een dag misschien zal mogen bezoeken,' vervolgde Blackjack.

'Altijd,' zei Portia terwijl ze hem omhelsde. 'U weet dat u altijd welkom bent.'

'En nu de aftiteling!' riep Serge in extase. 'O god, ik ben dol op een echte verzoening.'

En dan was er nog Susan De Courcey. Aanvankelijk weigerde ze om te komen en sprak Andrew zo venijnig toe over zijn toekomstige bruid en haar familie dat er niets meer te zeggen viel. Gelukkig was zijn vader een ander verhaal. Hij kwam dapper in z'n eentje naar de kerk in Ballyroan, in de wetenschap dat de Derde Wereldoorlog zou uitbreken zodra hij thuiskwam. Toen Susan echter ontdekte dat Montana Jones en Ella Hepburn ook zouden komen en dat er dus heel veel pers aanwezig zou zijn, veranderde ze op het laatste moment van gedachten. Ze perste zich in een strapless haute couture japon en stormde de kerk binnen op het moment dat het paar op het punt stond elkaar het jawoord te geven.

'Vervloekte laatkomers!' had Lucasta gesist toen Portia Andrew haar jawoord gaf.

De receptie was niet van dien aard dat de roddelbladen er een uitgebreide reportage aan zouden wijden. Om te beginnen regende het heel hard, dus toen het kleine groepje gasten zich in de Long Gallery verzamelde, begon het dak vreselijk te lekken. Iedereen raakte tot op het bot doorweekt en het buffet dat op het dressoir stond uitgestald, kon ternauwernood gered worden. Tot overmaat van ramp raakte Uri Geller, verreweg een van Lucasta's meest territoriumbewuste katten, verwikkeld in een gemeen gevecht met Ella's pekinees en moesten de dieren met emmers water uit elkaar worden gehaald. Omdat er niemand was om mee te flirten, probeerde Blackjack het zelfs bij Susan en werd beloond met een klap in zijn gezicht. Het was voor het eerst dat Lucasta die dag glimlachte. Portia had haar uiterste best gedaan om vriendelijk te zijn tegen haar nieuwe schoonmoeder, maar ze gaf het op want tegen zo veel grofheid was ze niet opgewassen. Michael gedroeg zich echter uiterst charmant.

'Let maar niet op haar,' had hij gezegd toen Susan hen niet kon horen. 'Ze draait wel bij. Wacht maar tot het gerechtelijk onderzoek begint en de bladen foto's van haar publiceren omdat ze elke dag in een andere creatie de rechtszaal betreedt. Dan eet ze uit je hand.'

Toen de taxi arriveerde om de bruid en bruidegom naar de luchthaven te brengen, was het moeilijk om te zeggen wie van hen tweeën het meest opgelucht was. 'En dat was volgens Davenport-maatstaven nog niets,' zei Portia terwijl ze zich achter in de taxi in zijn armen vlijde. 'Ik hoop wel dat je beseft in welke familie je bent getrouwd.'

Andrew hield haar innig vast en lachte. 'Ik heb je toch gezegd, hoe erger de trouwdag, hoe beter het huwelijk. Tussen twee haakjes, lieveling, als we terug zijn laten we meteen het dak repareren. Ik kan met je moeder en Daisy leven, ik kan met de tientallen katten leven, maar de indoor-waterval moet eruit.'

***

Voor het eerst zo lang ze zich kon heugen, was Lucasta moederziel alleen. Het was een paar weken na het huwelijk en Portia en Andrew waren nog steeds op huwelijksreis. Daisy was een avondje met Steve uit, die twee waren tegenwoordig vrijwel onafscheidelijk. De film was klaar en de crewleden waren weer net zo snel verdwenen als dat ze gekomen waren. Het was alsof het circus het dorp verliet, dacht ze mistroostig, zoals de vrachtwagens en bussen over de oprijlaan reden en uit het zicht verdwenen. Ze waren allemaal heel beleefd geweest en hadden haar bedankt voor haar gastvrijheid en hartelijkheid. Ella Hepburn had haar hoffelijk uitgenodigd om naar de première in LA te komen en Montana had genereus aangeboden om haar ticket te betalen. Jimmy D had haar zelfs een afscheidscadeau gegeven, een verzilverde, gegraveerde vlooienband voor Gnasher, en hij had beloofd dat hij op bezoek zou komen zodra hij de film had gemonteerd. Maar na alle drukte en opwinding van de laatste paar maanden was de anticlimax groot.

'Zo Gnasher, ze zijn allemaal weg,' zei ze verdrietig, 'en nu zijn alleen jij en ik nog over.' Ze zette het kleine, flikkerende tv'tje in de keuken aan en zag nog net het laatste stukje van het shownieuws. Het was een reportage over een filmpremière in Hollywood en daar schreed Montana Jones over de rode loper. Ze droeg een creatie van Versace en zag er geweldig uit, maar dat was niet de reden dat Lucasta vol ongeloof naar het scherm tuurde. Naast Montana stond Paddy. Hij was gekleed in een smoking en keek alsof hij dit iedere dag deed. De pers ging helemaal uit zijn dak en riep: 'Hier, Montana, hier!' en 'Is het waar dat je nieuwe vriend Iers is? En dat jullie elkaar in Ierland hebben ontmoet?' Een hele batterij flitslichten ging af toen Montana en Paddy op de verslaggevers en fotografen toeliepen. Montana draaide gewillig rond om haar jurk te showen. 'Zeg, jongens? Mag ik even wat vragen?' klonk Paddy's stem duidelijk op de achtergrond. 'Weten jullie toevallig de uitslag van de wedstrijd? Arsenal speelde vanavond tegen Sunderland en ik dacht dat jullie misschien...'

Plotseling en zonder enige waarschuwing schalde de deurbel en het geluid echode als een misthoorn door het huis. Gnasher sprong geschrokken van Lucasta's schoot.

'Wie kan dat verdomme nou nog wezen?' Ze doofde haar sigaret en liep naar de voordeur. Het was laat, al over elven, en het was pik-donker in huis.

'Wie is daar?' vroeg ze nerveus. 'Ik ben gewapend, hoor!' voegde ze eraan toe en pakte een paraplu die aan de kapstok hing. 'En ik heb een waakkat!'

'Ach, doe toch open, ik bevries!' klonk een overbekende stem aan de andere kant van de deur. Lucasta worstelde met alle sloten en grendels en uiteindelijk zwaaide de voordeur open.

'Aha,' zei ze toen ze zag wie het was. 'U bent dus teruggekomen.'

'Dacht dat u misschien wel gezelschap kon gebruiken.'

Lucasta kreeg tranen in haar ogen.

'Komt u voorgoed terug?'

'Dat hangt ervan af. Wilt u dat?'

'O mevrouw Flanagan, natuurlijk wil ik dat,' zei Lucasta en om-helsde haar. 'Ik heb u zo gemist, hoewel u nog steeds een uitgezakt oud wijf bent.'

'Ik heb u ook gemist,' antwoordde mevrouw Flanagan terwijl ze Lucasta omhelsde, 'hoewel u nog steeds een geschift kreng bent.'

Lucasta pakte de koffer, gaf mevrouw Flanagan een arm en nam haar mee naar de keuken.

'Weet u, mevrouw Flanagan,' zei ze dramatisch om zo lang moge-lijk van het moment te genieten, 'volgens mij kan dit het begin zijn van een mooie vriendschap.'

Mevrouw Flanagan trok haar arm terug en glimlachte. 'Ach, don-der toch op en schenk een gin voor ons in.'

Dankbetuiging

Met het risico als een aankomend filmsterretje tijdens een Oscar-uitreiking te klinken, zijn er zo veel mensen die ik wil bedanken dat ik niet weet waar te beginnen, maar daar gaat ie dan:

Enorm veel dank aan Marianne Gunn O'Connor: zonder haar zou dit boek niet tot stand zijn gekomen. Ik vind dat er een bordje op haar kantoor zou moeten hangen met de tekst: Hier Komen Dromen Uit.

Dank aan Pat Lynch van de uitgeverij. Zij is beslist de kalmste en geduldigste persoon op het noordelijk halfrond.

Dank aan Francesca Liversidge, Sadie Mayne en iedereen bij Transworld.

Dank aan Anita Notaro, Kate Thompson en Patricia Scanlan. Zij hebben me voortdurend aangemoedigd en met raad en daad bijgestaan, en zijn stuk voor stuk beschermengelen.

Dank aan Celia Murphy, die samen met mij uren achtereen in kleedkamers heeft doorgebracht, terwijl ik zin had om mijn computer tegen de muur te smijten.

Dank aan iedereen in *Fair City*, met name Niall Matthews, Brien Gallagher, Ann Myler, Johnny Cullen, Tony Tormey, Tom Hopkins en Zoe Belton, voor hun vriendelijkheid en hulp tijdens het afgelopen jaar.

Dank aan Maureen McGlynn en Eleanor Minihan.

Dank aan de Hearnes, mijn familie in Schotland, voor alle hulp toen ik research deed voor dit boek.

Ten slotte heb ik het geluk het leukste stel vrienden te hebben dat iemand zich maar kan wensen. Bijzondere dank aan Karen Nolan, Larry Finnegan, Marion O'Dwyer, Pat Kinevane, Alison McKenna, Lise-Ann McLaughlin, Hilary Reynolds, Sharon Hogan, Madge MacLaverty, Fiona Lalor, Siobhan Miley en Elizabeth Moynihan.